基督宗教如何塑造世界
一部橫跨兩千五百年
的人類史。

宗教統治

下

TOM HOLLAND
湯姆・霍蘭——著
蔡怡佳、陳正熙、陳愷忻——譯

DOMINION

How the Christian Revolution
Remade the World

目錄

CONTENT

Part 3 現代

第
11
章

肉身

西元1300年，米蘭

當道明會與其代理人抵達基亞拉瓦萊修道院（Chiaravalle）[1]時，他們直奔古列爾瑪（Guglielma）的最後安息之地。她去世已將近二十年，在這段時間當中，朝聖者們絡繹不絕地來到她的墳前致意。儘管她不是米蘭的本地人，而是在西元一二六〇年、她已經五十歲的時候才來到義大利，但她身上的神祕光環大大提升了她的名聲。據說她擁有皇室血統，是波希米亞國王的女兒，在英格蘭度過一段時間，並且曾與一位王子結婚。不論這些傳言是否為真，但可以確定的是，古列爾瑪在米蘭過著無可挑剔的貧困生活。因此在她過世之後，人們來到她的墳前留下蠟燭和祭品。一年兩次，基亞拉瓦萊的修道士都會公開追悼她，人們蜂擁而至以表達他們的敬意。古列爾瑪被譽為聖人，就像匈牙利的依撒伯爾一樣，她同樣是擁有奇蹟力量的女人，且很有可能是依撒伯爾的表姊妹。

然而，宗教裁判官們其實更清楚事實為何。他們來到這裡並非為了點上蠟燭表達敬意，相反地，他們是帶著撬棍來到古列爾瑪的墳墓前，將它撬開，挖出正在腐爛的屍體，並且點燃一把大火，將遺骨燒成灰燼，隨風飄散。古列爾瑪的墳墓被砸成碎片，她的聲譽被踐踏在腳下。這些措施看似殘酷，但它們卻是迫切需要的。因為令人震驚的啟示已經浮上檯面。

整個夏天，宗教裁判官們嗅到了一種真正可怕的異端惡臭。循著這股臭味的方向，他們一路追到了米蘭社會的最上層。帶頭的人是一位名叫曼芙雷達．達．皮羅瓦諾（Maifreda da Pirovano）[2]的修女，她也是這座城市的真正領主馬提奧．維斯康提（Mateo Visconti）的表親。一旦真相大白，沒有任何人（甚至是她的表親）能夠拯救她。她被活活燒死。對一個充滿顛覆、傲慢、無恥野心的女人而言，這是一種適切的懲罰。這種野心出現在任何一個異端心中都會讓人震驚，出現在一個女人身上，尤其如此。曼芙雷達告訴她的追隨者，她註定要統治整個基督宗教世界：她將被選為教宗。

一種罕見而可怕的大膽崇拜在米蘭孵化。在曼芙雷達被處決一年後，一種說法開始流傳：古列爾瑪將來到這座城市，「宣稱她是救贖婦女的聖靈化身，將奉聖父、聖子和她自己之名，為婦女們受洗。」[1]這種認為基督宗教世界即將面臨全新開始的信念，並非她所原創。早在英諾森三世的時代，一位名叫約阿基姆（Joachim）的修道士就在義大利南部荒野深處的菲奧雷（Fiore）修道院當中沉思聖經，並且在書中找到了一個預言的訊息。依照他的教導，世界的年代可以分為三個階段。首先，跨越遠古、將創世與基督

① 譯註：位於米蘭的熙篤會修道院，始建於一一三五年，為義大利最早的哥德式建築之一。

② 譯註：出身貴族，義大利十二世紀謙卑者派（Umiliati）修女，在古列爾瑪死後領導教派，被宗教裁判所判為異動，送上火刑台。

降臨區隔開來的是聖父的時代；接著是聖子的時代，如今這個時代也接近尾聲；取而代之、即將到來的將是聖靈（聖神）的時代。

對許多人而言，這樣的前景都很誘人。許多方濟會的修道士們都認為這個前景所指涉的就是他們。然而，沒有人能像古列爾瑪那樣，賦予它如此獨特的光澤。西元一二六〇年，也就是她抵達米蘭的那一年，正是約阿基姆所預言的新時代開始的日子。無論古列爾瑪本人是否認可，她的追隨者都開始相信她就是「聖靈和真主」[2]。這樣的信念並沒有因為她的死去而被削弱。在曼芙雷達充滿個人魅力的領導之下，古列爾瑪的門徒們聲稱看見她再次復活。在聖靈的新時代，教會的腐敗將會被洗刷乾淨。當時在位的教宗波尼法爵八世（Boniface VIII）是一個以殘忍、貪婪與腐敗而惡名昭彰的人，也將被曼芙雷達廢黜並取而代之。教會當中位階最高、從西元一一七九年開始就被賦予選出教宗的獨佔權力的樞機主教，也都會是女性。聖靈的時代將是女性的時代。

對任何宗教裁判官來說，這種異端邪說幾乎形同針對個人的侮辱。提及女性神職人員是可笑的，更甭論女性教宗。當上帝將夏娃逐出伊甸園時，不僅判定她要忍受分娩的痛苦，還要受到丈夫管轄。許多基督宗教教父都堅定支持這樣的判定：「妳們難道不知道妳們每個人都是夏娃（厄娃）嗎？」[3]尤其是聖奧斯定，藉由將原罪的教義嵌入他的作品當中，以陰鬱的語氣，讓人感覺到每一個子宮的肌肉與血液都已經被違抗上帝、無法根除的汙點所感染。儘管女性以女王、攝政、女修道院院長的身分，有能力足以擔任教會的贊助人，但她們卻極少想要擔任神職。

在宗教改革運動中發生的劇變，將貞操奉為男人親近上帝的最高證明，只是更證實了神職人員認為女人是誘惑者的恐懼。一個教士因為夢見有人「以可怕的速度衝向他，用刀殘害他」[4]而從慾望中解放出來，就是渴望擺脫對女人依賴的典型代表。那些沒有躲在修道院當中的修道士們，走在擠滿異性的街道上，看著她們的頭髮、乳房以及臀部，不能不更加嚴密地戒備。正如一位道明會修士的怒吼：女人是「男人困惑的根源，貪得無厭的野獸，持續的焦慮，無休止的戰鬥，每天的毀滅，暴風雨的來源，以及奉獻的阻礙」[5]。面對這樣的威脅，神職人員們該如何做，才能保持女性安於被神聖認可的從屬地位？

當然，這是為了附和男人天生所具有的偏見。一些神學家指出耶穌和他的使徒都並非女性，藉此為神職的男性氣質辯護，而他們所能引用的權威要比福音書更為古老。亞里斯多德曾經寫道：「女性，可以說是次等的男性。」[6]這位偉大的哲學家不僅為宗教裁判官提供了一個如何施行審訊的模型，他的生物學著作也有巨大的影響力，支持許多神職人員急於擁抱的觀點：女性天生是次等的。當他們堅決相信在自己的守貞中看到幾乎如天使般堅韌不摧的證明時，他們也在古人所傳授的生理模型中證實了所有最黑暗、最嚴重的恐懼。女性會有體液滲出，她們流著血，就像最危險的沼澤，濕潤且柔軟，會將男人完全吞沒。在任何亞里斯多德學說流傳的地方，夏娃的女兒們愈來愈被一種比希臘語還要更不符合聖經教誨的標準所衡量。

女性天生體質較弱，並且是為了懷孕而生成，永遠不能被認為與男性是平等的。古列爾瑪的抗議是最為激進的，卻不是唯一的。引用亞里斯多德以證實女性在生理上較為低等的學者，就不得不考慮到聖經內在的深刻矛盾。賦予丈夫統治妻子權力的裁示，並不是聖經中唯一有關兩性關係的論點。儘管多瑪斯．阿奎那崇拜亞里斯多德，他卻一直在努力糾正「女人只是有缺陷的男人」的假設，而他的根據則是在〈創世紀〉中，男女都是為精確而特定的目的被神聖地創造出來。夏娃的身體「即使依據自然，是以生育為目的而受造」，但她與亞當的身體一樣，都是上帝這位「自然的唯一創造者」[7]所創造的。

這個論點對於神性的理解有著不可忽視的影響。安瑟莫問道：「但是祢，耶穌，親愛的主，不也是一位母親嗎？祢不就是像母雞一樣把小雞收集在翅膀之下保護的媽媽嗎？說真的，主啊，祢就是一位母親。」[8]即使修道院院長們過著貞潔的生活，他們也會毫不猶豫地將自己比喻為哺乳期中的女人，乳房充滿著「教義的乳汁」[9]。一位教士會以這樣的方式談論自己也並不可恥，因為女性和男性都是神性的反映。天父，也是一位母親。

但這樣的說法對女性自身意味著什麼？保羅在〈加拉太書〉（迦拉達書）中堅持，男性與女性的界線再也不存在，因為在耶穌基督裡所有人都合而為一。然而即使是他，有時也會因為這個想法的顛覆性而感到不安。他經常不願意將男女在上帝面前平等的概念付諸實踐。因此，他對於是否應該允許女性引領祈禱或提出預言的棘手問題，不太願意負起責任，一下子堅持認為她們不應被允許這麼做，一下子又說她們可以——但只有在蒙面的前提下。在他死後，以他之名被寫下、並且被納入聖經正典的論述中，卻提供了一個更有強制性的的解決方法：「我不許女人教導，也不許她管轄男人，只要安靜。」[10]這節經文提供了宗教裁判官鎮壓古列爾瑪邪教所需的理由——他們將她的屍體從墳墓中拖出，並且將曼芙雷達送入火中。

雖然道明會修士們是完全沉浸在保羅教誨中的偉大學者，但他們並沒有無視使徒在他的教會中賦予女性們的價值。道明本人在他的修會成立僅僅兩年之後，就在馬德里建立了一座修道院。繼他之後擔任修道院長、一位名叫喬丹（Jordan）的薩克遜貴族，一直都是道明會修女們的重要贊助者。他定期寫信給波隆那女修道院院長，這麼做的原因不只是作為她的精神導師，也是她專橫魅力的崇拜者。依據這種關係所建立起來的模式被許多道明會修士所遵循。他們雖然身為教士，但對於女性同儕與上帝的親近欣然敬畏。他們知道，當他們的主從死裡復活時，首先是向一個女人，而不是向他的門徒顯現。〈約翰福音〉中講述了耶穌的追隨者——曾經被祂從惡魔附身中治癒的抹大拉的馬利亞（瑪利亞瑪達肋納）——如何將復活的基督誤認為園丁，但之後又認出祂來：「我已經看見了主。」[11]道明會修士雖然從不懷疑自己作為神職人員的權威，但他們知道這種權威是有限的。權力（即使是男人對女人的權力）也必然是一種矛盾和危險的東西。那些沒有權力的人，肯定才是最受上帝寵愛的人。

「我心尊主為大；我靈以上帝我的救主為樂；我靈以上帝我的救主為樂。」[12]聖母馬利亞得知她即將生下天主之子時，如此唱道。沒有人曾經被如此榮耀，沒有人曾經被如此看重。即使古列爾瑪的骸骨化為灰燼，即使整個基督宗教世界女性的法律與政治地位不斷惡化，即使女性的身體遭受傳道者與衛道人士以越來越惡毒的言語辱罵，貶稱為承載腐敗的容器，然而滿載恩寵的天后（Queen of Heaven）光輝，仍然祝福著婦女，並閃耀著最亮的星光。「子宮啊，肉體啊，造物主是在那裡，從那裡被創造出來的，上帝是在那裡化為肉身的。」[13]

馬利亞身為一個貞潔的母親，救贖了夏娃的過錯，身為凡人的她在子宮內孕育了永恆的神性，甚至為最卑微且不識字的農民體現了基督信仰核心中的所有悖論。不需要在大學裡接受多年教育，也不需要熟悉亞里斯多德的作品，就能理解一位母親對兒子的奉獻精神。這也許就是為什麼當學者們越是努力在浩瀚而令人生畏的神學著作中，闡明上帝意旨的微妙之處，以深刻博學的方式融合啟示與邏輯，在藝術作品中馬利亞與兒子就越會被描繪為沉浸在簡單喜悅之中。同樣地，在耶穌殉道的場景中，聖母也越來越被描繪成與她的兒子有著同樣的苦難和尊嚴。聖母的目光不再像從前那樣平靜。所有人的共同情感變得更加基督宗教化。在基督宗教所闡明的偉大奧祕、生與死、幸福與受苦、共融和失落的核心裡，是一位女人對她孩子的愛。

對於憂心世界未來可能走向的基督徒而言，這是一種珍貴的慰藉：一種無須依賴對異端的監管或任何宗教改革要求的慰藉。曼芙雷達告訴她的追隨者們，她註定要成為教宗，並且立足於一個非常熟悉的傳統上——將整個基督宗教世界建立在正確基礎、以清除腐敗為目標的傳統。她相信教宗權威是改革最可靠的工具，夢想和額我略七世一樣的成就，站在羅馬教廷的制高點上。當然她的野心一直都是徒勞的，但即使是教宗本身，在這個時代的挑戰與動盪當中也發現了他們權威的侷限性。

在曼芙雷達被處決兩年之後，因為法蘭西國王腓力四世（Philip IV）的公然挑釁，波尼法爵八世發表了有史以來最能彰顯教宗權威的聲明：「我們宣布、聲明、並且律定，為了救贖，每個人都絕對需要服從羅馬教宗。」同樣的內容從英諾森三世口中說出，或許聽起來很嚇人，但從波尼法爵口中說出卻只是刺耳。西元一三〇三年九月，腓力的人馬在教宗位於羅馬郊外的避暑勝地將他逮捕。雖然教宗在被囚禁三天之後就重獲自由，然而這個事件對他驚嚇過大，讓他在一個月之內就因此過世。新任教宗是一位法國人，更安全地在腓力的庇護之下即位。西元一三〇九年，他在亞維儂定居。幾十年過去，教宗來來去去，但沒有人再回到羅馬。一座有宴會廳、花園和教宗私人蒸氣浴間的巨大宮殿，在羅納河畔出現，為其奢華與財富而震驚的衛道人士開始說起「巴比倫囚虜」。對於聖靈時代即將降臨的希望，似乎徹底落空了。

但是，更嚴重的衝擊接踵而來，而基督徒在因應這些衝擊的鬥爭當中，將被迫要以嶄新且重要的方式，重新思考精神與肉體之間的關係。

基督的新娘們

當挖掘新房子地基的工人發現這座雕像時，來自錫耶納（Siena）各地的專家蜂擁而至，欣賞這個發現。他們沒過多久就認定這位裸體女人就是愛神維納斯。這座被埋葬和遺忘數個世紀的雕像是這座城市罕見的寶藏：古典雕塑傑作真跡。幾乎沒有人會比錫耶納人更有資格欣賞它。他們以才華橫溢的藝術家而聞名於義大利，乃至於更遠的其他地方，他們看到美的事物時就能立刻辨識出來。每個人都同意，將這樣的寶物藏起來是讓人丟臉的事，因此這座雕像被帶到城裡最大的坎波（Campo）中央廣場，被放置在噴泉頂端。「她受到極大的尊崇。」[14]

緊接著事情開始出錯。先是一場財政危機，接著是錫耶納軍隊的潰敗。然後，大約在發現維納斯雕像五年之後，幾乎難以理解的恐怖給這座城市帶來了巨大的破壞。西元一三四八年五月，一場來自東方的瘟疫，以致命毒性蔓延到整個基督宗教世界，規模之大與危害之深，只能用「大死亡」（Great Dying）稱之。它連續肆虐該地幾個月之久：「感染者幾乎立即死亡，腋窩和腹股溝腫脹，並且在說話的同時倒下身亡。」[15]土坑裡堆滿了屍體。城市大教堂的工程永遠被閒置。到了瘟疫終於消退之時，錫耶納城失去了一半以上的人口。

但是災難仍然持續發生。一隊傭兵向政府勒索巨額賄賂，接著是一場政變。而與該城最為接近、仇恨最深的對手佛羅倫斯，則在軍事上給他們帶來充滿羞辱性的痛擊。新的政府領導人們從公共宮殿望向坎波廣場上的雕像，非常清楚要怪罪的對象：「從我們發現雕像的那一刻起，邪惡之事就不斷發生。」[16]這種偏執恐慌並不讓人訝異。對古典塑像的讚賞不足以抵銷印證神之憤怒的毀滅性證據。在大約八百年前，教宗額我略一世在位期間，正是悔改的呼聲阻止了瘟疫的蔓延。據傳，天使長聖米迦勒高舉一把燃燒的劍，站在台伯河上，然後在接受了羅馬人的祈禱之後，將劍套入鞘中，瘟疫便立刻停止蔓延。現在，被災難淹沒的錫耶納人只能拼命表達懺悔。西元一三五七年十一月七日，工人們將維納斯雕像推倒，從廣場上拖走並砸成碎塊，埋在與佛羅倫斯接壤的邊界之外。

對維納斯的尊崇所帶來的侮辱非常強烈。錫耶納是聖母之城，她的監護無所不在。在公共宮殿裡，以她為題的巨型壁畫佔滿了市議會的辦公空間，而在坎波廣場，廣場的扇形設計則讓人聯想起她那件具有監護象徵意義的斗篷上的褶皺。那些要求摧毀維納斯雕像的人，認為她令人愉悅且理直氣壯的裸體形象對聖母馬利亞所代表的一切構成挑戰，確實是有道理的。從雕像最初倒塌以來已經過了千年，在這段時間裡，對情色文化的理解已經有所改變，改變的幅度會讓古羅馬世界中的各個城市裡祭拜愛神的人們都無法想像。

宗教改革運動的經驗確實令人震驚，然而這只是一場更具震撼性的事件之後的餘震——基督宗教本身的到來。在有關欲望的面向上，或許這一點的影響最為明顯。被放逐的不只是維納斯，還有過去曾經因為姦淫行為而受讚揚的眾神。過去的性文化深植於以下的前提：任何擁有權力的男人，都有權利任意剝削比他地位低下的人，都可以像是使用小便斗一樣地以奴隸或妓女滿足個人的私慾，但這樣的想法已經被終結。保羅堅決認定每個人的身體都是聖器的主張，已經佔了上風。羅馬人視為理所當然的本能，已被重新定義為原罪。一代又一代的修道士和主教、皇帝和國王努力想要馴服人類慾望的猛烈潮流，建造大壩和堤防來改變其方向，並且引導其流動。過去從未有人以如此大的規模嘗試重建性道德的規範，也從未有人如此徹底地成功。

「我們和親愛的使徒保羅說：『藉著受難的基督在我裡面，給我力量，我能完成任何事。』當我們這樣做時，魔鬼就被打敗了。」[17]在瘟疫襲擊錫耶納三十年之後，一位來自這座城市的年輕女子加大利納（Catherine）[③]寫信給一位為宇宙運轉的冷酷與神祕莫測而深感不安的修道士。她在信中安慰他說，沒有任何事物（無論是疾病或絕望）可以扼

③ 譯註：加大利納（1347-1380），十四世紀義大利經院哲學家和神學家，天主教女聖人，教會聖師，義大利主保聖人（與方濟），歐洲女主保聖人，幫助額我略十一世將聖座由法國亞維儂遷回羅馬，促使義大利各國之間維持和平。

殺上帝為愛而給予凡人的禮物——自由意志。這句話語源來已久，在聖依勒內之前的偉大護教者游斯丁所創造的這個詞彙，為基督徒提供了一種具有變革性的慰藉：他們既不是星星的奴隸，也不是命運的、惡魔的奴隸，他們是自己的主人。沒有任何方法比自我節制更能證明這一點，讓人們能無視其中的各種邪惡，自由自主地立足於墮落的塵世之中。

到了西元一三七七年，加大利納本人已經成為基督宗教世界中最著名的典範。她從小就開始犧牲自己的口腹之慾：一次禁食數天，而在極少數進食的時候，她的飲食也只包括生藥草和聖餐，腰部緊緊地繫著一條鍊子。性慾自然也就成為魔鬼最能誘惑她的途徑。「魔鬼在她的腦海中帶來男女行為不檢的情景，讓她眼裡充斥著汙穢的形象，耳邊有淫穢的話語，無恥的人們在她周圍跳舞、嚎叫以及竊笑，並邀請她加入他們的行列。」[18]但是她從未加入他們。

對加大利納而言，童貞本身並不是目的，相反地，這是一種積極而英勇的狀態。她的身體拒絕男人的觸碰，是聖靈的器皿，散發著力量。身為染工的女兒，並且不識字，但加大利納被所有人稱為「*donna*」，意指一個「自由的女人」：「她自己的所有者與女主人」。「在陰影重重，就如狂風怒海的此生之中」[19]，她的處女之身就是她的船艦。她在這個充滿殘酷與苦惱的時代浪潮中航行，向眾多基督徒提供了珍貴的慰藉：聖潔確實可能在地上顯現。

即使是最偉大的人也不能不被她的魅力所吸引。西元一三七六年六月，她抵達亞維儂，開始敦促教宗額我略十一世（Gregory XI）返回羅馬，以表明他對上帝意旨的承諾。他在三個月之後啟程。但這次努力的結果卻是一場災難，讓加大利納深感失望。額我略十一世抵達羅馬僅僅一年之後就過世了。之後卻選出兩位敵對的教宗，一位是義大利人，一位是來自日內瓦的貴族，來繼任他的位子。關鍵在於，教宗應該居於何處：拉特蘭或是亞維儂。忠於義大利教宗烏爾班六世（Urban VI）的加大利納，匆忙趕赴他的身邊。她身在羅馬，是支持烏爾班六世的關鍵因素。他甚至曾將他麾下的樞機主教召集到該市的一座教堂裡，在那裡聆聽加大利納分析教會內部分裂的對錯。他充滿欽佩之情地宣稱：「這個軟弱的女子，讓我們所有人都感到羞恥。」[20]

這樣的信念，並沒有因為她在西元一三八〇年春天去世而有所動搖。加大利納憔悴的身體見證了她驚人的禁食壯舉，並且提醒教宗和他的教廷，教會本身應該如何自處。她不只是個處女，還曾經是個新娘。身為宣示獻身於基督的年輕女孩，她剪光頭髮以違抗父母安排她結婚的計畫。她告訴他們，她已經被許配了。無論他們是如何地憤怒與驚愕，都無法讓她改變心意。果然在西元一三六七年，她二十歲的時候，正當錫耶納在慶祝狂歡節結束的時刻，獎賞終於來臨。在她父母家的一個小房間裡，她在那裡禁食、冥想和祈禱，基督來到她的身邊。聖母馬利亞、保羅、道明等聖徒都擔任了見證，還有大衛王演奏豎琴。基督在小時候受割禮時割下、仍然被聖血浸濕的包皮，則是結婚戒指。④雖然在別人眼中，這隻戒指是隱形的，但加大利納從那一刻起就一直帶著它。這種與神聖的親密關係是任何人都無法企及的。

確實有人會對加大利納的說詞嗤之以鼻。在亞維儂的時候，她有一次進入出神狀態⑤時，一位樞機主教的情婦用大頭針扎她的腳，以確定她是否在作假。然而，額我略十一世和烏爾班六世都知道不要對她有所質疑。他們瞭解加大利納向他們揭開的奧祕，教會也一樣是基督的新娘。一封據傳是保羅所寫、之後也被納入聖經正典的信件中寫道：「作妻子的，你們要順服自己的丈夫，如同順服主。因為丈夫是妻子的頭，如同基督是教會的頭；他又是這身體的救主。」[21] 加大利納對主的奉獻，她毫不猶豫地以熱切且狂喜的語氣將之定義為欲望的奉獻，對整個教會來說既是一種責備，也是一種鼓舞。

這種對婚姻的神聖理解，是基督宗教為情慾觀念帶來革命的另一個標誌。聖經堅決認定的原則——一對男女一旦成婚，他們就和基督與祂的教會一樣，結合為一體——賦予了男女雙方難能可貴的尊嚴。如果妻子被指示要順從她的丈夫，那丈夫也同樣被指示要對妻子忠誠。依據基督宗教誕生時代的標準來看，這是一種要求如英雄般自我克制的義務。即使古羅馬的法律不同於《塔木德》，也不同於其他多數古代民族的習俗，而是將婚姻定義為一夫一妻制，但這從不意味著要求男人婚後要終生忠誠不渝。丈夫們享有合法的離婚權利，當然更有權力強迫地位比他們低的妻子配合，可以說是隨心所欲。

這就是為什麼教會在努力壓抑基督徒的性慾的長期艱苦過程中，會特別將關注的焦點放在婚姻。在婚姻倫理中，長期以來的特色——雙重標準——已經開始受到嚴厲的檢視。在基督的注視下，男人被命令要忠於他們的妻子，就像妻子忠於他們一樣。除非在極少數的狀況下，否則離婚是被禁止的。基督本人曾如此說過：拋棄妻子，「就是使她犯姦淫了」[22]。基督徒婚姻的紐帶，互惠且不可分割，將男女以過去從未有過的方式結合在一起。

為加大利納戴上戒指的基督，將「救贖」定義為「天上永恆的婚宴」[23]。婚姻是一種

④根據聆聽她懺悔的神父所說，結婚戒指是一只金戒指，但加大利納在書信中的說法則有所不同。

⑤編註：出神狀態（ecstasy）又稱為神魂超拔、身外境界，為宗教神祕經驗之一，指人與天主非比尋常的結合，感官功能暫時停止、心神游於物外的狀態。

聖禮，是上帝恩典的可見象徵，是教會花了許多個世紀才終於讓基督徒接受的教義。婚姻的存在是為了鞏固兩個家庭之間的連結，這種普遍且原始的假設並沒有被輕易削弱。只有當教會法的巨大執行體制就定位之後，教會最終才能將這個體制牢牢掌控在手中。加大利納拒絕與父母為她選擇的丈夫成婚，堅持她已和另外一個人許定終生，完全是在她身為一個基督徒的權利範圍之內。

沒有任何一對男女可以被迫訂親、結婚，或者肉體結合。神職人員被授權可以在雙方父母不知情的狀況下，甚至無須他們的許可，就可以讓新人結為連理。婚姻成立的唯一適當基礎是同意，而非脅迫。教會認可這一信念並將其納入法律的做法，就像是踐踏在所有家長的腳趾上一樣。這是一個會對未來產生影響的發展。在基督徒面前開啟的是通往全新婚姻觀念的道路：婚姻是建立在相互吸引和相愛的基礎上。無可避免地，個人的權利會逐漸凌駕於家庭的權利之上。上帝的權威並不等同於父親能將自身意志強加於孩子的權威，而是一個更具顛覆性的原則：選擇的自由。

基督宗教的婚姻觀如此奇特，以至於它在基督宗教世界以外的地方總是引人議論。從最早期的伊斯蘭學術研究開始，得到《古蘭經》認可、可以同時擁有數個妻子與奴隸的穆斯林，就以覺得可笑但同時感到困惑的態度，來看待基督教會對一夫一妻制的堅持。然而，這種輕視的態度不僅沒有讓基督徒不知所措，更堅定了他們適當規範異教徒的欲望的決心。聖波尼法爵承認一夫多妻制對墮落男人的吸引力，對它所象徵的獸行也感到厭惡：「是對一切事物的卑鄙玷污，就像是嘶鳴的馬或咆哮的驢，將他們與他們通姦的欲望混雜在一起。」[24]他對那些不應該被允許相互纏繞的四肢卻糾纏在一起，原本應該永遠分開的肉體卻互相結合，有非常深切的厭惡。

最令人厭惡、且對那些完全不懂基督的愛與律法的人持續構成威脅的，卻是亂倫的傾向。聖波尼法爵一次又一次寫信到羅馬，要求針對一個特別緊迫的問題得到確證：一對男女可以合法結婚的親等。教宗在他的答覆中，展現出極大的氣量：「因為合理適度勝過紀律嚴厲，特別是對那些不文明的民族，一對情侶在四等親以外，就可以結婚了。」[25]過了將近五百年之後，在英諾森三世召集的拉特蘭主教議會當中，這樣的規定也被納入教規，並且被宣傳為一種開放自由的作為。畢竟有很長一段時間，在主教會議的教規中，七等親以內的婚姻都是被嚴禁的。

在教會為了形塑基督徒而採取的所有做法中，極少有其他項目會比這項做法有更長久的影響。在古代，當一座雕像從錫耶納的建築工地被取回、被人們視為活生生的神祇肖像而被敬拜時，「家庭」（*familia*）這個字就意味著一個龐大且不斷往外擴展的家族。

氏族、家屬、奴隸——這些都是家人。然而這一點也已經改變了。教會決心將已婚夫婦，而非野心勃勃的男性家長，置於基督宗教社會的核心，藉此馴服了那些依據直覺反應要將近親加以婚配的貪婪君主。只有得到教規認可的關係才能被歸為合法。除了那些獲得教會許可的家庭：「姻親」之外，沒有其他家庭可以在婚姻中結合。因此，氏族的掌控開始鬆動，親屬之間的聯繫逐漸弱化，家族關係也被削減。基督宗教世界的結構，有了完全獨特的一種組織型態。

丈夫、妻子、孩子：在西方拉丁世界的中心地帶，正是這些越來越被視為家庭的組成元素。

率先發難

有一次，當基督向錫耶納的加大利納顯現時，祂是在抹大拉的馬利亞的陪同下顯現的。加大利納因愛而哭泣，想起馬利亞跪在她主的腳前，用自己的淚水弄濕祂的腳，並用頭髮擦乾、親吻它們，用香水塗抹它們。基督告訴她：「我最可愛的女兒，為了你的安慰，我將抹大拉的馬利亞賜給你，作你的母親。」加大利納感激地接受了這個提議。她的告解神父說：「從那一刻起，她感覺完全與抹大拉合為一體。」[26]

能夠與第一個看到基督復活的女人並列，當然是罕見的上帝恩惠的標誌。加大利納從孩提時代起，就已將抹大拉當作一個特殊的榜樣，但這並沒有帶給她自滿，而是見證了相反的情形：加大利納因自己的罪惡而深感痛苦。根據路加的說法，在耶穌面前哭泣並為祂的腳抹油的女人「過著罪惡的生活」[27]。儘管她從未被指名，但自從額我略一世在西元五九一年的一次佈道中，首次將其與抹大拉聯繫以來，這樣的連結就廣為流傳。隨著時間的推移——儘管在福音書中缺乏任何實際的證據，有關她的「罪惡生活」的明確特點已經融入常識當中。她是一個懺悔的妓女，跪在耶穌面前尋求寬恕。加大利納接受抹大拉為她的母親，也就接受了在基督的警告中那令人驚訝的激進主張：妓女可以在教士面前，進入上帝的國度。

對一個要求神職人員保持獨身、宣揚婚姻之神聖的教會而言，這是一個令人不安的提醒，也就是救世主不僅可以寬恕肉體的罪孽，也可以加以譴責。因此，許多衛道人士難以接受這樣的教訓是可以理解的。以引誘男人犯罪維生的婦女，似乎是教父對夏娃做出的所有譴責的最終極表現。阿伯拉德的一位學生認為，一個妓女的吸引力越強大，購買她服務所要承受的懺悔代價就應該越小。宗教改革運動越來越快的步伐，只會使得

「把妓女的擁抱比喻為男人無法避免掉進的糞坑」的說法，更被強化。一連串旨在「抽乾沼澤」的倡議，與不斷升級的反異端運動同步發生。

例如在巴黎，當聖母院的大教堂正在興建時，一群妓女提出要支付其中一扇窗戶所需費用，將其獻給聖母，這個提議卻被由大學主要神學家所組成的委員會拒絕了。二十年之後，也就是西元一二一三年，該委員會的一位學者，在他被任命為教宗使節之後，下令將所有被判賣淫有罪的婦女驅逐出城——就像她們是痲瘋病患者一樣。接著在西元一二五四年，一位非常虔誠的國王試圖將她們逐出整個法國。這個措施可預見的失敗，僅僅證實了教會當局急於將性工作者加以隔離的焦慮。妓女們就像猶太人一樣，被要求標示出自己的汙名。她們被禁止配戴面紗，從她們肩上滑落的洋裝上必須繫上打結的繩子。她們的觸碰如此可怕，以至於在遙遠如倫敦和亞維儂的這些城市中，她們更完全被禁止在市場攤位上處理任何貨物。

然而，即使是最嚴厲的傳教士，內心深處也始終隱藏著基督本人的榜樣。在〈約翰福音〉中記載著一個被判通姦的女人，她如何被法利賽人帶到基督面前。他們為了要構陷基督，便問祂：根據摩西律法，她是否應該被亂石打死。耶穌的回應是彎下腰，用手指在塵土上寫字，而當法利賽人繼續質問祂時，祂又直起身子。「如果你們之中有任何一個人沒有罪，就讓他第一個對她丟出石頭。」人群因為這些話而感到羞恥，開始猶豫，接著就慢慢退下。最後只剩下那個女人留了下來。耶穌問道：「沒有人譴責你嗎？」她回答說：「沒有人，先生。」上帝於是說：「那我也不譴責你。現在，離開你的罪惡生活吧。」

因此，在忠實的基督徒心中，對那些屈服於性的誘惑的女性，蔑視並不是唯一會有的反應，同時也會有同情心和惻隱之心。異端最可怕的敵人——英諾森三世——永遠不會忘記他的救世主始終陪伴著最底層的人——稅吏和妓女。因此，他在羅馬捐建一家醫院，並明確要求這家醫院必須為性工作者提供庇護，使她們能免於流落街頭。他甚至宣講：能與性工作者結婚，是最崇高的虔誠之舉。儘管修道士們的誓言讓他們不可能做到如此程度，但他們仍然覺得自己肩負著一項特殊的使命：要像基督所做的那樣，迎接墮落婦女進入上帝的國度。道明會的法語暱稱「雅克賓」(*jacobins*)很快也變成妓女的暱稱。妓女們非常清楚抹大拉為她們提供的榜樣，也就是徘徊在淚流滿面的悔改和相信上帝愛她們如愛其他罪人一樣的信念之間。當然，加大利納每次遇到性工作者時，都會向她保證基督的憐憫：「轉向聖母，她會直接將妳帶到她兒子的面前。」[28]

然而，有些罪過卻是不能被赦免的。在加大利納去世後的幾十年當中，基督徒恐懼地仰望天空，在如此明顯醞釀的神的憤怒面前不寒而慄。瘟疫、戰爭、教廷分裂，這種程度的邪惡情事，只可能是上帝對基督宗教世界的審判。精通舊約聖經的衛道人士們非常清楚接下來會發生的事情。在〈創世紀〉中記載了兩座城市的毀滅：所多瑪和蛾摩拉（索多瑪和哈摩辣）。因為它們已經被罪惡給徹底腐化，所以上帝判定他們必須接受可怕的集體懲罰。燃燒的硫磺從天而降；兩座城市所在的平原上冒出了爐火般的煙霧；一切有生命的物體，甚至是雜草，都被摧毀，只剩下熔化的岩石以標記該地。從那一刻起，所多瑪和蛾摩拉的過往，就被視為給上帝子民未來可能遭遇什麼災禍的可怕警告，警告他們所處的社會將變得與惡魔相似，都有罹癌的跡象。舊約聖經中的先知控訴他們同胞的罪惡，並永遠預言他們的毀滅：「他們在我面前都像所多瑪。」[29]

所多瑪的罪究竟是什麼？理解這一點的關鍵不在於〈創世紀〉，而在於保羅的書信。在寫給羅馬的基督徒的書信中，使徒認為衡量人類與上帝之愛的疏遠，最可靠也最可怕的依據，就是外邦社會在性方面的墮落，而其中一個面向要比其他面向都更讓他反感：「男的和男的彼此貪戀，行可恥的事。」[30]在保羅的論述中所呈現的，是羅馬男人們對性關係的觀點幾乎沒有任何意識。他們對自己性慾所關注的重點，並非性對象的性別，而是他們在性行為當中是主動還是被動。對羅馬人來說，所謂的越軌，主要指的是男人讓自己像個女人一樣地被使用。但是，保羅對侵犯奴隸男孩身體的主人的譴責，不亞於對提供口交或肛交的男人，因而將一種完全不曾見過、很大程度源於他的猶太成長背景的範例，加諸在羅馬人的性行為模式上。

保羅精通《妥拉》，在其中摩西的律法曾經兩次禁止男人「像跟女人同寢」[31]一樣地與男人同寢。但保羅在寫給羅馬人的信中，卻對這項禁令做了新的詮釋。他警告說，在外邦人當中，不是只有男人會與同性發生不雅行為，甚至「他們的女人也會把自然的關係變成違反自然的」[32]。這是一個嚴重的指控。透過將與女性同睡的女性，映射到與男性同睡的男性，保羅很有效地建立了一個全新的性行為類別，而其結果就是，基督宗教所帶來的革命更加快速地進入到了情色的範疇當中。就像如果沒有教會的強烈譴責，異教的概念就永遠不會出現一般，無論男人或女人，只要和自己的同性同床共枕，就是犯了和異端同樣的罪——淫穢嘲弄自然秩序。這也是基督宗教所獨有的概念。

在教會存在早期的幾個世紀裡，保羅的概念有多麼充滿原創性，從找不到一個適當的詞彙加以描述就可以明顯看得出來。在希臘文或拉丁文中，在舊約聖經的希伯來文中，都找不到這個詞彙。但所多瑪的故事卻相當容易掌握。基督宗教學者想到這個城市的命運時，會忍不住想知道這座城市的居民究竟做了什麼，才導致上帝必須將他們毀滅。額我略一世認為，「我們應該將硫磺解為肉體的惡臭，當聖經的歷史在敘述上帝將火和硫磺降在所多瑪時，就證明了這件事。」[33]一直要到動盪的革命時期，也就是額我略七世的時代時，「雞姦」這個詞彙才被廣泛通用，[34]即使如此，它的定義仍然不很明確。同性之間的性關係雖然是它最初的意義，卻不是唯一的意義。衛道人士經常用這個詞彙來描述更廣泛的邪惡變態行為。或許無可避免的，是這一點應該交由托馬斯．阿奎那來加以釐清。「如使徒所說，與同性發生性行為，無論男性與男性，或女性與女性，就是所謂的雞姦之惡。」

對那些負責基督徒的道德管理工作的人來說，這項釐清也給了他們對激怒上帝的焦慮，一個全新且更清晰的定義。特別是在義大利，情況尤其黑暗——它比其他基督教國家擁有更富裕、且數量更多的城市，曾經降臨了所多瑪和蛾摩拉的厄運陰影。

到了西元一四〇〇年，在瘟疫反覆橫行的情況下，整個半島都普遍憂心，如果不能將城市裡的雞姦行徑清除乾淨，可能會導致全體人口的滅亡。在威尼斯，一連串巨大的性醜聞，促成了在西元一四一八年建立的單位——專門負責根除「為城市帶來毀滅罪行」[35]的地方審判官（*Collegium Sodomitarum*）。無論是在舞蹈學校還是在擊劍課，這個單位的人在各種可能的處所努力找出雞姦的行徑。過了六年，在佛羅倫斯，當時最偉大的傳教士被邀請，並且欣然接受以雞姦為題舉行連續三場佈道，以紀念復活節的臨近。貝爾納迪諾（Bernardino）是一位來自錫耶納的方濟會修士，擅長操弄群眾：「時而甜美溫和，時而憂傷莊重，他的聲音如此靈活，讓他可以隨心所欲地運用。」[36]而雞姦則是他特別熱衷關注的主題。

走在他家鄉的街道上，他有時會聽到未出生的嬰兒，對著否認他們存在的雞姦者發出幽靈般的呼喊。他有一天晚上驚醒過來，聽到他們讓整個錫耶納——庭院、街道、塔樓——都迴盪著他們的呼喊：「送進火裡，送進火裡，送進火裡！」[37]現在來到佛羅倫斯傳道，貝爾納迪諾來到的是一個墮落的城市。佛羅倫斯的墮落是如此惡名昭彰，以至於在德語中，「佛羅倫斯」（*Florenzer*）一詞就意指雞姦。這位修士以只有他能做到的手段，盡其所能地煽動信眾的情緒，讓他們在羞恥、厭惡和恐懼的情緒反覆高漲。當他警告他的會眾，他們將面臨與所多瑪和蛾摩拉同樣的命運時，他們搖晃、呻吟並抽泣著。當他要他們對著地板吐口水以表明他們對雞姦的看法時，那咳痰的聲音就有如大雷雨一樣。當他在教堂外的廣場上，放火點燃一堆被雞姦者所偏愛的俗麗裝飾品與時裝，人群虔誠地站立著，感受焰火投射在臉頰上的熱度，敬畏地凝視著虛榮自負者的篝火。

七十年前，也就是西元一三四八年，佛羅倫斯正受到第一次瘟疫的毀滅性影響而搖搖欲墜時，街上堆滿了遺體，有一個名叫阿戈斯蒂諾・迪・埃爾科勒（Agostino di Ercole）的人，就像貝爾納迪諾口中那些虛榮自負者一樣，要被送上篝火。他身為一個「獻身雞姦的人」[38]，多年來一直沉淪在罪惡之中。然而，當上帝的憤怒以人們所能想像的最驚恐形式正在毀滅佛羅倫斯的時候，他卻拒絕悔改。事實上，他甚至不承認自己有罪。阿戈斯蒂諾堅持，要他熄滅欲望的熔爐是完全不可能的。他無法控制自己。這個藉口自然對他的審判官們不起作用。任何人犯罪都是出於自願。一個男人不是因為邪惡的反常傾向，而是出於本性才與另一個男人同枕的這種可能性，對任何自重的基督徒來說都是無法接受的一種悖論。

即使是貝爾納迪諾，儘管執著於剷除雞姦的行為，也還是會努力地將阿奎那的定義清楚地放在眼前參考。他會在不同的情況下，用這個詞來形容獸交、手淫，或是男人與妻子的肛交。阿奎納和阿戈斯蒂諾，一個是聖人，一個是罪人；一個是獨身者，一個是雞姦者；但他們都走在時代的前端。保羅身後將近一千五百年，男人和女人可能會依據同性對他們的吸引力來定義他們的性傾向，對許多人來說仍然是一個太過新穎、太難以理解的觀念。

從肉身的問題來看，就如同其他許多事情一樣，基督宗教革命還有很長的路要走。

第12章

末日

西元1420年，塔波爾

從來不曾有過像這裡一樣的地方。這座城堡座落在盧日尼采河（Luznice）①上方的岩石上，幾十年前就已遭廢棄，而曾經圍在四周的聚落鄉鎮，成了一堆被雜草淹沒的黑色廢墟。這明顯不是一個可以尋求庇護的地方。這裡必須被清理，從頭開始建立一個新的城鎮。防禦工事的需求相當迫切，而且一到夜晚就寒冷刺骨，然而，難民還是來到了這裡。他們來自各個社會階級，從波希米亞地區的各個角落而來，整個三月都在路途中跋涉。

到了月底，在蓋到一半的圍牆內的帳篷裡住下的，是一群在逃往這裡的路上受傷的男人們，還有從燃燒的村落中逃離的女人和小孩、來自布拉格的小酒館老闆和手持農具自衛的農民、騎士、神職人員、勞工，以及流浪漢。「他們販售財產和貨物，將所得給任何有需要的人。」[1]在〈使徒行傳〉的時候是如此，現在也是如此。所有人都面臨共同的危險，所有人都享有共同的地位。每個男人都被稱為兄弟，每個女人都被稱為姊妹。沒有階級制度，沒有工資，也沒有稅收。私有財產是非法的，所有的債務都被免除。窮人似乎繼承了地球上的一切。

那些搬到這個城鎮的人，將此地稱作塔波爾（Tabor），這個名字向正在聚集的敵人們傳達出挑釁的訊息。聖經中記載，耶穌曾經爬到山上禱告：「正禱告的時候，他的面貌改變了，衣服潔白放光。」[2]基督宗教學者長期以來始終認為，這個奇蹟的地點就在加利利的一座山上——塔波爾山。神聖的光輝遍布其頂峰，天堂與地球合而為一。現在，同樣的景象又再度發生。湧向盧日尼采河上方孤獨峭壁的波希米亞人，追隨著那些曾在開闊天空下聚集聆聽天主講道的人群的腳步。「但你們富足的人有禍了！因為你們已經受過安慰。你們現在飽足的人有禍了！因為你們將要飢餓。」[3]伯拉糾追隨者當中的激進派，一直抱持著這樣的信念，而這樣的信念從保利努斯的時代以來就始終困擾著富人。然而，沒有任何人——無論是瑪爾定、方濟，或是瓦爾德斯——能想像塔波爾人現在所做的事，就是企圖為他們自己建立起一個全新的社會。領主和農民一起日以繼夜勞動，為塔波爾提供堅不可摧的防禦工事屏障，他們不僅是要建立堡壘，更是意圖重建整個世界。

無論如何，他們在實現此一雄心壯志的過程中，還是追隨著過去習慣的腳步。天主教會的龐大組織無視世俗君主而成長，大膽努力地服務所有基督徒人民的需求，建立起革命可能成就的終極紀念碑。然而，這種激進主義式主張的熔岩早已凝固。具有反諷意味的是，教宗的統治已經成為現狀。在額我略七世的英雄時代過去三個世紀之後，越來

①譯註：歐洲中部河流，源自奧地利東北部，流經捷克西南部。

越多的基督徒在考慮到教宗普遍統治的主張時，不再將之視為改革的推動者，相反地，他們害怕的是，那已經成了他們如此明顯與迫切需要的變革的阻礙。

上帝責難的陰影是無庸置疑的。據估計，當時在基督宗教國度裡，有三分之一的人已經死於瘟疫，戰爭也正在蹂躪最繁榮的王國。在其東側的拜占庭帝國，自從西元一二六一年將十字軍從其首都驅逐之後，一直試圖從教宗英諾森三世時期所遭受的可怕打擊中恢復過來，現在卻受到更強大敵人帶來的威脅。

一股新興的穆斯林勢力，鄂圖曼土耳其帝國（Ottoman Turks）已經擴張到達達尼爾海峽，並直接威脅到君士坦丁堡。它的軍隊甚至開始試探匈牙利的防禦工事。然而，對於自稱為基督新娘的羅馬教廷而言，沒有什麼會比對教廷分裂的長久憎惡更讓人感到無力。嘗試解決問題的努力只是讓危機變得更糟。西元一四〇九年，一個由主教和大學校長組成的議會在比薩（Pisa）舉行，②宣布兩個敵對的教宗都被罷免，並加冕了自己選出的人。然而，這樣的做法不僅完全無法為基督宗教世界確定一個教宗，反而只是讓「教宗權」卡在三個教宗當中。面對這樣的醜聞，難怪會有一些大膽的人將思考推向極端，開始考慮一種噩夢般的可能性：教宗不僅根本不握有通往天堂的鑰匙，甚至實際上是通往地獄的代理人。

特別是它可能是反基督。聖約翰曾經預言，在世界末日時，一隻十角七頭的怪獸將會從海中浮出；根據古老的傳統，這頭怪獸會是假先知，是對教會的褻瀆，並且註定要統治世界。互相敵對的教宗們根據這個預言，看見一種明顯可以用來團結支持者的方式，便毫不猶豫地以反基督之名相互攻擊；也有一些基督徒蔑視這種宣傳戰，不屑於支持任何一方。他們的異議透過為教會培養精英神職人員的大學所構成的網絡傳播開來，在基督宗教世界引起迴響。就是在牛津大學裡，神學家約翰・威克里夫（John Wycliffe）敢公開譴責分裂對立的兩個派系都是惡魔，而教宗權本身缺乏神聖的基礎；這些顛覆的火種在布拉格點燃了最具爆炸性的反應。到威克里夫在西元一三八四年去世時，這座城市已經像是一個火藥盒。

波希米亞貴族雖然臣屬於鄂圖曼大帝之後繼位的帝國皇帝，卻在日耳曼人的統治下飽受折磨。在大學當中使用捷克語的學者處於類似的不利地位，並且因此心生不滿。同時在貧民窟裡，怨恨卻是出自於富人。會譴責那些用黃金和華麗掛毯妝點炫富的修道

②譯註：在天主教大分裂時期（1378-1417），為解決爭議，於義大利比薩召集的大公會議，決定罷黜兩位對立的教宗，任命第三位教宗亞歷山大五世。直到一四一七年，才在德國康士坦斯召開的大公會議，選出各方一致認可的教宗瑪爾定五世。

院，並且要求教會恢復早期厲行樸素作風的傳教士，是最受歡迎的傳教士。他們提出警告，認為基督徒已經走到一個非常錯誤的轉折上。額我略七世的改革不僅完全無法拯救教會名聲，反而使其走上了腐敗之路。受世俗榮耀所誘惑的教宗，已經忘記了福音對窮人、謙卑者與受苦者應該是最為響亮貫耳的。「耶穌基督的十字架，以及受難耶穌的名字，如今聲名狼藉，並且在基督徒當中變得陌生且空洞。」[4]只有反基督可能會造成如此令人憎惡的致命惡行。因此，在布拉格的街道上，將教宗描繪成聖約翰所預言的怪獸——戴著教宗的冠冕，卻有一雙怪物般的鳥腳——成了常見的事。

人們很難自然而然地想像到整個人類秩序可能會被完全顛覆。在巴比倫，其人民所推崇的理想王權可以追溯到千年前文明開端之時；在希臘，哲學家們將社會視為一種神聖且有秩序的模式；在羅馬，任何帶有「新事物」（*res novae*）意味的東西都被視為必須不計代價要避免的災難。基督宗教最不具革命性的一面，就是它對革命概念的認可。然而在額我略七世時代，教宗將其武器化的做法，卻是沒有任何一個體制曾經想過的，如今更成為現狀的體現。

「現代的人」（*moderni*），也就是那些在十二世紀時曾宣稱世界正站在永恆的門檻上的改革者們，後來卻被證明是錯誤的。一個即將到來、預示時間終結的新時代（*Modernitas*）並沒有到來。然而，這也並不意味著它永遠不會到來。〈啟示錄〉提出的預言是非常清楚的。在世界的崩裂之中讀到聖約翰所預言的事件，不可避免地會帶來某種恐懼；然而，或許也是因為如此，才能夢想著動盪和轉變可能會帶來最好的結果。

有一個人，比任何其他人都更能在逐漸形成的風暴當中充當避雷針。西元一四一四年，來自基督宗教世界各地的教會領袖，在瑞士阿爾卑斯山邊的帝國城市康士坦斯（Constance）集會，③他們的議程特別嚴苛。除了教廷持續分裂所致的痛苦之外，還有第二個挑戰：布拉格最知名的傳教士，同時也是異端——揚．胡斯（Jan Hus）④是一位魅力非凡、才華洋溢且正直的人，他從這座城市的學術圈中脫穎而出，在波希米亞地區受到敬仰。他對布拉格的教會階級體制以及長期從帝國恩蔭體制獲利的德語精英階級，

③譯註：康士坦斯大公會議，天主教會為解決教會大分裂而召集的大公會議，一四一四年到一四一八年於今德國的康士坦斯主教區舉行。會議中最重要的決議，便是廢黜對立教宗，選出教宗瑪爾定五世，並宣布捷克傳教士胡斯為異端。

④譯註：揚．胡斯（**1371-1415**）是捷克基督宗教思想家、哲學家、宗教改革先驅，深受英格蘭宗教改革家約翰．威克里夫影響，否定教宗威權，認為一切應以聖經為唯一依歸，強列反對贖罪券，在康士坦斯大公會議中被判為異端、開除教籍，並遭誘捕，以火刑處死，引發了支持他的波希米亞貴族起兵對抗天主教會與神聖羅馬帝國政府的「胡斯戰爭」。胡斯是宗教改革過程中知名的殉道者，也是捷克民族主義標竿。一九九九年，羅馬天主教會正式為胡斯之死公開道歉。

同樣嚴厲譴責，因此將本已狂熱的民眾情緒推向了沸點。他的教義越受歡迎，他就變得越加激進。胡斯受到威克里夫的啟發，公開嘲弄教宗擁有上帝認可之權威的說法。他並沒有全力以赴地譴責那是反基督，但他這份自制沒有阻止他被逐出教會；反過來說，被逐出教會也沒能壓抑他的反抗。恰恰相反，胡斯在布拉格的貧民窟和捷克貴族的城堡中都享受到同樣的奉承支持，因此更堅定不移。

波希米亞地區的權力結構似乎越來越瀕臨瓦解。如果這讓教宗身邊的人感到恐慌，對帝國領導階層來說也是如此。最感到震驚的人是西吉斯蒙德（Sigsimund），一位有著薑黃色頭髮的土耳其退伍戰士，且是擁有皇室血統的王子，他在西元一四一〇年被宣布當選為皇帝。他為了達成一個波希米亞所有派系都能接受的協議，特別邀請胡斯前往康士坦斯直接與各方代表談判。胡斯接受了他的邀請。在西吉斯蒙德親自保證安全通行的前提下，他離開了躲避教宗密探追捕時藏身的波希米亞城堡。十一月三日，他抵達康士坦斯。三週後他被逮捕。他在受審時，拒絕放棄他的信仰。他被視作異端判處死刑，並且被活活燒死，骨灰被傾倒在萊茵河中。

「基督在聖經中、使徒在他們的書信中、先知與聖約翰在〈啟示錄〉中所預言的，最痛苦的時刻即將來臨；它已經開始了，它就在門口！」[5] 胡斯死後五年，塔波爾派信徒聚集在他們的岩石堡壘中，深信他們很快就會再見到他以及所有復活的聖徒們。康士坦斯大公會議不僅沒有撲滅胡斯點燃的顛覆火焰，反而更進一步地煽動。即使康士坦斯大公會議最後成功終結了教廷分裂局面，在聖彼得的寶座上重新安置了一位教宗，但也不足以挽救它在波希米亞的名聲。胡斯被處決之後，布拉格各地開始公開將教宗譴責為反基督，對西吉斯蒙德也是如此——因為人們猜想，胡斯就是因為他的背叛而被送進火海。接著在西元一四一九年，保守派企圖鎮壓，更引發了公開反抗。胡斯派衝進市政廳，將他們的對手從窗戶扔出去，奪取布拉格各地教堂的控制權。

然而在山區當中，真正的革命才將要發生。在那裡，逃離家園的信徒們堅信布拉格就是巴比倫。過去和未來，正如它們一直以來在聖經中所體現的那樣，正被映射到波西米亞的輪廓上。在塔波爾越來越高的城牆後面，這一點最為明顯。以各種寶石裝飾的新建堡壘如基督的衣服一樣閃耀著光采，也就像預言中的新耶路撒冷一樣閃閃發光。或者，在塔波爾派眼中就是如此。他們在泥濘中勞動、攪拌砂漿、拖運石頭，並且知道何者即將到來。基督註定會在幾個月之內回來。所有的罪人都將滅亡，聖者的統治即將開始。「只有上帝的選民才能留在地球上——也就是那些逃到山上的人。」[6]

塔波爾派並不是第一批相信自己生活在末日陰影下的基督徒，但其新奇之處在於引發他們想像的危機的規模：在這場危機當中，所有傳統的社會基礎、既定的權力框架，似乎都受到了致命的打擊。面對充斥著反基督思想的教會，和公然犯下背叛罪行的皇帝，塔波爾派誓言獻身革命。

但是，僅僅回到早期教會的理想——像兄弟姊妹一樣地平等生活，分享所有的物品——是不夠的，在塔波爾以外世界的汙穢當中，那些沒有逃到山裡的人仍然在腐敗中打滾，這些汙穢也必須被一掃而空。整個世界秩序都已腐敗。「所有國王、王子，和教會高層都將不復存在。」在西吉斯蒙德決心打倒胡斯派，和教宗宣示聲討他們的背景之下，這個宣示為即將到來的鬥爭，更加堅定了塔波爾派信徒的意志。然而，他們渴望消滅的不僅是皇帝與教宗。所有拒絕塔波爾的召喚、從墮落世界中自我救贖的人，都是罪人。「每個信徒都應該用基督敵人的鮮血洗手。」[7]

面對這種毫不留情、拒絕容忍的姿態，許多胡斯派教徒感到震驚。其中有人稱之為「異端和專制的殘酷」，其他人則暗暗嘀咕著多納圖斯主派的重生。然而，西元一四二〇年夏天並不是溫和派堅持原則的時節。威脅已經太過強大。五月，西吉斯蒙德率領一支從各地召集組成的十字軍向布拉格挺進。兩個世紀前貝濟耶遭遇的那種毀滅，如今直接威脅到這座城市。溫和派和激進派都承認他們別無選擇，只能做出共同的決策。

塔波爾派只留下了少數駐軍，立即前往巴比倫救援。帶領他們的是一位天才將領，六十歲的獨眼將軍揚．傑式卡（Jan Zizka）被證明是阿爾比派一直未能找到的軍事救世主。當年七月，傑式卡為了破壞圍城者讓布拉格因缺糧而投降的企圖，發動了一次毀滅性的突擊，讓西吉斯蒙德別無選擇，只能撤退。更多勝利很快地接踵而來。事實證明，傑式卡是無法抵擋的。甚至在西元一四二一年末，他僅剩的一隻眼睛被箭射中，也對他毫無妨礙。十字軍、帝國駐軍、敵對的胡斯派，全都被他擊潰。觀念創新卻也粗暴的傑式卡就是塔波爾派革命的化身。他從泥濘的農場運來馬車加以武裝，由配備火槍的農民駕駛，以此對抗安坐在馬車上的貴族；他會下令將教士綁在木架上燒死，或親自以棍棒打死。這位冷酷的老人從未遭遇過挫敗。到了西元一四二四年，他終於病倒去世時，整個波希米亞都已經被塔波爾派統治。

根據他的敵人們的說法，傑式卡在臨終前命令塔波爾派信徒剝開他的屍體，將他的肉餵給食腐肉的野獸，並用他的皮製鼓。「接著，他們要在這個鼓的帶領之下，走上戰場。他們的敵人一聽到鼓聲，就會轉身逃跑。」[8]這則軼事既是對傑式卡的聲名，也是對他的追隨者在他死後在戰場上繼續取得成功的致意。事實上，當傑式卡還在世的時候，塔波爾派的鼓就已經開始發出低沉的節拍聲。西元一四二〇年夏天，在戰勝了西吉斯蒙德之後，塔波爾派仍然相信基督即將歸來。他們在為布拉格做好迎接天主歸來的準備時，便系統性地對準所有特權的象徵：修道院被夷為平地；波希米亞精英階級喜愛的濃密鬍鬚，無論在任何地方，只要一被發現就會被強行剃掉；一位剛過世的國王的頭骨被挖出來，以稻草加冕之。

然而，隨著時間的流逝，基督仍然沒有出現，因此塔波爾派的激進主義開始消退。他們選出了一個主教，透過談判救回一個國王，並且將他們當中最極端的人指控為異端，將他們逐出塔波爾。傑式卡對法律程序的粗魯看待與漠不關心的表現，是沒有任何宗教裁判官會考慮效仿的，而且他也已經逮捕了其中的五十位，將他們燒死。⑤在西元一四三四年塔波爾派被相對溫和的胡斯派突襲且徹底擊垮之前，他們的改革運動之火就已熄滅。基督沒有回歸，這個世界也沒有剷除所有國王。最終，塔波爾並沒有被加冕為新耶路撒冷。

西元一四三六年，當胡斯派的大使成功地與教宗直接談判、達成協議時——這是被視為異端的教派首次取得的驚人成就——塔波爾派別無選擇，只能接受。世界末日到來時，會有足夠的時間抗拒世俗世界的權威。但在它到來之前，在基督榮耀歸來之前，除了妥協，還有什麼選擇？

新大陸

嘗試揭開聖經預言的面紗，是一件危險的事。雖然方濟會可能崇拜菲奧雷的約阿基姆（Joachim of Fiore），但他們已經學會謹慎行事。任何修士只要意圖像塔波爾派信徒那樣行事，並且依據聖經推測末日，都會受到嚴密監控。

西元一四八五年，一位名叫約翰・希爾頓（Johann Hilten）的德國方濟會士詳細研究了聖經裡的預言段落，讓他的上級因此感到不悅。希爾頓預言，教宗權已經來到了它的末日。它的「動亂與崩壞」[9]是肯定的。當希爾頓被軟禁在位於艾森納赫、獻給聖依撒伯爾（Saint Elizabeth）的修道院時，他並不屈服。他警告說，註定毀滅的不僅是羅馬教宗權，修道院體系也是如此。一個偉大的改革者即將到來，註定要將它毀滅。希爾頓對此非常肯定，甚至提供了一個日期：「基督誕生之後的一五一六年。」⑥

一直壓在他心頭的，不僅是教會的腐敗，還有地緣政治。西元一四五三年，君士

⑤其中只有一位免於一死，而得以保存了他們教派的信仰。

⑥雖然也有其他紀錄中寫的是一五一四年。

坦丁堡終於落入土耳其人手中，基督宗教世界的偉大堡壘成了穆斯林帝國的首都。鄂圖曼帝國征服了第二羅馬，這讓他們想起穆罕默德曾預言羅馬將落入伊斯蘭統治，因此繼續向西方逼進。西元一四八〇年，在佔領義大利之後，他們緊接著佔領了奧特朗托（Otranto）。這個消息在教宗的圈子裡引起了恐慌——即使土耳其人在隔年遭到驅逐，也沒有讓他們完全安心。從奧特朗托傳來可怕的報導：這座城市的大主教在他自己的教堂裡被斬首，此外還有大約八百人為基督殉道。

無論真實與否，這些故事都為希爾頓的另一個預言提供了決定性的優勢。他警告說，義大利和日耳曼都註定將被土耳其人征服。他們的街道就如同奧特朗托的街道一樣，將流滿殉難者的鮮血。這些恐怖的景象預示著反基督的降臨。希爾頓再次為他的預言提供了確切的日期。他指出末日將在一六五〇年代來臨。

希爾頓的不祥預感有一個古老的源頭。聖約翰警告在末日之時，撒但將會帶領著全地各個角落的所有國家，且「他們的人數多如海沙」[10]，他在傳達的是一種原始的恐懼。定居者自然會對移民心生恐懼。大流士譴責蠻族為「大謊言」的代表，並且建構了一個同樣受到其他皇帝認同的觀點。然而，基督徒不只是古羅馬時代執拗信念的繼承人而已。復活的耶穌指示祂的門徒：「你們往普天下去，傳福音給萬民聽。」[11]只有當福音可以傳到地球的各個角落，祂才會榮耀回歸。

整個世界在基督裡合而為一的夢想，與保羅的時代一樣古老。希爾頓預言基督宗教世界將淪陷在土耳其人的統治之下，也同時預言了他們的皈依。對於每個敢於描繪未來景象輪廓的基督徒而言，伊斯蘭信仰註定會在末日將近時消失，而猶太人也將被帶到基督的面前——這些一直都是他們的虔誠信念。希爾頓也是如此，儘管他的預言令人毛骨悚然，但他從未有過任何懷疑。

在整個基督宗教世界，對未來的恐懼和對未來的希望繼續結合在一起：在即將到來的新時代裡，全人類將聚集在聖靈——也就是耶穌受洗時從天而降的聖鴿的羽翼下。與此相同的，某種站在新時代邊緣的感覺，讓波希米亞地區的塔波爾派擁抱共產主義，在其它地方則促使基督徒期待著全世界都將歸向基督。在西班牙，七百多年來與穆斯林統治者之間的戰爭已經成了一種生活方式，這樣的樂觀主義在此地尤其強烈。人們會談論「隱藏者」（*El Encubierto*）⑦——他將是最後一位基督教皇帝。在時間的盡頭，他將會從

⑦譯註：隱藏者（**the Hidden One**），西元一五一九年至一五二三年間，發生於伊比利半島瓦倫西亞王國，反抗瓦倫西亞王國查理五世的的兄弟會起義中，未曾現身，但宣稱將要拯救西班牙免於毀滅的神祕領袖。

隱匿中走出來，統一西班牙的各個王國，永遠摧毀伊斯蘭教，征服耶路撒冷，降服各地的「殘暴國王和野蠻種族」[12]，並且統治全世界。

當奧特朗托的人民正在復原他們的大教堂所受的褻瀆，而約翰．希爾頓正在宣稱土耳其人將征服日耳曼時，關於「隱藏者」終於到來的謠言就已經席捲了西班牙。卡斯提爾女王伊莎貝拉（Isabella, the Queen of Castile）並非獨力統治王國，在她身邊與她地位平等的是她的丈夫，相鄰的阿拉貢國王斐迪南（Ferdinand of Aragon）。在這兩位君主聯合擁有的權威面前，安達盧斯被截斷的殘餘部分危險地暴露在外。偉大的穆斯林帝國勢力曾經遠及庇里牛斯山區及其以外更遠地區，現在卻只剩下位於西班牙最南端的山區王國格拉納達（Granada）得以倖存。而它長期持續的獨立狀態，對於像斐迪南和伊莎貝拉這樣虔誠且雄心勃勃的君主而言，是一種公然的冒犯。

西元一四八二年，斐迪南和伊莎貝拉的軍隊開始前進，一個堡壘接著一個堡壘，一個港口接著一個港口地征服。到了西元一四九〇年，僅剩格拉納達王權本身仍然存在。兩年後，西元一四九二年一月二日，它的國王也終於投降。斐迪南取得王宮的鑰匙，終於可以感到滿意了。征服西班牙最後的穆斯林據點，是一項值得被視為「隱藏者」所為的壯舉。

無論斐迪南是否為末代皇帝，現在他肯定可以自由地將眼光投向更廣闊的範圍。在熱烈歡呼觀看王室成員進入格拉納達的人群中，有一位來自熱內亞，名叫克里斯多福・哥倫布（Christopher Columbus）的水手。他的情緒其實相當低落，因為多年來，他一直嘗試說服斐迪南和伊莎貝拉資助他穿越西方海洋未知水域的探險行動。他堅信世界比地理學家所計算出來的要小，還宣稱有一條捷徑橫跨大西洋通往東方富庶國度，也就是歐洲人所稱的「印度」（India），他也因此在整個基督宗教世界的各國宮廷裡惡名昭彰。

然而，財富本身並不是他的目標。在格拉納達淪陷前不久，哥倫布為了強化他的訴求，承諾將他的事業所得利潤用於一項非常特別的目標：征服耶路撒冷。斐迪南和伊莎貝拉聽了這段話之後，對他露出笑容，並且表示這個十字軍東征計畫讓他們感到相當愉悅，聲稱這也是他們的希望。之後卻沒有任何下文。哥倫布要求資助的訴求，被兩位君主任命審查他的提議的專家小組所拒絕。他沮喪地騎上馬，轉身離開王宮已經掛上十字架的格拉納達。但是他上路僅僅一天之後，就在路上被宮廷使者追上。他被告知兩位君主改變心意，準備要資助他。

哥倫布在當年的八月啟航。儘管他從西班牙出發之後兩個月就已經登上陸地，實際的狀況卻是他並沒有到達印度。在西印度群島（他如此稱呼他所到達的島嶼）度過第一個聖誕節的隔天，他向上帝祈禱，希望可以很快發現他在募資企劃書中承諾的黃金與香料；然而，來自東方的財富註定總是在他的掌控之外。⑧儘管哥倫布開始意識到這一點，他也並未表現出半點失望。他明白自己的命運。西元一五〇〇年，他寫信給西班牙宮廷，毫不掩飾地談到了他在預告末世的偉大戲劇中所扮演的角色。「上帝使我成為新天地的使者，祂在聖約翰的〈啟示錄〉中，透過以賽亞的口，述說了這件事。他向我展示了可以找到它的地方。」[13]

三年後，在飽受充滿敵意的原住民所帶來的痛苦，且曾困在牙買加長達一年的艱苦航行之後，來自天堂的聲音直接確認了哥倫布的使命。這個聲音溫和地責備他的絕望，並且讚譽他為新的摩西。正如應許之地被授予以色列的子民一樣，新世界也被授予西班牙。哥倫布寫信給斐迪南和伊莎貝拉，講述這個驚人的發展，向他們保證這一切都是如菲奧雷的約阿基姆所預言。他自己的名字就是「鴿子」，也就是聖靈的象徵之意，並非毫無意義。基督降臨的消息將被帶到新世界，而它的寶藏會被用以重建耶路撒冷的聖殿。接著，末日就會來臨。哥倫布甚至能夠確定末日來臨的日期。正如希爾頓所預言，他將末日可能的日期訂在一六五〇年代。

哥倫布一直理所當然地認為時間是一支飛快而有著明確目標的箭。即使他在上帝計畫中不可違抗的力量之前顯得渺小，即使他一生的事業變幻莫測，但這樣的認知還是給了他自信感、目標感，以及使命感。然而在新世界中，在西方的地平線以外那尚未被看見的城市裡，卻存在著對時間截然不同的理解。西元一五一九年，哥倫布過世後十多年，一位名叫埃爾南・科爾特斯（Hernan Cortes）的西班牙冒險家，帶著五百人在一塊已被稱為亞美利加（America）的大陸岸邊下船登陸。在得知內陸地區有一個偉大帝國的首都，科爾特斯做出一個驚人的大膽決定——前往該地。

他和他的手下們被他們的發現所震懾：湖泊與高聳廟宇構成的奇幻景象，散發著「如綠咬鵑羽毛般的光芒」[14]，比西班牙的任何城市都還要廣闊。運河上擠滿了獨木舟，鮮花懸掛在水道上。富裕且美麗的特諾奇蒂特蘭城（Tenochtitlan）是一座紀念碑，標記著建城的征服者——墨西加人（the Maxica）⑨令人折服的力量。它同時也是標記一個更廣泛概念的紀念碑：他們對於時間的理解。這座最近剛被建立的城市，存在於其他更早就已存在的城市陰影當中，這些城市曾經同樣輝煌但早已被廢棄。墨西加的皇帝經常步

⑧哥倫布大約是在西元一五〇一年末或一五〇二年初，第一次使用「*indias Occidentales*」（西印度群島）這個詞，這代表他隱約承認這個地方，和印度位在完全不同的半球上。
⑨譯註：墨西哥中部墨西哥谷原住民，阿茲特克文明（西元十四至十六世紀）的創建者。

行前往這些巨大的廢墟朝聖。沒有比造訪如此巨大城市的廢墟，更能提出令他敬畏的警告：這個世界不曾停止變動，受繁榮與崩毀的無盡循環所支配。

墨西加人對於他們自己可能失去權力的焦慮，很容易會變成另一種更深刻的恐懼：世界會變得黑暗，並且化為塵土。因此，他們在特諾奇蒂特蘭的對面，建起巨大的金字塔；在世態特別危急的時候，在全宇宙的未來看似岌岌可危的時候，祭司們會在這些金字塔的塔頂，以燧石刀插入囚犯的胸膛。墨西加人相信，如果沒有獻祭，諸神就會變得衰弱，混沌會降臨，太陽則開始消逝。只有從仍在跳動的心臟抽出來的「珍貴的水」（*chalchiuatl*）才能重新讓太陽發光。最終，只有鮮血可以避免宇宙停止運轉。

對西班牙人而言，特諾奇蒂特蘭金字塔階梯上乾涸的血跡，以及從架子上露出來的頭骨，是有如地獄般的景象。一旦科爾特斯以無比的膽量和勇猛的壯舉，成為這座偉大城市的主宰者，他就將這裡的神廟夷為平地。就像查理大帝率領他的鎖甲騎兵穿過潮濕的森林，踐踏奧丁神和雷神索爾的神殿一樣。墨西加人既沒有馬匹，也沒有鐵器，更遑論大砲，他們瞭解自己跟面對基督教軍隊的撒克遜人一樣無力抵抗。然而，真正的衝突並非是托雷多寶劍⑩和石斧之間的對抗，而是對世界末日的不同願景之間的敵對。

不同於過去任何基督徒，西班牙人為此做足準備。在征服格拉納達的十年前，斐迪南就宣示他要「將西班牙獻上以服事上帝」[15]。西元一四七八年，他獲得教宗許可，建立了直接受皇室管制、權力同時及於阿拉貢和卡斯提爾兩地的宗教裁判所。西元一四九二年，也就是格拉納達陷落以及哥倫布首次航行的那一年，見證了西班牙為了準備好將福音傳遍全世界而採行的另一個決定性作為。猶太人的皈依，註定預示基督的回歸，因此他們必須要求猶太人做出選擇——成為基督徒，或是面臨流亡的命運。許多人選擇離開西班牙，更多人（包括卡斯提爾的首席猶太拉比）則選擇受洗。

很難想像經過三十年之後的現在，西班牙君權的代理人會放過一個對以色列上帝一無所知的民族的祭壇。方濟會修士在科爾特斯之後來到墨西加，對墨西加諸神所要求的獻祭需求感到驚駭。沒有人懷疑這些神祇就是魔鬼。據傳，墨西加的偉大守護神阿茲特克太陽神⑪，他的神廟就在特諾奇蒂特蘭，以八萬名獻祭者的鮮血供奉；「剝皮之神」西普．托特克⑫的信徒則披著從獻祭者身上剝下的人皮，並以仙人掌刺穿他們的陰莖；

⑩ 譯註：托雷多寶劍（Toledo sword）是指義大利中部托雷多城，自西元前五世紀就開始鍛鑄的刀劍。

⑪ 阿茲特克太陽神（Huitzilopochtli）是阿茲特克眾神中最重要的太陽之神，掌管戰爭、軍事征服和犧牲，據傳說，可能是帶領墨西加人從神祕家園阿茲特蘭進入中墨西加的歷史人物，死後轉化為神。

⑫ 譯註：西普．托特克（Xipe Totec）是阿茲特克神話中，農業、季節輪替、死亡與重生、金匠之神，傳說他剝下自己的皮提供人類食物。

要贏得雨神特拉洛克（Tlaloc）的恩寵，則只能獻祭剛哭出聲的新生兒。

這些殘忍的事被上天聽見了。一位方濟會士寫道：「這麼多靈魂的喧鬧不安，這麼多的血流，是對造物主的侮辱。」因此讓上帝起意，派遣科爾特斯，像「前往埃及的另一位摩西」一樣，前往西印度群島。[16]

然而，即使是科爾特斯本人也對必須付出的代價感到遺憾。特諾奇蒂特蘭的輝煌已被消弭殆盡，運河裡滿是漂浮的屍體。西班牙人來到之後，帶來更可怕的殺手——來自歐洲、印地安人毫無抵抗力的疾病。數以百萬計的人死於這些疾病。接著還有西班牙人自己要面對的事。這些落入基督徒手中的印地安人的財富，並沒有被用來將這個世界帶入基督的羊圈裡，反而被運回西班牙用來資助與法蘭西國王的戰事。印地安人在西班牙龐大的威權之下被壓垮，被當作奴隸投入勞動，反抗者受到殘酷的懲罰。前往新世界，努力要將土著民族帶到基督面前的修道士們，驚恐地回報他們所見的暴行：男人被綑綁在稻草中焚燒，女人被像屠宰場裡的羊一樣切成碎片；新生嬰孩被砸在石頭上，或被扔進洶湧的河流中。

那麼，哥倫布和科爾特斯是什麼樣的摩西？

狼群中的羔羊

西元一五一六年，因為斐迪南的崩逝，任何將他視為末代皇帝的希望都隨之破滅。他並沒有領導一場偉大的十字軍東征重新征服耶路撒冷，伊斯蘭教也並未被摧毀。儘管如此，斐迪南統治期間的成就仍然令人生畏。他的孫子查爾斯繼承了基督宗教世界中最強大的王國，其權威比古羅馬皇帝有更為真實的全球影響力。當西班牙人將自己日益壯大的帝國與羅馬帝國相提並論時，他們並不感到自卑。恰恰相反。從古人不曾聽聞的地方，傳來了彷彿只有亞歷山大大帝能夠成就的偉業的消息：突破重重難關，扳倒強大的王國，贏得耀眼的財富，讓出身平凡的人們過起如國王般的生活。

在所有這些成就的輝煌之上，隱含著焦慮的陰影。在古代，如果任何民族對自己屠殺和奴役被征服者的權力有所質疑，那他們就無法為自己成功贏得帝國；但基督徒在他們自己的殘忍行徑中，卻無法那麼輕易地自認無辜。當歐洲的學者們試圖為西班牙征服新世界提出辯護時，他們並不求助於天主教神父，而是轉向亞里斯多德：「正如哲學家所說，明顯的事實是，有些人天生就是奴隸，而另一些人則天生就自由。」[17]

即使是在西印度群島，也有一些西班牙人會憂心這樣的論點是否真確。一位道明會修士在科爾特斯啟程前往特諾奇蒂特蘭的八年前，如此問他的殖民者同胞：「告訴我，你憑著什麼權力或正義觀，可以讓這些印地安人遭受如此殘酷且可怕的奴役？你憑著什麼權威，可以對這些安居在自己土地上的人，發動可憎的戰爭？」[18]這位修士的大部分會眾因為太過憤怒而無法反思他所提出的質問，反而自滿地不斷向地方總督提出抱怨，並鼓動著要將他撤職；但確實也有其他一些殖民者，發現他們的良心被刺痛了。這些來到新世界的冒險者們，必須面對將他們的行徑視為殘酷、壓迫和貪婪的譴責。甚至有些時候，部分的殖民者自己就能意識到這一點。

最戲劇性的例子，發生在西元一五一四年。當時，西印度群島的一位殖民者得到一個突如其來、令人心驚膽顫的領悟：他對印地安人的奴役是一種致命的罪，這個領悟徹底顛覆了他的生活。巴托洛梅・德拉斯・卡薩斯（Bartolome de las Casas）⑬和在前往大馬士革路上的保羅一樣，和在花園裡的奧斯定一樣，發現自己因此重生。他不僅解放他的奴隸，並且從那一刻起，開始致力於守護印地安人免於暴政。他認為，只有將他們帶到上帝面前的這個目的，才能合理化西班牙對新世界的統治；而且只有透過說服，才能合法地將他們帶到上帝面前。「因為他們是我們的兄弟，基督為他們捨命。」[19]

無論是在大西洋這一邊的皇家法院中為他受理的案件辯護，還是在另一邊茅草覆蓋的殖民地上，巴托洛梅・德拉斯・卡薩斯從不懷疑他的信念源自於基督宗教教義的主流。他引用阿奎那的著作，建構他反對西班牙帝國主義的論點。「耶穌基督，王中之王，被派來贏得全世界，不是以軍隊之力，而是以神聖的傳教士，他們就如同狼群中的羔羊。」[20]這是多瑪斯・卡傑坦（Thomas Cajetan）的論點。他是一位義大利籍修士，一生最偉大的成就就是對阿奎納論述的註解。⑭他在西元一五〇八年被任命為道明會的領袖，並在一五一七年被任命為樞機主教，他的發言擁有罕見的權威性。印地安人遭受磨難的消息讓他特別憤怒。

「你懷疑你的國王身處地獄嗎？」[21]他如此質問一位來到羅馬的西班牙訪客。一位信奉基督宗教的統治者，竟會以受難基督之名為征服與野蠻行徑辯護，他對此的震驚可以追溯到阿爾昆時代一項學術傳統的展現。當卡傑坦在努力為印地安人提供抵抗壓迫者的法律協助時，他從未想過自己正在開創新局。發現了阿奎那所無法想像的新大陸與新民

⑬譯註：巴托洛梅・德拉斯・卡薩斯（1474-1566）是十六世紀西班牙道明會教士，著作《西印度毀滅述略》揭露美洲原住民在西班牙治下的悲慘處境，一生致力保護美洲原住民，而有「印第安人守護者」的稱譽。

⑭他出生時的名字是德維奧（de Vio），但自己取名多瑪斯，向多瑪斯・阿奎那致敬，而「卡傑坦」則來自他的出生地「加埃塔」（Gaeta），位在羅馬和那不勒斯兩地之間中點的城市。

族，並不會使得這位偉大的道明會修士更沒有資格指導這些人應該被如何對待。基督教會的教義是普世的。印地安人的王國是合法的國家；應該只能藉由說服，而非武力，讓他們接受基督宗教信仰；無論國王、皇帝或基督教會本身，都無權下令征服他們。在卡傑坦看來，這些就是適合管理全球化時代的原則。

在這個具有新意的國際律法計畫中，有一種嘗試為永恆事物奠定基礎的意識。卡傑坦並不認為新世界的發現預示基督的回歸。教宗已經不再想像自己生活在末世，教宗權與其臣僕現在所關注的是對長期工作的投資。在羅馬，這個改變的證據出現在錘子與鑿子的喧囂聲中。西元一五〇六年，在與拉特蘭相隔著台伯河相望，聖彼得安葬所在的梵蒂岡古老街區，一座巨大的全新教堂開始興建，其目標是成為全世界最大的教堂。西元一五一三年，在拉特蘭的一次會議中正式發出禁止宣揚反基督迫近的教令。西元一五一八年春天，當卡傑坦抵達奧格斯堡，執行他的第一次海外宣教任務時，他的目標主要是針對外交工作：組成日耳曼統一戰線以對抗土耳其人。與其將鄂圖曼帝國對基督宗教世界的進犯，解釋為〈啟示錄〉預言的實現，他更傾向於將其視為完全不同的東西：一個可以透過提高稅收以應對的軍事挑戰。

如今，卡傑坦在跨過阿爾卑斯山之後，不禁感受到末日預言在身邊的旋轉和拉扯。

希爾頓已經在世紀之交時去世，當時他被關在艾森納赫的一個牢房裡，據說在臨終前以他自己的血書寫；而他強力表述教宗權將會毀滅、一位偉大的改革者即將到來的預言，仍然廣泛流傳。西元一五一六年，希爾頓預言偉大改革家註定出現的那一年，早已來了又去，但卡傑坦仍然無法放鬆。即使當他在敦促日耳曼王公貴族資助對土耳其人發動十字軍東征時，他也知道教會的財務要求正引起廣泛的不滿。西元一五一七年，一場以道明會為教宗的建築計畫籌募資金的做法為主題的神學辯論，在薩克遜地區的要塞小鎮威登堡（Wittenberg）引起了強烈騷動。

在那裡，一位在新成立的大學中擔任聖經研究教授的修道士，以九十五篇書面論綱的形式，發表了正式的反對意見。一些道明會修士群起反對這種大膽的表達方法，並以憤怒的反擊作為回應。當然，這樣的學術爭辯並不罕見，解決爭議的嘗試，遵循著某種阿伯拉德非常熟悉的流程。教廷對當地大主教送來的九十五篇論綱，經過了八個月的審查，最終在西元一五一八年八月正式宣布這些文章確為異端邪說。論文作者被傳喚到羅馬。但這樣的做法不僅沒有平息爭議，反而是火上澆油。在威登堡，地方宗教裁判官的著作已經被公開在市集廣場上燒毀。

卡傑坦從他在奧格斯堡的住所掌握這些事件，擔心叢林大火般的爭議可能會完全失控。他自己身為教宗使節，有責任將之撲滅。他認定最有效且最具基督宗教精神的做法，是將寫出這九十五篇論綱、惹出麻煩的作者傳喚到奧格斯堡，親自說服他放棄自己的論點。卡傑坦是一個嚴肅、博學且虔誠的人，即使是那些通常對裁判官會抱持懷疑態度的人也信任他。他的邀請被接受了。西元一五一八年十月七日，馬丁・路德（Martin Luther）[15]抵達了奧格斯堡。

或許，當卡傑坦在迎接這位惹出麻煩的賓客時，他會想到將近四個世紀前，尊貴的彼得如何同樣地迎接一位因為被指控為異端而被傳喚到羅馬的修道士，並且以禮相待。與阿伯拉德一樣，路德是一位能將大膽預言的能力與自我宣傳的非凡才華加以結合的神學家。他選擇對他而言非常典型的做法：徒步前往奧格斯堡。他的智慧出眾，知道如何將自己表現為一般人的代言人。他開玩笑跟說拉丁語一樣的機伶，他既擅長小酒館裡的平民用語，也擅長和學者辯論的學術用語，他在那九十五篇論綱之後，繼續發表一篇又一篇的宣傳小冊。一般大眾對路德話語的熱烈興趣，確實讓威登堡這樣一個貧窮且偏遠，而且幾乎沒有任何像樣的經濟活動可言的小鎮，在看似最不可能的情況下，竟逐漸成為歐洲地區的出版業中心。

在不到一年的時間裡，正如路德本人謙虛地觀察到的那樣：「我成為了人們的話題，而這讓上天感到高興。」[22]能將這樣一個人從異端的邊緣贏回來，對卡傑坦命令的回報，就如同阿伯拉德的救贖對克呂尼修道院的回報一樣地光榮。於是，在這位樞機主教最初的迎接姿態裡，看不出一點宗教審判官的樣子。他親切地對面前這位瘦弱儉約的人說著話，就像是父親在對兒子說話一樣。卡傑坦不僅沒有責備路德，反而想要用溫和的語氣說服他承認錯誤，而能免除他在羅馬受審。可以看出的是，這位樞機主教以譴責殖民者對印地安人使用武力的哲學家身分發言。

他的希望徹底落空。在與路德第一次會面的過程中，卡傑坦發現自己說話的音量不斷提高。到最後，他必須大聲嘶吼以壓制他的對手。樞機主教終於意識到，真正的危機並不在於路德那九十五篇論綱的細節，而是一個更基本的問題：基督徒如何以最好的方式追求聖潔。對卡傑坦而言，答案不言而喻。在羅馬教會之外不可能存在救贖，其龐大的結構無異於上帝之城。一代接著一代的基督徒努力地建造它。從聖彼得本人開始一

---

⑮ 譯註：馬丁．路德（1483-1546）是德意志神學家、哲學家，原為神聖羅馬帝國教會司鐸兼神學教授，對教會腐敗問題提出批評，因為拒絕撤回引發爭議言論，被教會革除教籍，被帝國政府判為異端，但引發德意志及全歐洲的宗教改革風潮。路德主張聖經是上帝啟示的唯一來源，挑戰教會權威和階級體制，將聖經翻譯為平民慣用的德意志方言，促進標準德語發展，對教會和德國文化產生重大影響。

脈相承的教宗，編纂教規和註釋書的律法師，以及將神聖啟示與異教哲學成功結合的學者，都為它的宏偉體系作出貢獻。

但是，卡傑坦也開始意識到，路德樂於對這一切提出質疑。他似乎鄙視教會權威的每一個支柱：阿奎那，教會律法，甚至是教宗權本身。他以挑釁和不屈的姿態，肯定聖經的見證遠在以上所有支柱之上。「因為教宗不在天主聖言之上，而在天主聖言之下。」[23]卡傑坦對這樣一位默默無聞的修道士，竟然敢將自己對聖經的個人解釋放在這樣重要的基座上，感到相當震驚，並且將他的論證斥為「口說不足為憑」。但路德身為聖經教授，自然能輕易地引用聖經經文，前所未聞地提出一個他在保羅身上發現的概念：「我必須依憑我良心的見證相信。」[24]

最後的結果是陷入僵局。經過三次會議之後，路德仍然頑固地堅持自己的立場，卡傑坦徹底失去耐心。他將修道士逐出，並命他除非準備放棄自己的信念，否則不准回來。路德將樞機主教的話當真。陪同路德到奧格斯堡的修會領袖解除了他的修道誓言，之後他翻過城牆，迅速離去。他一回到威登堡，當然一定會將他與卡傑坦交手的所有紀錄完整出版。路德比他的對手要更清楚地瞭解到掌握論述權的重要性，而且他的生命現在相當有可能取決於此。「我很害怕，因為我獨自一人。」[25]但恐懼並不是路德唯一的感受，他同時也感到振奮與歡欣。他現在已經不再是一名修道士，與天主教體制的聯繫也已經被永久切斷，因此他可以開始自由地打造不同的事物：對於宗教的全新且基於個人角度的理解。

對這種理解角度的需求非常迫切。時間已所剩不多，最後審判的時刻也已臨近。它的徵兆無所不在。在離開奧格斯堡兩個月後，路德私下承認他有一個日益嚴重且令他絕望的疑慮：「保羅所提過的真正的反基督，正統治著羅馬教廷。」[26]

路德開始相信，只有透過一個全新的宗教改革運動，基督徒才有希望從反基督的黑暗陰影中得到救贖。

第
13
章

宗教改革

西元1520年，威登堡

羅馬教宗①給馬丁路德六十天的期限考慮，若不撤回他的主張，就要判定他為異端。現在是十二月十日，期限已到。當天早上九點，路德從三個城門之一穿過，走到一個堆放腐肉的坑洞處。有一大群人在那裡聚集。路德在大學裡的一位同事，名叫約翰·阿格里柯拉（Johann Agricola）的神學家點燃了一把火。這個地方是附近醫院將死者衣物燒毀的所在，但阿格里柯拉用來點燃火焰的並不是破布，而是書籍。他和路德一整個早上，都在搜查圖書館裡的教規律法相關書籍。他們如果能找到一卷阿奎那的著作，也會將它燒掉。

事實證明，他們所用的火種已經足夠。火焰開始延燒。阿格里柯拉繼續將書本扔進火堆當中。接著路德從人群中走了出來，顫抖著將判定他的教義為異端的教宗法令舉起，以宏亮的聲音說：「因為你混淆了上帝的真理，因此今天主混淆了你，並且和你一起進入火焰中。」[1]他將法令扔進火裡。羊皮紙開始變黑、捲曲，並且冒煙。當路德轉身走回城門時，灰燼在冬日的微風中飛舞旋轉。

他原本就一向反對將異教徒送上火刑，即使這樣的做法符合他的個人利益。他在三年前於威登堡發表的九十五篇論綱中，就曾批評這樣的做法違背聖靈的旨意。因此，教宗會在其法令中明確駁斥這樣的提議，就是一個不祥的徵兆。路德害怕卡傑坦計畫將他逮捕，從奧格斯堡潛逃。他的家鄉威登堡與羅馬的距離遠得令人安心，也為路德提供了令人敬畏的贊助人保護。薩克森的弗里德里希（Friedrich of Saxony）是七位選帝侯之一，肩負在皇帝去世時選出新任皇帝的責任，而這項責任為他帶來極大的影響力與尊榮。然而弗里德里希想要的更多。他痛苦地意識到，他的領地與其他選帝侯的領地相比，是多麼落後，因此在威登堡建立一所大學，作為在薩克遜泥濘荒地中一座標示成熟文明的燈塔。

路德越來越為人所知，也使得這所大學格外引人注目，而弗里德里希更不希望失去他的明星教授。他認定最好的方法，就是讓皇帝親自聆聽路德的案子。當年一月時，帝國的擁權者在萊茵河畔的沃姆斯召開了一次盛大的集會——「帝國議會」，由西班牙的查理五世（Charles of Spain），也就是斐迪南和伊莎貝拉的孫子主持。就在一年半前，他成了第五位以這個名字當選皇帝的人。弗里德里希作為選擇他的人之一，就非常適合牽線搭橋的工作。果然，傳票在三月二十六日被送達了威登堡，指示路德「要回覆有關你的書籍和教義的問題」[2]，他有三個星期的時間依命行事。此外，他也得到查理五世的親自

①譯註：此指出身佛羅倫斯麥迪奇家族的教宗良十世（Leo X），一五一三年至一五二一年在位。

承諾，確保他前往議會的路上一切安全。

在前往沃姆斯的路途中，路德自然不能不感受到自己正處於另一個改革者的命運陰影之下。「我們都是胡斯派，只是我們並未意識到這一點。甚至保羅和奧斯定，實際上都是胡斯派。」[3]路德逐漸瞭解到，必須以一種全新且激進的眼光來看待過去，否則我們無法服膺上帝的旨意。幾個世紀以來，在基督宗教的花園裡，花朵被當作雜草拔除，雜草卻被當作花朵照顧。這種狀況現在必須有所改變，未來也是如此。甚至在與卡傑坦會面之前，路德就已經相信，如果不將教規、教宗法令與阿奎那的哲學焚燒殆盡，真正的宗教改革就不可能實現。他在與樞機主教會面之後，得出了一個更具顛覆性的結論。僅僅翻修教會的結構——修復弊端、清理醜聞——是不夠的。它的整個結構已經徹底腐爛，必須被廢棄、拆除。

聖潔的卡傑坦卻將服從教宗置於聖經見證之上，正足以說明這個問題的嚴重性。即使是在最好的情況下，羅馬教會也絕不是基督宗教應有的樣子，而是一種變形。它不僅沒有使基督徒更接近上帝，反而誘使他們進入異教與偶像崇拜。路德想到它的影響範圍之大令人驚駭，它的腐敗甚至汙染了生命的每個角落與縫隙，毫不懷疑罪魁禍首是誰。「地獄的烙印，魔鬼的面具，又稱作額我略七世，是怪物中的怪物，是第一個罪惡之人、滅亡之子。」[4]這位教宗的統治迎來了這個世界最後一個致命的時代。路德警告說，由希爾德布蘭德（即額我略七世）和他的繼承人們所塑造的這個世界，長達四個世紀以來，對權力的貪婪渴望是推動教會唯一動力的這個世界，簡直是如地獄般的可憎：「純粹的掠奪與暴力。」[5]

然而，在這種濫權的野蠻當中，同時也隱約暗示著讚賞。路德在譴責額我略七世時代的教會所採取路線的同時，其實也承認教會本身的雄心和成就所具有的革命性。現在，透過公開反對羅馬教宗及其事工，路德的目標是一場具有同樣震撼效果的宗教改革運動。他對公關宣傳的掌握能力，他之善於利用騷亂以達成自己設定的目標，他試圖剝除基督宗教世界最令人敬畏之職位的權威，這些大膽的表現，都足以讓他與希爾德布蘭德相比而毫不遜色。在威登堡，路德舉行篝火晚會的那一天，學生們製作了一座花車，並用惡搞教宗法令的方式加以裝飾，然後在喧鬧的歡呼聲中，駕著這輛車在小鎮上轉了一圈之後，將它燒毀。一個打扮成教宗的男人，將他的王冠扔進火裡。

現在，路德在前往國會的路上，受到同樣熱烈的歡迎。每個為迎接他而組成的委員會，在一個又一個城市的城門口向他致意，人群擠進教堂聆聽他的講道。當他進入沃姆斯時，成千上萬的人為了一睹風雲人物風采而湧上街頭。第二天下午稍晚，路德被帶到查理五世面前，徵詢他是否撤回自己的主張，但他發現自己沒有機會為此辯解，感到非常失望，於是要求再給他二十四小時仔細思考。宮外的人群繼續為他歡呼。當路德離開會議所在的主教宅邸時，「他聽到各種聲音勸他保持勇敢，不要害怕那些可以殺死身體、但無法殺死靈魂的人。」[6]他的一位追隨者甚至將他比做耶穌本人。

卡傑坦曾問路德，他憑什麼挑戰教會長久積累所得的智慧？如今，在沃姆斯的那個晚上，這個懸而未決的問題似乎更加迫切。路德的使命不亞於希爾德布蘭德的使命，是要從黑暗中拯救基督宗教世界，淨化它的腐敗，並重新為它施洗。然而他無法像早期的改革者那樣，掌握羅馬教會權威的制高點——因為正是這樣的策略，造成了他現在所意圖扭轉的一切。他以一個反革命分子的姿態站在皇帝面前，哀嘆額我略七世曾經成功地讓亨利四世「屈服在他的腳下——因為撤但與他同在」[7]。查理五世似乎不受這樣的訊息所吸引，而這也確實令人失望：因為路德相信皇帝有責任壓制教宗權的傲慢獨斷，並推翻教宗握有普世權威的所有主張。

所幸的是，因為路德的召喚是對所有基督徒，責任不只在各方諸侯身上。幾個世紀以來，神職人員們一直在欺騙他們。額我略七世的主張，是建立在神職人員是一個與俗人百姓截然不同的群體的基礎上，但這樣的主張根本就是欺瞞與褻瀆。路德在被逐出教會之前一個月，在特別寄給教宗的一本小冊上宣稱：「信奉基督的人，就是完全自由的領主，不需屈從於任何人。基督徒是所有人的最忠誠僕人，不需屈從於任何人。」[8] 教會的儀式無法從地獄中拯救眾人，因為只有上帝擁有這樣的權力。一位基於自己守貞美德而聲稱擁有此等權力的教士，不過是在對他的會眾和他自己玩弄信任的把戲。凡人是如此迷失於原罪，以至於他們無論是做任何事、表現任何善行、如何承受肉體的屈辱，或者前往聖地朝奉神聖的遺跡，都無法獲得救贖。只有神聖的愛才能做到這一點。救贖並不是獎賞，而是一份禮物。

作為一名修道士，路德一直生活在對最後審判的恐懼當中。他每天晚上忍飢祈禱，每一次都長時間懺悔自己的罪孽，甚至會讓他的上級感到厭倦，而這一切都源自於他要讓自己獲得進入天堂資格的迫切意圖。然而他越是鑽研聖經，思考其奧祕，就越覺得這一切都只是白費力氣。上帝並沒有按照罪人所應承受的標準來對待他們，因為如果祂真的這麼做，沒有人能夠得救。如果這樣的教誨，就是奧斯定所教授的道理，那麼這一點在聖經中甚至更加明顯。像保羅這樣一個在各方面都正直不阿的法利賽人，並沒有因為他對律法的熱誠而蒙受救贖。只有當他直接面對復活的基督，感受到祂的耀眼，並且因此踏上一條截然不同的道路之後，上帝才將他標記為選民之一。

當路德在閱讀保羅的著作時，一種類似神聖恩典的意識也讓他徹底臣服：「我感覺我已完全重生，且通過敞開的大門進入天堂。」[9]儘管他不配領受這樣的恩典，感到無助，且應該被譴責，然而上帝仍然愛他。路德因為受到令人歡喜且不可思議的經驗所激勵，也對上帝回報以相同的愛。除此之外，沒有任何其他的事物可以帶來平靜或安慰。路德首次出現於查理五世面前的隔天，就帶著這樣的確信返回主教的宅邸。當他再次被詢問是否會放棄他的著作時，他給出了否定的答案。隨著夜幕降臨，擁擠的大廳裡點上火炬，路德以他閃閃發亮的黑色眼睛盯著他的審訊者，大膽地鄙棄教宗與宗教議會的傲慢虛矯。他宣稱，只有受聖靈啟示而得到的對聖經的理解，才能對他有所約束。「我的良心被上帝的話語俘虜了。我不能也不會撤回任何事，因為違背良心之舉既不安全也不正當。」[10]

查理五世在聽到這麼勇敢的反抗之後，過了兩天，寫了一封回覆。他以先人為榜樣，誓言他將永遠捍衛天主教信仰，以及「神聖的儀式、諭令、儀典，以及神聖習俗」。[11]因此，他毫不猶豫地要求將路德逐出教會。儘管如此，他仍然是個言出必行的人，因此維持原來他保證路德安全的承諾，讓路德可以自由離開。路德有三個星期的時間回到威登堡，若是超過這個期限，他就會被「清算」[12]。

路德以既是英雄、也是不法之徒的姿態，離開沃姆斯。這個充滿戲劇性的事件，被紀錄在整個帝國地區到處散發的小冊子裡，讓他更引人關注。在往威登堡的半途中，發生了另一個驚人的轉折。當路德和同行的人乘坐馬車穿越圖林根州時，他們在山溝中遭到伏擊。一隊騎兵用弩弓瞄準這些旅人，綁架了路德和他的兩個同伴。馬蹄聲逐漸遠去，只留下飛揚的塵土。至於綁架者的身分、綁架發生的原因，則沒有任何線索。幾個月過去了，仍然沒有任何人知道究竟發生了什麼事。路德就像是憑空消失了一樣。

然而，路德其實一直都待在瓦爾特堡中。這座城堡屬於弗里德里希，他的手下將路德帶到那裡加以保護。路德裝扮成騎士，身邊有兩個男僕服侍，卻無人跟他辯論、無人與他談話，因此過得慘不忍睹。他感受到魔鬼對他誘惑叨念。有一次，當一隻陌生的狗撲進他的房間時，原本深愛狗的路德卻認定牠是惡魔，並且將牠扔出高塔窗外。他還飽受便祕之苦。「現在，我像一個分娩中的女人一樣，痛苦地坐著，被撕裂且血淋淋的。」[13]他並不像聖依撒伯爾住在城堡時那樣迎接苦難，他終於明白他永遠無法靠善行而得救。

路德就是在瓦爾特堡永遠放棄了他的修道士生涯，開始寫作。當路德孤獨地坐在房間裡，俯視著希爾頓曾經在此預言偉大改革者將臨的艾森納赫鎮時，儘管與自己之前所引起的劇烈動盪相隔已遠，他卻相信自己就是預言中的那個人物。在沃姆斯時，皇帝指責他傲慢自大，並且質疑他的主張只是單一修道士的觀點，皇帝認為「整個基督宗教世界在過去一千年來都是錯誤的，而且未來更是如此」[14]的看法，怎麼可能會是正確的。路德就是為了要回答這個問題，分享他有關上帝恩典的好消息，才始終堅持留在書桌前繼續寫作。

但一直要到十月，他才終於確立一個可以緩解痛苦的計畫。他要透過閱讀聖經，才能向聖靈敞開心懷，而聖靈也藉此向他揭示上帝之愛的驚人事實。那麼，除了將長期以來存在於識字者與不識字者之間的屏障打破，讓不識拉丁文的基督徒也有機會領受類似他所感受的喜悅，他要如何才能做得更好？早在西元一四六六年，就已經有翻譯粗糙、品質不佳的聖經印刷版本。路德的野心不僅是要將聖經直接由希臘文翻譯成德文，同時也要藉此凸顯日常口語的美妙。他用了十一週的時間，完成新約聖經的翻譯。文字從他的筆尖流淌而出，那些在廚房、田野、市場都能聽到的簡短而簡潔的句子，是任何人都可以聽懂的語言。這些文字輕快且流暢。路德完成翻譯的工作之後，甚至連他的便祕都得到了緩解。

「如果你將聖經想像成一顆大樹，每個字都是一根小樹枝，那麼我已經搖晃了每根樹枝，因為我想知道它究竟是什麼，以及它代表什麼意義。」[15]透過路德的翻譯，各地的日耳曼人現在都有機會做到相同的事情。羅馬教會所有的結構、傳統、階級制度，以及其教規和哲學，都只是使得聖經變成困乏虛弱的物件，就好像石灰會讓鳥無法飛翔一樣。藉由解放聖經，路德讓各地的基督徒都可以像他所體驗過的那樣：將它當作真切聆聽上帝聲音的媒介。他使他們的心靈向聖靈敞開，他們就會明白基督宗教的真實意涵就如同他所理解的那樣：不再需要任何紀律，不再需要任何權威。反基督將被擊潰，所有基督徒終將合而為一。

我站在這裡

他們發現他躲藏在弗蘭肯豪森（Frankenhausen）城門旁，一棟房子的閣樓裡。他堅稱自己是個病人，並且對剛剛發生的可怕戰事②一無所知，他們便搜查他背包裡的東西。其中有一封信件明確證實了他的身分——托馬斯．閔采爾（Thomas Muntzer），一個

②譯註：意指一五二五年五月十五日，發生在德國弗蘭肯豪森的弗蘭肯豪森戰役，是一五二四年在神聖羅馬帝國德意志地區爆發的農民起義（德意志農民戰爭）的最後一場戰事，交戰雙方為帝國軍隊與再洗禮派領袖托馬斯．閔採爾領導的農民軍。

惡名昭彰的革命者，長久以來宣稱強者將被消滅，被壓迫者將要統治，並且就像在使徒的時代一樣，所有人都會被平等以待。他被拖過城市的街道，街上的成堆屍體見證他那支破爛軍隊所遭受的可怕屠殺。接著，他被帶到征服者的面前。薩克遜公爵喬治（Duke George of Saxony），也就是弗里德里希親王的表親，長期以來一直擔心選帝侯對路德的支持可能會帶來什麼後果，現在，就在弗蘭肯豪森存放屍骨的地方，他似乎得到了答案。

當他在審問他的囚犯時，他最深切的所有疑懼都得到了證實。閔采爾堅持稱他為「兄弟」，並反覆引用舊約聖經，為窮人反抗富人的暴動辯護，宣稱這些暴動就如同將小麥從穀殼裡挑出來一樣，有其必要性。公爵聽夠了他的話，下令閔采爾接受酷刑。有人認為他被迫放棄了自己的觀點，但在他最後發出的訊息當中，卻沒有任何跡象顯示這是事實。他寫給他的追隨者說道：「不要讓我的死亡成為你們的絆腳石，那是為了那些良善但無法理解的人們。」[16]

當閔采爾被處決，他的頭顱被砍下掛在木樁上示眾的消息傳來時，路德感到一種冷酷的欣喜。即使他成功逃出瓦爾特堡，回到薩克遜的這三年以來，他還是一直掙扎於一個令人不安的難題：聖靈未能如啟發他那樣，啟發那些受他教義影響的人。當巴伐利亞貴族阿古拉．馮．格倫巴赫（Argula von Grumbach）公開稱讚路德對新約聖經的翻譯時，她的措辭完全符合路德對其身負使命所擁有的崇高感。她寫道：「啊，當上帝的靈教導我們，並且幫助我們瞭解一段又一段的經文，是多麼的美妙，讚美上帝！向我揭示了真實且屬於自己的光。」[17]

啟示的到來，向不同的人揭示了不同的東西。路德的許多追隨者受到他對個人自由的高度重視所啟發，會抱怨他的拖延不前。一個敢於反對教宗與皇帝的人，現在竟似乎要從為普世自由的目標中退縮，不再為了使窮人能夠永遠擺脫富人苛待而奮鬥，令他們感到遺憾與失望。閔采爾身為一位前神職人員，相信自己受上帝任命，要將受壓迫者帶到普世之主面前，對路德的斥責特別嚴厲。他特別針對這位前修道士不斷增長的體型，嘲笑路德有如一塊柔軟的肥肉，並且幻想著將他烹煮成魔鬼的美食。

然而，帝國各地農民與礦工的叛亂情緒，並不需要閔采爾的幻想的刺激。在弗蘭肯豪森遭到血腥鎮壓的亂事，只是眾多類似事件的其中之一。這些叛亂起事，被民眾一次又一次地宣稱是對聖經的服從。西元一五二五年，當成千上萬的農民在施瓦本北部村莊巴爾特林根（Baltringen）集結時，他們宣稱他們的目的是要「聆聽福音，並依據福音生活」[18]。戰爭的罪魁禍首並不是他們，而是莊園領主與修道院院長，因為他們壓迫這些農民，就如同法老壓迫以色列人一樣。聖經沒有應許他們的，他們也不想要。

因此不出所料，在農民起事的整個過程當中，帝國貴族聯合起來加以鎮壓而造成殘酷後果，屠殺數以萬計的叛亂分子，讓帝國的廣大地區破壞殆盡，路德的批評者們就會將這一切歸咎於他。「在起事當中，許多農民被殺，許多狂熱分子被放逐，許多假先知被絞死、燒死、淹死或斬首，如果他從不曾書寫，那或許他們仍能像順服的好基督徒一樣地生活著。」[19]這是針對路德的良心，所提出的指控。路德因自己可能要為許多人被送入地獄而承擔責任的憂慮，讓他感到非常痛苦。他因為深恐自己要為叛亂負起責任，以至於當事件達到血腥高潮時，他用以譴責叛亂分子的語言，其歇斯底里甚至連他的崇拜者們都深受震驚。但路德並不在意，他知道真正攸關利害的關鍵是什麼。他知道，如果承認叛亂分子歸屬於他，他一生心血付出將受到威脅。沒有各方諸侯的支持，他的宗教改革沒有未來。

「青蛙需要鶴。」路德對俗世統治者的善行不存任何幻想，很少有王子能夠如弗里德里希那樣堅定或睿智。路德認為，大多數人充其量只是「上帝的獄卒與劊子手」[20]，但這已經足夠。在一個墮落的世界裡，建構任何一項足以充分反映上帝律法的法律條文，是不可能的事，這也不是教會的工作。羅馬教廷所做過的許多荒謬作為之一，就是建立一個完整的法律體系，並且將之強加在基督徒身上。這就是為何路德要將大量的教會法規丟入威登堡的篝火之中。維護世俗正義的框架，是王子們的職責，而不是教宗們的工作。然而，什麼才是正當的正義框架？正因為路德不屑於將自己當作一名律法師，他才會將許多法律學者在幾個世紀以來所累積的成果（也就是那些被他燒毀的學術著作）視為理所當然的存在。接受路德所提的宗教改革計畫的統治者們別無選擇，只能做出一樣的行動。他們急於要以正確的基督宗教規範管理他們的臣民，因此選擇了一個簡單的權宜之計：挪用大部分的教會法規，成為自己訂定的法律。

這個決策所帶來的結果，並未能消除自額我略七世時代以來的基督宗教世界特徵——瀆神與神聖之間的巨大分歧——反而是更加以鞏固。受到路德啟發的統治者們，聲稱他們對臣民擁有獨裁權威，因此能夠著手設計一種無須將任何權力割讓給羅馬的統治模式。同時，真正的基督徒在他們的靈魂深處也並未失去任何東西。他們現在有了上帝來取代教規律法師。儘管他們現在必須臣服於一個全新而強大的世俗威權，但仍能在平行並存的世界（一個真正重要的世界）當中，擁有自由。只有那些願意向神聖恩典敞開心扉、與全能上帝直接合而為一的人們，才能真正感受到自己的自由。「宗教」（religio）不再被宗教神職人員們——教士、修士和修女——所把持。所有的信徒，即使是那些不懂拉丁語而只會說日耳曼語的人，都擁有它，也都可以將它稱為「宗教」（religion）。

這個世界由兩個王國組成。一個是羊圈，所有回應好牧人基督召喚的人，都能在裡面被平和地餵養和管理；另一個則歸屬於那些被派來看守羊群，要以棍棒使牠們遠離狗和強盜的人們。「這兩個王國必須被嚴格區分，並且都被允許保留；一個孕生虔誠，另一個則帶來外在的和平，並且防堵惡行發生；任何一方獨自存在於這世界上，都是有所不足的。」[21]雄心勃勃的統治者，自然能迅速嗅出這個表述當中所具有的潛力，而其中最令人吃驚且蠻橫之舉，則出自於一位國王。他不僅不是路德的崇拜者，還寫了一篇反駁路德的暢銷小冊，因此得到教宗的讚譽。亨利八世（Henry VIII）身為英格蘭國王，對於法國皇帝與國王竟能夠享有比他更大的聲望，感到十分憤恨，因此非常高興能從羅馬當局為自己爭取到「信仰捍衛者」的頭銜。

但沒過多久，他和教宗之間的關係就急劇惡化。西元一五二七年，他因為沒有子嗣而感到沮喪，並且著迷於一位名叫安妮博林（Anne Boleyn）的貴婦，說服自己是上帝詛咒了他的婚姻。他既專制又任性，便要求教宗同意終止他的婚姻。教宗拒絕了他的請求。亨利八世此舉會讓任何可敬的教會律法師都嗤之以鼻，而他的妻子——阿拉貢的凱瑟琳（Catherine of Aragon）則是斐迪南和伊莎貝拉的女兒，也就是查理五世的阿姨。

儘管教宗為了如何讓英格蘭國王遵守教規而感到焦慮，但他最在乎的其實是要避免冒犯基督宗教世界裡最強大的君王。在正常情況下，亨利除了認輸之外別無選擇。然而，此時的現實狀況，很難說是正常。亨利有另一條路可走。他甚至不必接受路德對聖恩或聖經的觀點，就可以深刻感受到這位宗教改革者對教宗的敵意。這位國王的投機心理近乎狂妄自大，便抓住機會不放。西元一五三四年，英國議會立法正式否決教會權威。亨利被宣布為「英格蘭教會在世唯一的最高領袖」。任何對他擁有此一頭銜的權力提出異議的人，都是犯下叛國罪。

與此同時，在德國城市明斯特（Munster），正有另一位國王將路德教義的內涵推向了完全相反、但同樣激進的另一極端。揚・博克爾森（Jan Bockelson）又名「萊頓的約翰」（'*John of Leiden*'），他沒有任何宮殿，也沒有議會，而只是一名裁縫。一年來，當被驅逐的主教組織軍隊圍攻明斯特，[③]試圖耗盡存糧來逼對方投降時，他在城中以「大衛」之名自我受膏稱王統治。城裡的傳道士因為確信〈啟示錄〉中預言的聖徒千年統治即將

③ 譯註：這裡指的是「明斯特叛變」，發生於西元一五三四—三五年間，再洗禮派驅逐明斯特主教，掌控市政，推行再洗禮派教義，但之後被主教召集軍隊包圍，一五三五年六月被攻陷，多位再洗禮派領袖（包括萊頓的約翰）均遭處決示眾，為再洗禮派勢力衰微的關鍵。

來臨，於是召集信徒去屠殺那些不義之人。「上帝必與祂的子民同在；祂要給他們鐵角和銅爪，對付他們的敵人。」[22]這是個令人熟悉的口號，僅僅十年前，閔采爾才在弗蘭肯豪森提出這個口號。

少數人逃離那場可怕戰鬥殺戮而活下來，並且激勵了新的世代。其中一位名叫漢斯·胡特（Hans Hut）的前書商，逃到奧格斯堡避難，並且在那裡宣揚，他對缺乏聖經認可的傳統毫不妥協的拒斥。其中特別令他感到憤怒的目標之一，就是給嬰兒的洗禮。儘管這種習俗可以追溯到教會的早期歷史，但在聖經中不曾提及，因此胡特立即譴責它：「是對整個基督宗教世界的狡猾伎倆。」[23]西元一五二六年，他在五旬節（Pentecost），也就是紀念聖靈降臨到第一批使徒身上的「瞻禮日」（feast-day），接受了第二次洗禮——再洗禮（anabaptismos）。即使到了第二年胡特在獄中去世，也並未能阻止數以千計的基督徒追隨效法他的榜樣。

博克爾森在明斯特的統治，就是再洗禮派[④]的一場政變。他們將一些能夠在聖經中找到引述、卻長期遭教會嚴厲反對的論點，逐一制定為具體的政綱：粉碎偶像、共產思想、一夫多妻制。暴動與鎮壓交替出現，萊頓的約翰更親自斬首疑似間諜的可疑人物。這件事之令人反感和恐怖，震撼了整個基督宗教世界。到了西元一五三五年六月，當明斯特終於失守，路德宗王子與主教聯手，再洗禮派便成了暴力和墮落的代名詞。

「我站在這裡。我別無他法。」據說當路德在沃姆斯站在皇帝面前時，曾經如此宣示。萊頓的約翰同樣堅信自己順服上帝的話語，卻為此遭受更可怕的命運。他的肉體被熾紅的鉗子折磨，他的舌頭被老虎鉗子拔出，他的屍體被棄置在鐵籠子裡腐爛。從英國到奧地利，來自明斯特的消息所及的任何地方，各地的再洗禮派信徒都遭到追捕。他們也一樣堅信自己因為順從上帝話語而死，他們也同樣別無他法。然而，當路德派和天主教徒譴責他們，並想像著自己成功阻止第二個明斯特事件時，往往是對這些人的嚴重誤會。許多再洗禮派信徒，當他們試圖理解那些激勵了萊頓的約翰和他的追隨者、對不義之人施行報復的著作時，往往讀到了完全相反的意思：永遠不使用武力。

聖經中有許多經文，而解讀這些經文的方式，就和閱讀它們的人數一樣多不可數。如果有一些再洗禮派信徒從聖經中讀到上帝的召喚，要他們在祂憤怒的酒醡池裡踐踏敵人，一樣會有其他許多人在思考救世主的生與死時，得到非常不同的教誨。胡特本人在

④譯註：再洗禮派（Anabaptist）或稱重洗派、重浸派，從瑞士蘇黎世分離而出的宗教改革教派，主張回歸使徒時代信仰模式，反對任何形式權威、仇恨、暴力、殺戮，信徒自認為耶穌真正忠實的追隨者。因其對基督宗教教義的理解較為極端，又與世俗政權保持距離，因此不僅被天主教廷視為異端，也遭新教國家教會迫害。

逃離弗蘭肯豪森的屠殺時，就已經為自己的軍人生涯感到後悔。其他奉獻於絕對和平主義思想的再洗禮派信徒，尋求的也並非顛覆世界秩序，而是從其中脫離隱遁。無論是獨居在偏遠孤絕的山谷當中，或是隱匿於擁擠的城市裡，他們都背棄了塵世的權威。對他們而言，這是唯一恰當而合乎基督精神的作為。

保羅曾經寫給哥林多人說：「主的靈在哪裡，哪裡就有自由。」[24]在這種說法，和另一個堅決認定只有一條通往上帝的路、一種真理、一種生命形式的論點之間，總是存在著緊張對立的關係。額我略七世與他的激進派同胞的聰明之處，在於他們以一項影響深遠的改革計劃將整個基督宗教世界帶上決定性的全新道路，以此解決這樣的緊張關係。但教宗宣稱既能體現自由理想又能展現權威原則的主張，卻從未被普遍接受。幾個世紀以來，有各種基督徒團體訴諸聖靈，挑戰教宗的管轄權。雖然是路德點燃了火柴，但在他之前的其他人早已經鋪好火藥。這也是為什麼他在沃姆斯充滿挑釁意味地現身之後，卻發現自己無力掌控他所啟動在各地爆發的騷動。他也不是唯一有這種感覺的人。每個宗教改革者都宣稱，自己的基督徒同胞所擁有的權柄可以訴諸聖靈而得到確認；而訴諸聖靈的同時也確認了這份權柄。其結果，就是在整個基督宗教世界引發如同連鎖反應般的抗議。

五位立場搖擺不定的路德派王子，試圖將這整個過程放在官方的基礎上。西元一五二九年，他們被召集參加帝國會議，在會議上勇敢地正式提出「抗議」（Protestation）⑤以反對多數天主教徒同意通過的各項措施。到了一五四六年，路德去世、他的靈被交付到真理的上帝（God of Truth）手上時，其他王子也被視為「新教徒」（Protestant）——這不僅是在帝國境內。丹麥自西元一五三七年以來就一直是路德教派的地盤，而瑞典也正朝著這個目標前進，但在其他地方，所謂「新教徒」代表什麼的各種不同可能，和過去一樣涵蓋互不相容的廣大範圍。

路德這個以其謾罵的天賦動搖整個基督宗教世界的人，從不滿足於只是侮辱教宗。有些人和路德一樣敢於否認羅馬教廷權威，但後來也犯下了遭他譴責的過錯，也就是未能正確理解聖靈的真義，而同樣使路德感到憤怒。這些人包括：對他有關聖餐禮的看法提出異議的瑞士或日耳曼神學家，蔑視嬰兒洗禮與世俗權威的再洗禮派，以及自以為是上帝的亨利八世。路德煩惱著這一切可能會導向什麼結果，但並不避諱一個如噩夢般的前景：一個絕對真理的概念終將消逝，所有一切都變成相對的世界。「因為，無論是任何人，只要在信仰上走入歧途，之後便相信他所要相信的任何事物。」[25]

⑤譯註：Protestation（抗議）成為Protestant（新教、新教徒）的字源。

路德死後的幾年裡，要在重重危機考驗中進行宗教改革的偉大任務，變得更加艱鉅。路德派的王子們在戰鬥中被查理五世擊潰，而那些長期以來與敵對改革者的激烈辯論互相呼應的城市也都屈服了。許多急於尋找避難所的流亡者逃往英格蘭。當亨利八世於西元一五四七年去世之後，他的小兒子愛德華六世被新教徒稱譽為「新的約西亞」。這並不是毫無根據的阿諛奉承。即使愛德華還只是個男孩，但他願意獻身於這個使命。在宗教改革的各個面向當中，他唯一不喜歡的似乎是日耳曼新教徒的蓄鬍樣式。作為英國教會領袖頭銜的繼承人，這位年輕國王為他的議會中的激進分子提供了強大的改革工具，而他們也充分加以運用。「自從這個世界創造以來，不曾在任何國家、在這麼短的時間之內，發生過如此巨大的改變。」[26]

然而，這一切卻也岌岌可危。一個肩負教會治理之責的君主體制所能夠給予的東西，它也可以翻臉奪走。西元一五五三年，愛德華去世，他的姊姊瑪麗——阿拉貢的凱瑟琳的女兒——繼承王位。作為一個虔誠的天主教徒，她很快地就讓英格蘭與羅馬達成和解。許多帶頭的宗教改革者被燒死，其他人則逃往國外。新教徒因為信任世俗權威而得到了嚴厲的教訓。但作為一個無國籍的流亡者，也同樣危險。對那些逃離瑪麗治下的英格蘭難民而言，這似乎是一個永遠無法解決的難題。以使上帝喜悅的方式進行敬拜的自由，若是少了維護它所需的紀律，便毫無意義可言，但這兩者又該如何結合？在這個時代的狂風暴雨當中，究竟有無可能造出一艘適合航海的方舟？

一位流亡的改革者，對這些提問作出了最強而有力、也最具影響力的回覆。約翰．加爾文（Jean Calvin）⑥是一位法國學者，其聰明才智也只有他自己的行政才能可以媲美。他受過法律教育，在正常情況下，或許能在法界開創一番利益豐厚的事業；但相反地，他卻被法國當局譴責為險惡的外國異端邪說，不得不在西元一五三四年，也就是他才二十五歲的時候，被迫逃離自己的祖國。

幸運的是，對這位年輕的流亡者來說，邊境以外就有許多以改革溫床而聞名的城市。焦躁不安的加爾文急於盡一己之力推動改變，便參觀了這些城市：蘇黎世、斯特拉斯堡（Strasbourg）、伯恩（Bern），但他最後卻定居在一個大多數新教徒都沒注意到的城市——日內瓦。加爾文在西元一五三六年首次造訪這座城市。但在歷經兩年、想要建立一個虔誠社群的嘗試之後，他最終還是被趕出城。西元一五四一年，當他再次受邀回去

⑥ 譯註：約翰．加爾文（1509-1564）生於法國巴黎北方努瓦永，早年篤信天主教，原習法律，之後投入聖經研究，因受路德改革思想影響，放棄天主教信仰，發表《基督宗教要義》，成為宗教改革神學家，改革宗（歸正宗、喀爾文派）創立者，其神學思想被稱為加爾文主義（Calvinism）。

的時候，他要求官方保證他能夠得到市政當局的支持。他們也確實提供了這樣的保證。日內瓦是一座飽受政治與社會緊張局勢折磨的城市，對其領導者來說，擁有強大能力的加爾文，似乎是最有可能解決這些緊張關係的人。

結果也證明確實如此。加爾文把握了難得的機會，並且迅速採取行動。他只花費幾個月的時間就為日內瓦教會建立起新的基礎，重新調整它與市政當局的關係，將整個城市導向一個嚴格的道德復興計劃。他對議會提出警告：「如果你希望我成為你的牧師，那麼你就必須改正你生活中的混亂。」[27]如果他有任何一點虛言，那他就一無是處。

對此，自然會有反對意見。加爾文粗暴甚至殘酷地否定這些反對意見，但他所使用的方法，都在法律容許範圍內，且絕不訴諸暴力。他手無寸鐵且毫無防備。當他走在街上，被他的敵對者吐口水時，選擇不加反擊而默默承受。講壇是他唯一的武器。一直到西元一五五九年以前，他不僅未曾擔任公職，甚至連公民身分都沒有，只能靠著身為聖言牧師的權威，使日內瓦人信服於他。對於來自城外各處不斷增加的加爾文崇拜者而言，這一點更加證實了他的成就確實得到上帝的認可。西元一五五五年，當一群來自英國的流亡者抵達日內瓦時，他們驚訝地見證、發現自己來到一個基督宗教國度的典範：一個自由和紀律完美平衡的社會。他們永遠不會忘記這樣的經驗。

加爾文在宗教改革者當中是個例外，因為他一直致力於如何務實地定義虔誠信仰。他理所當然地認定「自由的特權」[28]是所有基督徒都應該享有的。因此，在他對教會應該是何種樣貌的想像中，他特別重視每個基督徒加入與離開教會的自由。加爾文相信，「即使整個世界都籠罩在無知的濃密黑暗中」，良知的要求總是會「像一縷不滅的微光」[29]而存在著；儘管如此，他也知道並非每個人都能得救。只有少數選民，以他們的信仰接觸上帝，才能得到上帝的恩典。亞當的所有後裔都命定要上天堂得永生，或永恆死亡。加爾文坦承這是一項「可怕的律令」[30]，但他也並未因此退縮。

正因為他知道許多人會拒絕聖靈的恩賜，所以他才如此努力工作，不僅要將選民聚集起來，更要讓他們服膺上帝的計畫。需要有四個職務的存在來支持這項計畫：傳道士講述上帝的話語；教師指導年輕人；教會執事幫助不幸者；最後，還有看守俗世信眾道德的監護人，也就是「長老」（*presbyters*）。他們和城市的牧師在每個週四的集會，就是教會的法庭：「宗教法庭」（Consistory）。無論屬於哪個階級，任何人只要沒有參加星期日的禮拜，犯下十誡所訂的罪，或者違反加爾文為闡明教會教義而制定的法律，都一定會被傳喚上庭。每一年，都將近有十五分之一的日內瓦人會被傳喚上宗教法庭。[31]

對城裡那些憎恨加爾文、拒斥他的神學思想，以及痛恨講壇上長篇大論的人而言，這一點就是最嚴重的侵擾：因為宗教法庭的目光總會在他們身上，監看他們、標記他們、批判他們，使他們心生恐懼。相反地，對那些離鄉背井、逃離宗教迫害，急切地想要相信這個墮落世界的混亂最終仍有可能被導正以符合上帝計劃的新教徒們，正是加爾文對矯正罪人這件事的重視，讓日內瓦成為榜樣。正如他的一位崇拜者所說，他創造了一所「自使徒時代以來，這世上最完美的基督學校」[32]。

這座城市為逃難者提供的庇護所，就如同潺潺溪流之於一頭氣喘吁吁的野鹿。博愛，是加爾文願景中的核心。即使是猶太人，當他們有所需求時，也能得到幫助。「記住一點：『少種的少收；多種的多收。』」[33]對加爾文而言，日內瓦為逃難者提供救助的意願，是衡量他成功與否的關鍵。他相信許多日內瓦人會對湧入他們城市的貧苦外國人深感憤慨，但他也從不對重新教育他們的責任有所疑慮。日內瓦收容大量逃難者，之後被證實是一項重大的成就。它提供了博愛的榜樣，證明一個虔敬的社會確實可能存在，並且對受迫害的流亡者提供了慰藉——讓他們相信自己所受苦難是有意義的，而且生命中的所有一切都是由神聖的意旨所形塑而成。當逃難者回到家鄉時，這些都是他們會討論的話題。

他們的敵人稱他們為「加爾文主義者」（*'Calvinists'*）——一個既是辱罵，也是致敬的稱謂。那些受加爾文啟發的信徒們，忠於他們所理解的上帝的意旨，即使付出最大代價，也會證明自己已經準備好遵循他的教誨：放棄過去，離開家園，並且如有必要，前往地球的盡頭。

滌清迷霧

西元一五八一年的一個晚上，一群人抬著一名被處決的強盜屍體，穿過什魯斯伯里（Shrewsbury）暗黑的街道。他們的眼前，在俯瞰著塞文河（Severn）的山丘上，聳立著英格蘭最高的尖塔之一。聖瑪利教堂初建於阿瑟斯坦時代，在英國征服威爾斯之前的動盪世紀中，其所在西邊約十公里處，就是一個又一個教宗使節曾經駐紮的地方。但那些日子已成為歷史。新教徒所稱的「天主教教宗制度」（popery）已經被逐出英格蘭。

信奉天主教的瑪麗女王已於西元一五五八年去世，而現在坐在英格蘭王位寶座上的，則是她的同父異母妹妹安妮．博林的女兒伊麗莎白。教堂的一扇門上雕刻著她的紋章，和聖經中的一段文字：「才德的女子很多，惟獨你超過一切。」[34]只是並非所有教宗體制的汙點都已被抹除。教堂的墓地裡仍豎立著一座巨大的十字架，這座十字架在什魯斯伯里所受到的珍視，使得將它摧毀的任務變得更加急迫。這群屍體搶奪者在夜幕低垂的掩護下，動手將它拆除。接著在拆除之後，他們在它原先豎立的地方挖出一個墳坑，將屍體丟進去埋掉。與其安放一座教宗體制的紀念碑，不如埋放一個被處決的罪犯。

「偶像的永恆熔爐。」（A perpetual forge of idols）[35]加爾文如此描述人類的心靈。他確信墮落的人類永遠會輕易地背棄上帝，汙衊祂的誡命的純潔光輝，在祂的聖所中豎起一座金雕牛犢，而這一切就是讓加爾文的所有改革行動始終籠罩在陰影當中的恐懼。如今在他去世十多年之後，他對迷信所提出的警告，吸引了遠遠超出日內瓦範圍的廣大讀者群。他的作品在倫敦印製的數量，比其他地方更多，當地的出版商幾乎無法應付購買的需求。一位積極進取的編輯，甚至委託他人彙編他最受歡迎作品的合集。不只在英國，加爾文的著作幾乎在一夜之間成為暢銷書，他的影響甚至遠及於蘇格蘭——一片甚至被本地貴族公認為「幾乎超出人類極限所及之處」[36]的土地。

西元一五五九年，從日內瓦返國的流亡者約翰．諾克斯（John Knox）⑦的講道，在整個王國中引發了以虔誠之名而行的破壞行動。一群會眾在聽過諾克斯對偶像崇拜的激烈抨擊之後，立刻動手拆除當地的一座大教堂。其他狂熱分子燒毀修道院、砍倒修道士的果園，並且將修道院花園中的花朵連根拔除。一年之後，經過一場為時短暫但激烈殘暴的內戰，以及蘇格蘭議會一次具有明顯加爾文主義色彩、支持教會改革的投票表決之後，消滅偶像崇拜的雄心壯志終於有了官方支持的基礎。

現在，於整個英國境內，無論對教宗體制仍有的迷信如何遙不可及，都不可能逃過法律體制的摧毀。無論是被大西洋狂風吹襲，在聖高隆邦時代，愛爾蘭的教士們冒著大西洋的狂風吹襲，在石南花與岩石之間架起十字架的島嶼上，或是在威爾斯最荒涼之處，長滿苔蘚、旁邊有著噴泉的小教堂所在，工人們在這些地方以大鐵鎚完成他們的工作。受到加爾文啟發的地方行政官員所能影響的範圍，確實已經非常廣泛。

既然如此，為什麼在聖瑪利教堂的墓地裡，會有必要採取祕密行動摧毀十字架呢？這個行動出自於擔憂局勢已經迫在眉睫的人們。在英吉利海峽對面，邪惡且充滿掠奪性的黑暗勢力，正以選民的鮮血淹沒各地知名的基督宗教城市。西元一五七二年，在聖巴塞洛繆節（feast-day of Saint Bartholomew）那天，成千的新教徒在巴黎街頭遭到屠殺。[8]在

⑦譯註：約翰．諾克斯（1514-1572）是蘇格蘭加爾文派牧師，宗教改革領導人，將新約聖經翻譯為英文（日內瓦譯本），促成蘇格蘭成為宗教改革國家。

⑧譯註：這裡指的是「聖巴塞洛繆大屠殺」（Massacre de la Saint-Barthélemy），發生於法國宗教戰爭（1562-1598）期間，一五七二年八月二十三日晚間（聖巴托羅繆紀念前夜），由法國宮廷發動對新教徒領袖的暗殺行動，及後續規模擴及巴黎近郊以外，對新教徒的屠殺，估計死亡人數超過萬人以上。這個行動是對法國新教改革的重大打擊，也激化了新教徒對天主教的敵意。

加爾文的家鄉法國的其他城市中，他的追隨者也遭到大規模的屠殺。在里昂，有了新的殉道者。與此同時，一場更加兇殘的衝突正在低地國家上演。當地那些輝煌而富有的城市長期以來就是各種新教思想的孕育之地。早在西元一五二三年，查理五世就在安特衛普（Antwerp）以異端罪名絞殺兩名修道士，並且夷平他們的修道院。明斯特的國王萊頓的約翰，本身就是一名荷蘭人。

接下來的幾十年裡，在低地國家被處死的新教徒，比其他任何地方都要更多。然而也是在那裡，敬神虔誠的人數持續增加。面對一個有新世界的財富為恃的君主，許多反抗者在加爾文的教誨中得到了改變人生的信念：儘管寡不敵眾，但並不意謂他們是不義或有罪的。拿起武器反抗暴政並不是罪過，而是責任。上帝會照看他的子民。在英國市集上推倒十字架的行為，與成功反抗基督宗教世界最強大軍事機器的壯舉相較，或許無可比擬，卻是同樣虔誠的行動。荷蘭反叛者對神的意旨所表現的忠誠，他們甘冒失去財富甚至生命之險的意願，為對抗偶像崇拜而有的勇氣與智慧，對任何眼見的人而言都是一種鼓舞。

在英格蘭，就如同在四面楚歌的荷蘭共和國一樣，人們渴望著純潔。聖瑪利教堂的十字架被拆除一年之後，當一位新的牧師前來領導教會時，他稱讚他的君主為上帝忠實的僕人：「他戰勝了控制靈魂的暴政，令人敬佩。」[37]但在他的會眾當中，還有在王國之內的許多地方，有許多人並不同意他的看法。英格蘭並不是荷蘭共和國。在荷蘭，加爾文教派在追求獨立自主的過程中，為他們驕傲地稱為「改革宗教會」（Reformed Church）的教會組織爭取到了卓越的公共地位。

伊麗莎白的新教思想，則明顯是一種比較肆意而為的型態。她對於教宗體制的各種附屬之物——主教、唱詩班、耶穌受難十字架——的偏好，讓虔誠的人們都深感驚恐。她越常駁斥他們對進一步改革的呼籲，他們就越擔心她作為最高領袖的英格蘭教會是不是可以被視為真正的新教。西元一五六五年，由一位天主教流亡者為他們取的名字「清教徒」（Puritans）⑨與其說是侮辱，其實更像是公平的描述。他們知道只有少數人命定得救，所以因為女王與其大臣的頑冥不靈，他們更確認了自己就是核心選民的地位。

承擔改革的責任，不僅是他們的權利，更是他們的義務。那些主教的頭銜，除了只是「從教宗的店裡拿出來」的虛榮[38]之外，還能是什麼？君主體制的裝模作樣，不是暴

⑨「Cathar」（意為「純潔者」）被翻譯成「清教徒」，正可以見證基督徒長久以來對純潔的著迷，還有這種著迷如何被反覆地視為一種汙辱。（譯註：清教徒約出現在一五六〇年代左右，源於拉丁文的*Purus*，意為清潔，指稱那些認為應該滌清英國國教內殘存之羅馬天主教儀式的改革派新教徒。）

政，會是什麼？真正的權威，反而應該是在虔敬者的團契，並且由其選出的牧師與長老所領導。他們的任務是繼續努力清除這世上的各種妄想，是將基督宗教方舟上所有人類妄為堆積的藤壺與海藻刮除乾淨的偉大工作。面對如此迫切的使命，教會與國家的傳統守護者、大主教和國王的憤怒，對他們而言根本微不足道。他們真正的任務就是導正宇宙的混亂，將上帝與人結合。

儘管清教徒的計劃具有革命性的特點——摒棄習俗、蔑視迷信，但它其實並非如其支持者或敵人所堅稱的那樣，是與過去的徹底決裂。以推翻偶像來表現虔誠的例子，絕不僅限於聖經。西元一五五四年，當瑪麗仍在位時，被派往迎接英格蘭回歸的教宗使節團，對議會成員發表演講，提醒他們是如何從教宗手中首次收到基督的禮物，並且將他們國家從對牲畜與石頭的崇拜中拯救出來。與此同時，在低地國家，急於要讓自己所領羊群的信念更加堅定的天主教領袖們，敦促人們崇拜將福音之光帶給他們祖先、用雷神索爾的橡樹建起教堂的聖波尼法爵。

這是會讓新教徒不安的批評，但他們對此也有可行的因應策略。有些人堅決認定，基督宗教傳教團，實際上是在使徒的時代、而非額我略一世的時代，首先來到英格蘭，因此他們與位在羅馬的反基督沒有任何關係。另外也有人宣稱，比德所頌揚的聖徒根本不曾存在，而是被捏造出來，以填補神被背棄之後所留下的空白。這樣的論述並未真正流行起來。對許多新教徒而言，盎格魯薩克遜教會的紀錄，就是他們的榜樣和啟發。它和整個基督宗教世界的腐敗，顯然都要歸罪於額我略七世。因此，即使清教徒拒絕古老且熟悉的事物，也無法全然否定一個潛在的悖論：他們對傳統的拒絕，本身就是一種基督宗教傳統。

早在英格蘭基督宗教發展的最早期，當第一位諾森比亞國王聽過福音之後同意受洗，並與他的追隨者一起跳進河裡時，出現了一隻烏鴉，以一種所有異教徒都知道意謂警告的方式鳴叫。但一位由額我略一世派來向他們傳教的羅馬傳教士，卻下令射殺這隻鳥。他宣稱：「如果那隻漫不經心的鳥無法避免死亡，那麼它更不可能向已經重生，並且重新接受洗禮而成上帝形象的人們揭示未來。」[39]沒有任何一位清教徒，會想要反對這個論點。即使他們會嘲笑天主教徒所說的那些荒誕故事——在岩石上發現魔鬼足跡的胡說八道，聖徒的骨頭可被視為聖潔、基督會在聖餐禮中以肉體現身的論調——但這並不表示清教徒會對神聖顯現於宇宙各個面向的信念有所懷疑。加爾文和阿伯拉德一樣，虔誠地相信這一點。即使理性無助於理解信仰的奧祕，但在適切的範圍內，星星會在永恆不變的軌道上運行，鳥兒會對他們的創造者唱出愛的歌曲，且「草和花會對祂笑出聲」[40]，理性仍會存在，藉此向凡人揭示上帝的存在與目的。

路德所在時代的一個世紀以後，新教徒已經可以認為自己繼承了一場徹底改變基督宗教世界的革命。這場革命不再只是漫長改革過程的一個中繼站，而是成為一段獨特且震撼人心的插曲：宗教改革。在崇信者的眼中，這是一場將人類從無知和錯誤中解放，重獲自由的運動。曾經，當世界被黑暗淹沒時，基督徒貪婪地接受似乎無窮無盡、各種充滿神蹟與驚奇的故事；但是「當迷霧開始消散，它們越來越被視為不過是無稽之談，是神職人員炮製的騙局，神鬼的幻覺，和反基督的紋章」[41]。如果上帝能在個別信徒的內心顯現，那祂也能在宇宙的浩瀚與複雜之中被理解。

最真實的神蹟，不需要教會權威確認，就是神蹟。

第
14
章

寰宇

西元1620年，萊頓

荷蘭人自認為是從法老的戰車與馬匹之下被救贖的民族，並且從未放棄這樣的認知。在萊頓（Leiden）①被解放四十六年之後，這座城市仍然自豪地回憶著當年可怕的圍城。②他們回想查理五世的兒子，西班牙國王菲利普二世如何以斷糧攻勢逼迫民眾屈服；荷蘭反抗軍如何在絕望中衝破堤壩，讓救援部隊能一路航行到城牆邊上；還有一場大風暴如何迫使圍攻者在洪水上升之前掉頭離開。每年的十月三日，這個奇蹟事件的週年紀念日，全城都會舉行公開的贖罪與感恩慶祝活動。雖然有許多人選擇禁食，但其他人則偏好以聚餐的形式，來紀念萊頓「透過上帝的全能統治，奇蹟般的得救與自由」[1]。

西元一五七四年，救援部隊發給飢餓人民的食物——鯡魚和麵包——是聚餐時很受歡迎的選擇，燉煮鼠肉也是。西元一六二〇年時，萊頓已經是一座「充滿各種財富寶物」[2]的城市，但這一點對其公民而言，既是一種保證，也是焦慮的源頭。他們知道每件美好的事物都是一種誘惑。身為人類的職責，是回應全能上帝的召喚而勞動，謹記所有獎賞都來自於祂。由於荷蘭人對聖經有深入理解，他們自然不需被提醒以色列人違背與上帝盟約時的遭遇。上帝的憤怒讓西班牙人在洪水與狂風面前倉皇逃離，也可能會讓荷蘭人惹禍上身。如果他們再次屈服於罪惡和揮霍，萊頓的人們可能會淪落以啃食鼠肉為生。

這座城市中的加爾文教派信徒，他們的憂慮有其充分的理由。儘管他們身為荷蘭共和國正統教會成員，享有相當的聲望，但萊頓終究不同於日內瓦。教會裡的宗教法庭，其管轄權只能及於那些願意服從其權威的人，而這些人的總數可能不超過總人口數的十分之一。對虔誠的人們來說，其負面後果不言而喻。大學裡的教授們曾試圖緩和加爾文教義對宿命論的影響，而敵對派系也曾在街頭與之衝突對峙。西元一六一七年，市政廳周圍設起路障。到了西元一六一九年，即使異議傳教士遭到清算，也無法完全平息這場爭議。在此同時，萊頓的其他人們則盡情跳舞、看戲，或大嚼乳酪。父母們在公共場合跟他們的孩子摟摟抱抱。路德會、再洗禮派和猶太人，都各自隨心所欲從事敬拜儀式。到了西元一六二〇年，由於地方官員不願再對這些踰矩行為加以規範，引發改革宗教會成員的強烈抗議。在萊頓的教堂講壇上，荷蘭人對以色列子民的認同，與其說是一種慰藉，更像是一種警示。

然而，即使人們意圖讓自己脫離偶像崇拜，並創造一塊既虔誠又富足、令全能者喜悅的土地，在這樣的企圖中，也還是隱含著一絲責備的暗示。「主啊，當我們這一切都不

①譯註：萊頓是位於荷蘭西部濱海南荷蘭省的城市。

②譯註：這裡指的是在荷蘭追求獨立，與西班牙對抗的八十年戰爭（1568-1648）期間，西班牙軍隊於一五七四年對萊頓的圍攻。

順遂時，祢把我們帶到了一塊土地上，在那裡，我們藉由貿易和商業得到了財富，並且得到善待。」[3] 但是，在荷蘭人辛苦建立的共和國以外地區，那些還未乾著腳涉過紅海、仍然受到法老欺壓的人們呢？

那年十月，當萊頓的人們正在慶祝他們脫離西班牙人統治得到解放，改革宗的傳教士也以更強烈的決心，要讓他們的國家有資格成為新以色列的同時，戰爭正在威脅著萊茵蘭和波西米亞地區的新教徒。③ 就如同在傑式卡的時代一樣，一位天主教皇帝集結軍隊向布拉格進軍，他的野心就是消滅新教信仰。荷蘭人因為堅信上帝的應許是對整個世界的應許，而人類擁有的任何一點權威無不源自於祂的意志，便整軍應戰。軍隊被派往邊境，支援各地新教王子，一隊騎兵向萊茵河上游挺進。在一支駐紮於城外佈滿白堊礦場的山脊上，保衛布拉格對抗反基督攻擊的軍隊裡，就有近五千人是由荷蘭人所派遣或資助。

新教的核心並未能保住。十一月八日，白山（White Mountain）上的新教勢力遭到擊潰，布拉格也在同一天淪陷，但戰爭距離結束尚遠。恰恰相反，一切才正要開始。天主教和新教王子之間的競爭，就像是一架不斷旋轉的可怕機器中的刀片，繼續像鐮刀一樣橫掃各地，破壞帝國的更多地區，捲入越來越多外國軍隊的屍體，不斷轉動，直到三十年後才終於停下。基督宗教教義不僅沒有平息仇恨，倒像一塊磨刀石，讓數以百萬計的人喪失性命，狼群在焚毀的城鎮廢墟中徘徊逡巡。正如一位牧師所說：「在我們之後的人們，永遠不會相信我們曾遭受的苦難。」[4] 各種可怕的暴行以令人麻木的規模發生：男人被閹割，女人被放入烤箱烘烤，小孩像狗一樣被繩子綁著帶走。

藏身在自己要塞中的荷蘭越來越感覺受到威脅，放棄了派遣軍隊前往邊界以外殺戮戰場的想法。這不僅是一個明智的策略，也是虔誠的作為。共和國的主要職責是維持獨立地位，從而支持其教會，以維護整個基督宗教世界的共同利益。在萊頓，政府對麵包與啤酒徵收高額稅捐以因應戰事所需，因此即使是最窮困的公民，也可以感受到他們同樣盡了自己的一份力量。一些加爾文信徒堅持他們信仰的基本原則，也擁有足以支撐其信念的財富，確定自己會盡力為難民提供救濟。因此，在這籠罩著黑暗的時代當中，出現了一個能夠啟發全世界的基督徒的行為典範。

這卻不是每個人都能同意的觀點。對許多深陷德國和中歐地區殺戮戰場的人而言，

③譯註：這場戰爭是三十年戰爭（1618-1648），開始於波希米亞（今捷克）對神聖羅馬帝國的反抗，因為宗教改革所帶來的天主教與新教之爭，造成帝國內部分裂，而終於將歐洲各國捲入的大規模戰事。在戰爭的初期階段，捷克布拉格新教徒起義，衝入王宮，將之後繼任帝國皇帝（兼波希米亞國王）斐迪南二世派來的使節，從窗口丟出（布拉格拋窗事件），並宣布獨立，自選國王。斐迪南二世出兵反攻，在布拉格鄰近的「白山戰役」中，擊退波希米亞聯軍，將波希米亞重新納入帝國版圖。

共和國偉大的根源，看來是由鮮血所滋養。軍火、鋼鐵，和提供敵對軍隊資金的匯票，都被荷蘭實業家所壟斷。虔誠之人的偉大夢想——以自己為榜樣來啟發飽受痛苦折磨的人們，獲得只有神聖恩典才能給予的喜樂與重生——已被基督宗教世界撕裂的惡夢陰影所籠罩。置身於災難所生的痛苦當中，選民們如何能避免沾上妥協與虛偽的汙點？他們如何能遠離時代的罪惡，同時又是世界之光、山巔之城？

提高啤酒稅並非萊頓為瞭解決這些問題而做出的唯一嘗試。西元一六二〇年十一月九日，也就是白山戰役的隔天，一艘名為五月花號的船舶抵達新大陸北部一片小小的陸地，船上貨艙裡擠滿了一百名乘客。根據其中一人所言，因為「他們知道自己是朝聖者」[5]，所以願意經歷兩個月的艱苦航行，橫渡大西洋而來，而這些「朝聖者」當中有一半來自萊頓。但這些航海者並不是荷蘭人，而是英國人，萊頓只是從英格蘭開始的長途航行的中繼站。在這些朝聖者眼中看來，英格蘭是一個充滿罪惡的地方。他們先是在西元一六〇七年離開自己的故土，在到達新大陸十三年之後，他們也背棄了萊頓。即使是虔誠的荷蘭共和國，也無法滿足他們對純潔、對與神達到和諧的渴望。

這些朝聖者從不懷疑他們會面對如何重大的挑戰。他們完全明白如果不能全力以赴，他們雄心勃勃所要建立的新英格蘭，就很容易會與舊英格蘭一樣屈服於罪惡。但這個挑戰也讓他們得到喘息的空間，讓他們有機會能夠在一塊處女地上將自己奉獻為新以色列。一個罪人轉向上帝，就能因祂的恩典而蒙福，一整個民族也可以如此。這些朝聖者正是基於這樣的信念在美洲登陸，建立名為普利茅斯（Pylmouth）的殖民地，以作為全世界的榜樣。十年之後，當第二個殖民地在麻薩諸塞灣（Massachusetts Bay）沿岸被建立時，其領導人有同樣的決心，要證明一個虔敬的社群有可能實現，而不只是夢想。一位名叫約翰．溫斯羅普（John Winthrop）的律法師兼傳教士，在前往新世界的旅程中宣稱：「這就是上帝與我們的約定，為了這項工作，我們與祂簽訂了盟約。」[6]所謂自由，就是遵從這項盟約的自由——加入一個被恩典包圍、由虔誠的人們所組成的社會。

然而從一開始，新英格蘭地區的領袖們就發現自己正處理的是一個悖論。儘管他們已經在一片未被開墾的巨大荒野邊緣定居，但他們的目光還是望向整個世界。溫斯羅普警告他的移民同胞說，如果他們未能遵守盟約，醜聞將使他們成為全世界的笑柄。墮落人類的命運就在他們的肩膀上，他們也是最後且最好的希望所在。但也因為如此，他們不容外人介入。他們的社群是選民的集合，任何可能會對這種地位形成威脅的人，都不被允許加入他們。因為失敗的代價太高，難以承受。

地方官員被選出來，是要承擔引導殖民地走向虔敬之路的責任，因此，只有那些被明顯認可的人才有投票權。溫斯羅普告訴他的選民：「你們和我們之間的盟約，就是你們對我們所做的誓言，為此目的，我們將以上帝和我們自己的律法為依據，盡我們最好的能力來治理你們，評斷你們的作為。」[7]這是一項強而有力的指令：就像古代以色列先知所做的那樣，確信他們對聖經的理解是完全正確的，並且據以懲罰與鼓勵上帝的子民。人們毫不保留地堅守此一使命，有時候，這種堅持會以最直接的方式表達出來。西元一六三八年，殖民者直接仿照上帝給摩西的一份屯墾的圖面，在紐黑文（New Haven）建立殖民地。這就是選民所應為的。

不過，新英格蘭並不是和西奈半島周圍沙漠一樣的荒野。即使在殖民早期階段，也有一些殖民者不願如清教徒一樣地生活，而這讓那些虔敬的人感到焦慮不安。第二年冬天，當朝聖者發現那些不思悔改的人竟然打板球慶祝聖誕節時，立即將他們的球板沒收。隨著殖民地規模的擴展，控制那些不是選民的罪人及其邪惡本性的決心，也日益增強。即使沒有投票權，他們還是被期待要幫忙奉養牧師、參加教會禮拜以及聆聽講道，在這些講道中，他們的罪過會受到嚴厲譴責。想要給他們教育和建立嚴格紀律的渴望根深蒂固，兩者都是內在深刻信念的表現：上帝賜給新世界清教徒的禮物，繁盛的花園與葡萄園，這實在太過珍貴，不能荒廢成雜草一片。

這片土地對朝聖者來說，「花果繁茂且適合居住，那裡沒有任何文明人定居，只有蠻荒粗野的人上下跳動，幾乎與野獸沒有不同。」[8] 全能的上帝將新英格蘭賜予他們定居，以他們為完美榜樣照亮整個世界，但這並不表示他們對印地安人（英國人仿效西班牙人，堅持如此稱呼美洲原住民）毫無責任。在標記約翰．溫斯羅普所率領探險隊的印章上，就有一個裝扮成伊甸園裡的亞當的印地安人圖像，他的嘴型彷彿在呼喊著：「過來幫助我們。」上帝的恩典是無償的，因此沒有理由不能像賜予英國人一樣，也輕易賜予蠻夷之人。畢竟主的形象就在每個人心中，而在新英格蘭地區，所有牧師都知道自己被要求要愛他的敵人。在朝聖者首次登陸普利茅斯之後的幾十年裡，清教徒以他們在所有工作中都有的那種責任感，致力於將上帝話語帶給當地的部落。傳教士以印地安人自己的語言傳教，並且投入翻譯聖經的工作。

即使上帝命令基督徒將祂的話語帶給全世界，為了捍衛祂的選民，祂同時也會將自己顯現為憤怒之神。西元一六二二年，一名被朝聖者們選為隊長的英國士兵，得知一群來自麻薩諸塞的原住民戰士計畫襲擊殖民地，便發動了先發制人的攻勢。許多普利茅斯的人民對此有所疑慮，但麻薩諸塞部落領袖的頭顱還是被掛在一根桿子上，在殖民地的堡壘中公開示眾。十五年後，一群由殖民者與原住民盟友聯合組成的隊伍，向敵對的佩科特人④部落發動了另一場更具破壞性的襲擊。包括男人、女人和兒童在內的四百人，被燒死在他們居住的棚屋裡。「看著他們在火中被焚燒，看著血流澆熄火焰，是一場可怕的景象，發生的惡臭更令人恐懼。」再一次，部分清教徒對這些屠殺表達了厭惡之情，但他們也再一次得到「上帝允許屠殺以保衛以色列」的回應。他們被安慰說：「有時聖經宣稱婦女和兒童必須與他們的雙親一起滅亡，但我們從上帝的話語中得到足夠的光，以進行我們的行動。」[9]

查理大帝可能給阿爾昆的回應也是如此。清教徒或許已經在一個新世界定居，逃離了舊世界的沉淪，自豪地重生。然而，他們身為基督徒所面臨的挑戰，和他們解決問題的辦法中所有的矛盾，仍然有著古老的傳承。

「對甚麼樣的人，我就作甚麼樣的人。」

西元一六二九年夏天的一個早晨，在與普利茅斯簡陋隔板房屋與木製柵欄相隔半個地球以外之處，在全世界最大城市的上空，天空開始變暗。北京的天文學家已經習慣追蹤日蝕。簇擁在皇帝的雄偉宮殿以南的政府建築當中之一，是禮部所在，其中保存著可以追溯到中國最早時候的各種記錄文件。曆法，也就是正確計算日期的學問，一直得到各個王朝不遺餘力的支持。無視星辰的運動，就是冒著遭致災難的風險，因為中國學者認為，在天上發生的任何事，沒有一件不與地上發生的各種事件相互影響。

所以，在中國，年曆的編制與發布被國家嚴格壟斷。只有準確的紀錄日蝕，皇帝才能避免災禍。然而禮部卻在近幾十年來犯下一連串令人難堪的錯誤。西元一五九二年，它預測日蝕的日期與實際發生有整整一天的誤差。改革似乎不能不開始進行。原本預測日蝕會在六月二十三日出現，但當時的禮部侍郎徐光啟[⑤]卻對此有不同看法，並堅持以不同意見一較高下。徐光啟是一名出身上海的傑出學者，他越來越無法信任中國天文學家長期以來所依賴的預測方法。另一種來自遠西蠻夷地區、瞭解宇宙運作的方法，最近剛被引入北京。徐光啟不只是這些外國天文學家的支持者，更是他們的朋友，多年來一直

④譯註：佩科特人（Pequots）是美國康乃狄克州的美洲原住民，這裡描述的事件，是一六三〇年時，因為部落成員殺害殖民地居民，而引發殖民者聯合其他敵對原住民部落，對佩科特人發起的戰事和虐殺。

⑤譯註：徐光啟（1562-1633）字子先，號玄扈，南直隸松江府上海縣人，崇禎朝官至禮部尚書兼文淵閣大學士，一六〇三年受洗入天主教會，聖名保祿，熱心西學與基督信仰，希望能以科學救國利民，以信仰匡救時弊、矯正人心。與耶穌會士利瑪竇合譯歐幾里得《幾何原本》，長期力行天文、水利、農業各方面科學實驗，及天文望遠鏡、西式火炮製造，被認為是近代中西交流和中國科學發展的先驅。

致力為他們爭取官方職位。

現在，他終於得到機會。當日蝕出現、消失，日照重現北京，中國天文學家的預測被拿來與西方蠻夷之人的預測相比，結果卻是蠻夷之人的預測贏得這場競賽。他們不久之後就得到獎賞。當年九月，皇帝親自下令，命這些外國天文學家改革曆法。他們身穿中國學者穿的長袍，進駐北京天文台開始工作。他們的勝利印證了他們的學識——對天際的瞭解和追蹤星辰運動的能力。除此之外，這更見證了他們對上帝意志的理解。不只是這些來自遠西的外國人相信這一點，徐光啟也是如此。包含蠻夷天文學家與中國官員在內的這些人都接受了洗禮，都是天主教會的忠實僕人。

在一個像中國這樣遙遠、強大且神祕的帝國中心，距離歐洲整整三年路程的城市裡發現基督徒的消息，自然帶給羅馬無上的喜悅和安慰。當時是一個艱難的時代。一個多世紀以來，整個基督宗教世界似乎都面臨著腐壞的危險。古老王國淪入異教之手，其他地方則已被土耳其人吞沒。聖史蒂芬（Saint Stephen）與聖依撒伯爾（Saunt Elizabeth）所在的匈牙利的大部分區域，都屈服於鄂圖曼帝國蘇丹的統治之下。天主教徒在許多地方面臨四面楚歌的狀況，教廷須竭盡全力以穩定局勢，否則他們將和教派分立的異教信仰一樣，淪為眾多教派的其中之一，不再是唯一的天主教會，只是位在羅馬的一個教會。

面對這種令人驚恐的可能，教宗及其下屬們採取了雙管齊下的策略。一方面是在整個體制的中心地區，重新強調宗教戒律的必要性。西元一五四二年，在羅馬建立了以西班牙為藍本的宗教裁判所；西元一五一八年，制訂一份冗長的禁書索引，並在一年後於威尼斯公開焚燒一萬卷書。另一方面，在海外由西班牙和葡萄牙冒險家開闢的新世界當中，天主教傳教士收服了大批的靈魂。先是墨西哥落入基督教大軍之手，接著是其他夢幻般的土地被一一征服：祕魯、巴西，還有以菲利普二世（Philip II）命名的島嶼——菲律賓。上帝已命定了這些征服，基督徒不僅有權利，甚至有義務加以實行。這一點對許多人而言，是虔誠而不可動搖的信念。偶像崇拜、人體獻祭，以及所有其他異教醜惡行徑，仍然被廣為引證，賦予西班牙全球帝國以正當性：受「文明且賢德的王子」[10]所統治，對蠻夷之人是有利的。亞里斯多德提出的這個廣被接受的論點，仍然持續受到身著基督教長袍的神學家們所肯定。

但還有另一種解釋亞里斯多德的方法。西元一五五〇年，在西班牙的巴利亞多利德（Valladolid）舉行了一場有關印地安人能否擁有自治權力的辯論。在這場辯論中，年長的巴托洛梅・德拉斯・卡薩斯所要捍衛的，不僅是他自身的權力。他提出質疑：誰才是真正的野蠻人？是「溫柔、耐心、謙遜」的印第安民族，還是對財富的渴望與其殘暴行徑一樣無情不仁的西班牙征服者？不論是不是異教徒，每個人都是上帝平等的造物，被賦予同樣的人性。像德拉斯・卡薩斯的對手們所辯稱的那樣，認為印地安人不如西班牙人，就如同猴子不如人類，這是清楚明顯的瀆神行徑。「世界上所有種族都是人類，而人類無論是作為整體或個別來看，都只有一個定義，那就是他們都是理性的。」[11]

每個凡人，無論是不是基督徒，都擁有來自上帝賦予的權利。德拉斯・卡薩斯稱這些權利為「*Derechos humanos*」，也就是「人權」之意。因此，只要是接受這個理念的基督徒，都難以相信自己身為基督徒就比異教徒優越。世界之遼闊，更甭論居住其中的各種民族之無限可能，這對傳教士既是一種激勵，也是一種告誡。如果印地安人會被西班牙與葡萄牙冒險家蔑視為蠻夷之人，那麼在其他地方，歐洲人也很有可能被視為野蠻民族。而這一點在中國最為明顯，即使是生活在其邊緣地帶的人，也會驚訝地意識到：「這些人在科學、政府組織及其他各方面，如此文明先進，絲毫不遜於歐洲。」[12]

對傳教士而言，沿著中國這個帝國的道路和河流旅行，驚嘆其財富和城市規模之龐大，就和保羅在羅馬帝國旅行時的感受一樣。「對甚麼樣的人，我就作甚麼樣的人。」[13]使徒保羅如此定義他將世界帶到基督面前的策略。擊垮墨西哥人的科爾特斯認為自己並無義務仿效保羅的榜樣，但中國不會接受如西班牙人對待新大陸那樣的對待方式，因為它是如此古老、強大而世故。正如第一位跨洋到達北京的傳教士所說：「它與其他地方非常不同。」[14]如果傳教士們聽從救世主的命令，要去到那裡向所有受造物傳福音，那他們就不能被認定為歐洲人。

受徐光啟委派改革曆法的人，就是將其一生都奉獻給這個信念的一個人。約翰・施雷克（Johann Schrek）是一位才華洋溢的博學者，不僅是天文學家，也是醫生、數學家和語言學家。但最重要的是：他是一名傳教士，隸屬於一個自西元一五四〇年成立以來，就始終以全球性規模運作的團體。加入耶穌會⑥的人，除了和修士一樣誓言安貧、守貞、服從之外，也同時誓言效忠教宗，接受他所指派的任何使命。有些耶穌會傳教士以獻身傳教，表達他們對此的承諾；其他人冒著殉難的危險，獻身於將英格蘭從異端中拯救出來；而另一群人則遠航到世界的盡頭。

當他們前往歐洲以外的地方時，他們接受的命令是：在不違背基督教義的前提下，

⑥譯註：耶穌會（Society of Jesus）是宗教改革期間，天主教內部反省所衍生的改革力量之一，西元一五三四年由出身西班牙貴族的聖依納爵・羅耀拉（1491-1556）、聖方濟・沙勿略（1506-1552）等人共同成立，一五四〇年由教宗保祿三世認可為天主教正式修會。耶穌會特別重視神學教育，也十分重視知識，於各處興辦學校為其特色。

盡可能地吸收當地風俗。他們在西印度群島像印地安人一樣地生活，在中國則過著中國人的生活。這項做法被推向令人印象深刻的極致。第一位去到北京的耶穌會傳教士，成功融入中國精英階層，當他在西元一六一〇年於中國去世時，皇帝還御賜一塊土地供他安葬，這是外國人前所未有的榮譽。來自義大利的利瑪竇（Matteo Ricci），當他於西元一五八二年來到中國時，還對中文一竅不通，但他後來將自己變成了利瑪竇，並且精通這第二故鄉的古典學問，甚至贏得中國官僚階級認可，被視為同儕之人。

古老的哲學家孔子——其理念是中國道德體系的源頭——顯然不是基督徒，但利瑪竇並不將他視為異端。他之所以能真誠地做到這點，很大程度上要歸功於兩個特定的理念：首先，神賜的理性，非常清楚地表現在亞里斯多德的著作當中，也同樣啟發了孔子；其次，幾個世紀以來，他的教誨也已遭追隨者的破壞。利瑪竇相信，只有將這些淤積除去，儒家信徒才有可能被引導歸向基督。就基本面來看，儒家哲學與基督宗教完全可以兼容並蓄。這也是為什麼當利瑪竇向羅馬要求派遣天文學家來中國時，他無須為了透過曆法改革來服事中國皇帝而道歉。「根據天主旨意安排，在不同時代、與不同種族的關係，人們採取各種方式，以引發人們對基督宗教信仰的興趣。」[15] 鄧玉函（即約翰・施雷克）從他的家鄉康士坦斯來到北京，終其一生奉獻於落實這項做法。

但在他的上級當中，也有一些人對此表示疑慮。就在這個關鍵性的日蝕讓鄧玉函得以進入欽天監任職之前幾個月，一名資深的耶穌會士抵達北京視察。儘管當地許多傳教士的工作成效讓安德烈．帕爾梅羅（Andre Palmeiro）⑦印象深刻，他卻對指導他們工作的一些前提有所疑慮。在他看來，儒家哲學的內涵與基督宗教根本不同。「如果傳教士們認為在中國書籍裡，確實有一些論述道德的篇章可用來灌輸美德，那麼我會回問他們，自古至今的各個教派當中，哪一個沒有任何有關正確生活的準則？」[16]

帕爾梅羅在天色因日蝕而變黑的前一週離開北京，他反思中國人令他困擾的各種行為——官僚對窮人表現出來的傲慢，他們無法理解教會與國家之間的區別，他們的妻妾之多駭人聽聞。然而最令人不安的是，帕爾梅羅看不到任何一點崇拜以色列唯一創造之神的跡象。中國人似乎沒有神造萬物或上帝的概念。他們並不遵從唯一萬能真神的律法，而是相信由火、水、土、金、木這些構成要素所組成、反覆起伏循環不已的自然秩序。萬物循環不息，宇宙與人類生命由相互影響的紐帶連結在一起，永恆不止地在陰

⑦譯註：安德烈．帕爾梅羅（Andre Palmeiro, 1569-1635）出身葡萄牙，耶穌會修士、傳教士與神學家，於印度與東南亞地區傳教，有深刻影響力，對利瑪竇在中國的傳教策略有所批評。

陽兩極之間擺盪。上天賦予皇帝的職責就是協調這些振盪，盡他所能維持自然秩序的運行。因此他需要準確的曆法。畢竟，如果沒有準確的曆法，他怎麼知道如何進行維持天地和諧的各種儀式？而這就是鄧玉函在正式進入帝國文官體系後所負責回答的問題。

雖然帕爾梅羅蔑視儒家哲學，但他並未禁止耶穌會士在北京任職。他可以理解，在中國這樣一個龐大帝國當中，任何能夠將統治者帶到基督面前的機會都十足珍貴，不該被輕易浪擲。他也可以理解希望是存在的，徐光啟就是一個典範，代表可能會達成的成就。徐光啟曾經和任何一位官員一樣，相信人類與星辰由同樣物質組成。「人生於天地之間，意謂天人同源。」[17]但他後來遇見了利瑪竇。他在西元一六〇三年受洗，取聖名為保羅。

利瑪竇看見皈依對徐光啟的影響，也觀察到這位朝官對於較低階級皈依者的關注與幫助，而深感滿意。然而最顯著的改變，是徐光啟對宇宙的理解。他急於招募耶穌會士進入欽天監，也反映出他對宇宙有了全新且基於基督宗教思想的理解——宇宙有始有終，其運作受神聖律法所管轄，而創造宇宙的上帝是一位幾何學家。徐光啟感嘆，許多世代以來的中國官僚們都在黑暗當中摸索。「我們對世界的創造者一無所知。我們對各式各樣的事物感興趣，卻因此忽略了最初的源頭。唉！多少損失，多少欺騙！」[18]

然而，即使是徐光啟也無法完全意識到，基督宗教的宇宙觀會對中國傳統文化構成何種威脅。他作為皇帝的忠實僕人，從不懷疑皇帝對維護宇宙和諧的重要性。徐光啟和他那些並未受洗的同僚一樣，認為將耶穌會士的天文學以中國模式重鑄，是一件簡單的事。實現這個目標的唯一必要條件，就是翻譯蠻夷的書籍，並且取得他們用於追蹤辰星運動的最先進工具。這就是徐光啟一得到皇帝許可便下令完成的工作。然而，將北京轉變成一個歐洲尖端天文學中心的工作，比他所能想像的要更有挑戰性。

受到獨特學術傳統所影響的，不僅是滿清的官員而已。鄧玉函對辰星運動的理解也同樣來自一個獨特的學術傳統。他在成為耶穌會士之前就讀的帕多瓦大學，是在波隆那大學之後，義大利最古老的大學之一。他之前許多個世代的學生，和他學習一樣的課程——包括醫學和數學，而且整個基督宗教世界裡的所有大學都是如此。這些大學最早在西元一二二五年就得到教宗敕令授權，所取得的自主權歷經戰爭和宗教改革的考驗也不受影響。但在中國，學習機會一直受到國家嚴格監管，完全沒有可以與之相提並論的範例。如果成為一名耶穌會士代表對教宗的服從，那麼上帝意旨就是透過對自然哲學自由而不受妨礙的研究，而得以揭示。

阿奎納寫道：「聖經自然而然地引導人們思考天體。」[19]走上這條道路，從實質上來說，就是成為基督徒的本質。

行星們的信使

有時候，對未知的探索，可能意謂承擔風險。雖然鄧玉函著迷於人體和宇宙運作，並不自限於追蹤辰星的運行。西元一六三〇年五月十一日，他為了研究一種據傳會引發汗水的草藥，以自己的身體進行實驗。才過幾個小時，他就死了。這樣一位才華橫溢的天文學家，在被任命改革中國曆法之後不到一年就死去，令人相當悲痛，但之後演變的事實證明，這對耶穌會的使命而言，並非致命的損失。鄧玉函早已為此做好充分準備。他的兩位年輕同僚因為精通自然哲學而被派往中國，也證明自己足以勝任取代他的挑戰。這一點部分要歸功於他們自身的才能，部分則要歸功於鄧玉函與他專業領域中最傑出的人物成功建立起來的密切關係。身處北京的耶穌會士距離歐洲非常遙遠，但他們並非在孤立的情況下工作。在鄧玉函的努力之下，他們擁有全世界最先進的天文觀測設備，他們還能利用最新的星表。耶穌會士對他們正在經歷的一切毫無疑慮——這是一場史無前例的宇宙學革命。

在鄧玉函去世前幾年，他曾經試圖向他的中國讀者們解釋這一點。他寫道：「最近幾年，西域王國的一位知名數學家製造了一種鏡頭，使人們可以看到遠處。」[20]鄧玉函與這位「知名數學家」關係匪淺。西元一六一一年四月十四日，兩人在梵蒂岡附近山丘上的一場晚宴上相識。伽利略．伽利萊（Galileo Galilei）曾經是帕多瓦大學裡一名默默無聞的教授，也是鄧玉函的老師之一，如今卻在一夜之間成名。

伽利略改造荷蘭原型而做成的「鏡頭」，讓他能夠以前所未有的方式解讀天文。他觀察到月球表面的地形是交錯出現坑洞與隆起；銀河由多不勝數的恆星組成；木星擁有四顆衛星。這些論點被印成一本語氣輕快、充滿自誇的小冊子發表而引起轟動。在這場由一名王子為表彰他而舉行，使鄧玉函與伽利略相遇的晚宴上，賓客們同意將他的鏡頭命名為「望遠鏡」，再次引起轟動。但他的發現除了得到廣泛的讚譽，同時也引發恐慌。它對數個世紀以來始終主宰基督宗教宇宙觀的亞里斯多德的宇宙模型，似乎是致命的威脅。如果哲學家將月亮視為永恆不變、永存不朽，又如何解釋它滿是隕石空洞的外觀？

伽利略是個急切追求名聲的人，對任何試圖阻礙他的人都帶著嘲諷，因此不認為這會是個問題。他對亞里斯多德的藐視，甚至將他與生活中所有最悲慘的事物——「瘟疫、便斗、債務」[21]——並列，也與他對這位哲學家崇拜者的不耐煩不相上下：「那些大腹便便的神學家，在他的著作中看到的是人類才智的極限。」[22]然而，伽利略不同於路德。他的本性是趨炎附勢之人，而非叛逆當道者。他真正想要的是，他若能說服天主教會的領導階層——耶穌會高層、樞機主教與教宗——以他取代亞里斯多德成為宇宙運作學說的權威，就能獲得名聲。所以西元一六一一年春天，他前往羅馬推銷他的望遠鏡。

他在這座城市的權勢階級當中建立名聲的努力，取得驚人的成功。亞里斯多德的宇宙論被成功推翻，而鄧玉函只是伽利略的眾多擁戴者之一。其他耶穌會士，其中包括一些基督宗教世界最傑出的數學家，也確認了伽利略的論點。樞機主教馬費奧・巴貝里尼（Maffeo Barberini）甚至創作詩歌讚美他。十二年後，西元一六二三年，當巴貝里尼獲選坐上聖彼得的寶座時，其他更重要的支持也隨之而來。巴貝里尼如今貴為烏爾班八世（Urban VIII），可以將只有教宗才能給予的榮譽賜給他的朋友：私人召見、年金，和勳章。伽利略當然享受這樣的關注，但他還想要更多。

鄧玉函在跟中國人稱讚這位偉大的天文學家時，特別讚許某個重大的發現。伽利略的望遠鏡讓他可以密切追蹤金星的運行。「有時候它模糊不清，有時候它被完全照亮，有時候它只有上角或是下角被照到。」鄧玉函為了避免不能清楚表達這個觀察的含義，明確說出：「這證明金星是太陽的衛星，並環繞著它運行。」[23]耶穌會士欣然接受的這一點，對教會從亞里斯多德繼承而來的宇宙模型，是再一次的打擊。行星環繞太陽而非地球轉動的假說，不是這位哲學家所能接受的。那麼，又該如何解釋這個假說？鄧玉函所認同的模型大約已經存在了四十年，它將行星置於環繞太陽運行的軌道上，並將月亮置於環繞地球運行的軌道上。這個理論雖然看起來複雜，但對於大多數天文學家而言，卻是最符合現有證據的理論。

但確實還有些人偏好另一種更為激進的假說。其中一位是捷克耶穌會士瓦茨拉夫・柯維策（Wenceslas Kirwitzer），他曾在羅馬與伽利略會面，並與鄧玉函一起航行到中國，之後在西元一六二六年於中國去世。他在啟程離開歐洲之前，寫了一本簡短的小冊，主張「日心說」——地球與金星以及其他行星一樣，環繞太陽運轉的假說。[24]這個論點並非柯維策自己所獨有，第一本提出這個論點的書，早在西元一五四三年就已出版，身為作者的波蘭天文學家尼可拉斯・哥白尼（Nicolaus Copernicus）則又借鑑了更早期巴黎與牛津學者的著作。這些自然哲學家討論著各種不同可能，包括地球的自轉、宇宙運行受運動法則支配，還有宇宙空間是無限的。儘管哥白尼的假說看起來相當大膽，但它其實源自於基督宗教學術悠久且可敬的傳統。柯維策並非唯一一位被此說服的天文學家，其他人也是如此，而其中最引人注目、最多產、最好辯的一位，就是伽利略。

「日心說」與亞里斯多德的論述背道而馳，而正是吸引伽利略的一部分，但還有一個更強大的權威是他無法輕易無視的。在〈約書亞記〉中，據說上帝曾命令太陽靜止不動；在〈詩篇〉中，則提及世界「不得動搖」[25]。身為基督徒，伽利略以自己的方式表現虔誠，從未想過要指出聖經的錯誤。所有經文都是真理，但這並不意味每段文字都必須按照字面意義解讀。為了支持這樣的觀點，伽利略引用了俄利根、巴西略和聖奧斯定這些教父的權威。「有鑑於在聖經裡的許多段落，不僅可以、也必須在字面意義以外加以詮釋，因此在我看來，有關自然現象的爭議，應該被保留在最後（再做處理）。」[26]

伽利略並不是提出新的說法。從阿伯拉德的時代以來，他的論點就一直被視為自然哲學研究的特許。儘管如此，在一個對路德教派的強烈氣息非常敏感的圈子裡，這就足以引起各方警覺。宗教裁判所可以讓伽利略報告他從望遠鏡理所觀測到的現象，但決不允許他任意解讀聖經。儘管如此，羅馬審判官為了避免自欺欺人，還煞費苦心調查哥白尼假說的具體內容到底是什麼，特別是它是否與自然哲學和聖經相互矛盾。他們諮詢了著名的天文學家，並且慎重評估專家們的意見。

西元一六一六年二月二十四日，十一位神學家組成一個小組，做出深思熟慮後的判定：「日心說」的確切證據並不存在，因此應該被譴責為「在哲學上是愚蠢而荒謬的」[27]。幾天之後，伽利略再次面臨挑戰。在與異端的鬥爭中身經百戰，同時也是耶穌會最傑出神學家的樞機主教羅伯托·貝拉米諾（Roberto Bellarmino）邀請他進行一場友好的對談。貝拉米諾對伽利略禮貌地解釋說，如果後者繼續宣傳「日心說」是一個確定的事實，而非僅僅是一種假說，將無法得到宗教裁判所的認可。這位天文學家看出貝拉米諾藏在微笑背後的堅定意志，因此不得不屈服於不可避免的事態發展。貝拉米諾的祕書如此記載：「就是這位伽利略，默認這項禁令並且承諾服從。」[28]

對實證的要求和瘋狂的假說，兩者正面對決，而前者獲勝。至少，這是宗教裁判所的認知。地球環繞太陽公轉的推測仍然是完全被容許的；而儘管前述小組敦促對其進行調查，但「日心說」本身也尚未被譴為異端。貝拉米諾向伽利略保證，他只需要提供證明，教會就會重新考慮此觀點，「但我不相信會有這樣的證據存在，除非在我眼前展示。」[29]讓伽利略沮喪的是，他發現這是他無法應對的挑戰。

隨著時間流逝，伽利略變得更加焦急。他痛苦地意識到，新教的天文學家正在毫無風險、也沒有審查的情況下倡議「日心說」，而他更渴望挽救教宗，避免後者犯下會讓自己淪為笑柄的錯誤。伽利略的想法是：在西元一六二三年的教宗選舉之後，他就可以直接跟教宗本人施壓。因為烏爾班八世認為伽利略要重新提出「日心說」並沒有問題，只要他確保那是一個假說即可，便同意了伽利略的要求。於是，伽利略花六年時間寫出他最重要的著作《關於托勒密和哥白尼兩大世界體系的對話》，那是在亞里斯多德學派信徒與哥白尼學派信徒之間，一段虛構的對話。伽利略遵循烏爾班八世的指示，引用教宗本人的論述來平衡他的著作中對「日心說」顯而易見的熱情支持。

教宗曾經提出嚴厲警告：如果有任何自然哲學家「將神聖的力量與智慧，限縮在自已某些特異的幻想之中」[30]，那會是多麼愚蠢的舉動。在伽利略的那本書中，教宗的這段話出自一個亞里斯多德學派信徒之口，是個明顯的愚蠢之徒，伽利略將他命名為辛普利西奧。教宗注意到伽利略在書裡所寫的內容，並且被敵視伽利略的幕僚所說服，認為自己的寬宥被辜負浪擲。[31]烏爾班八世意識到自己的個人尊嚴不容打擊，更認為自己應該要捍衛普世教會的權威。

於是，伽利略被宗教裁判所傳喚至羅馬接受審判。西元一六三三年六月二十二日，他因為認為「地球會運轉，且非世界中心」的假說是「可能的」而遭到譴責。[32]伽利略身穿懺悔者的白袍，以患有關節炎的雙膝跪倒在審判者面前，並以顫抖的聲音聲明放棄所有異端邪說。他的書籍被列入天主教的禁書索引，而他本人則被判處監禁，時間由宗教裁判所判決。烏爾班八世讓這位全世界最知名的自然哲學家倖免於地牢磨難，在家軟禁，度過九年餘生。

一連串的誤解、對立，以及受傷的自我，導致最終的潰敗，但它所引發的震撼，仍然在整個基督宗教世界中迴盪不止。對許多人而言，其影響可能非常巨大。聖經經文與自然哲學觀點的對立，從來都不是爭議焦點所在，因為正如貝拉米諾樞機主教早在西元一六一六年就已經提出的主張，認為兩者都同樣證實：支持哥白尼論點的確切證據並不存在。最終來看，這也不是有關太陽是否固定不動，因為更重要的議題正迫在眉睫。當伽利略在接受審判時，天主教徒在德國殺戮戰場上的命運正陷入絕望困境。⑧瑞典的路德會國王為保衛他的異教同胞，取得了一系列戲劇性勝利之後，他的影響力向南延伸，幾乎要到達阿爾卑斯山區。儘管瑞典國王本人在西元一六三二年的戰鬥中陣亡，但天主教徒的命運仍然懸而未決。

烏爾班八世陷在複雜的結盟與對立網絡當中，絕不會願意將自己的權威拱手讓給一個傲慢且自我中心的自然哲學家。反過來說，這也會讓那些對德國未來走向的恐懼不少於天主教徒的新教徒們，認定教宗有最邪惡的動機。他們在針對伽利略的譴責當中，與其說看到羅馬教宗拚命鞏固既有權威的企圖心，不如說看見了羅馬教會中最讓他們厭惡且

⑧譯註：此處所指為「三十年戰爭」的「瑞典階段」（1630-1635），瑞典為避免神聖羅馬帝國侵入波羅的海地區，在法國支持下對帝國出兵，一六三二年初連續攻佔美因茲、奧格斯堡、慕尼黑等地，帝國局勢岌岌可危。

害怕的所有事物。西元一六三八年，當年輕的英國清教徒約翰・彌爾頓（John Milton）[9]訪問義大利時，他特意造訪佛羅倫斯。「就在那裡，我找到並拜訪了著名且已經老邁的伽利略，他因為思考天文學而非方濟會與道明會認可的思想，成了宗教裁判所的囚犯。」[33]這就是新教徒在接下來幾年裡會持續描繪的天主教對手的模樣——過於偏執，不容許他人研究天文的狂熱分子。與此同時，伽利略被新教徒推崇為自家成員。伽利略是對抗迷信的殉道者，同時是一位思想巨人，依循著路德最高貴的傳統，以他的發現所展現的光輝，驅散了教宗體制與亞里斯多德思想的陰霾。

但自然哲學家們應該更明事理。他們知道自己和基督徒一樣，共同致力於一個單一且共同的目標。身在北京的耶穌會士，如果認為諮詢異端有助於他們的志業，他們絕對不會有任何猶豫。鄧玉函非常依賴一位路德會信徒寄給他的星表。一位新教徒與一位天主教徒，身處世界兩端相互交流，懷抱著相同的希望：引導中國人歸向基督。或許，為了要理解基督宗教對自然哲學的詮釋是多麼獨特，又如何深植於基督宗教世界的土壤當中，沒有比以耶穌會士身分待在北京要更好的方式。

西元一六三四年，一具獻給中國皇帝的望遠鏡，讓伽利略獲得了出人意表的全球性認可，但在北京，卻並未如在羅馬那樣引起熱烈反應，或者在貴族和學者之間掀起觀測月球隕石坑洞的熱潮。一位不滿耶穌會士控制欽天監的學者楊光先，在鄧玉函死後抱怨說：「寧可使中夏無好曆法，不可使中夏有西洋人。」[34]但他也正確地理解到，這些西洋人對天文的認識，在多大程度上是根植於基督徒特有的認知基礎上。楊光先指控說，因為耶穌會士對宇宙深奧法則的著迷，讓他們忽略了儒家學者長久以來用來研究天文學的適當方法——占卜術。簡言之，他成功地讓這些西洋人被解職。他們被關在監獄、綁在木樁上長達六個月，因為一場出人意料之外的地震，才躲過被處決的命運。

但耶穌會士在之後不到四年之內，又重回他們原來的職位。楊光先嘗試預測日蝕，卻難堪地失敗，也沒有其他中國天文學家能夠對他的預測加以修正改進。看來，耶穌會士瞭解宇宙運作，能夠準確制定日曆，但對於來自完全不同學術傳統的學者而言，看來並非易事。自然哲學中隱含的基督宗教遺緒，對我們表明：如果它不是徹頭徹尾的基督宗教產物，那它就什麼也不是。

在這個時代，在新教徒和天主教徒的彼此殺戮當中，學者們跨越教派分野而有的

⑨譯註：約翰．彌爾頓（1608-1674）是英國詩人、思想家，以舊約聖經〈創世紀〉為基礎而創作的無韻詩史詩《失樂園》，和反對書報審查、主張言論自由的《論出版自由》知名。

交流提醒著人們：儘管雙方相互仇恨，但他們還是有許多共同之處。哥倫布與路德都認為西元一六五〇年將見到世界末日之到來，但德國卻在經歷長達三十年的戰爭之後，在這一年恢復和平。世界歷史仍未走到盡頭。土耳其人已經走投無路，而基督宗教仍然存在，但也確實曾有過許多損失。幾個世紀以來，曾經讓許多人對之作出承諾、甚至不惜犧牲生命以追求在基督裡合一的崇高理想，已經無可挽回地破滅了。基督宗教世界分裂後的碎片，已經無法被重新焊接起來，分裂的過程也不可能逆轉。

儘管如此，破碎磚石所留下的灰塵仍然濃厚地在空中懸浮著。如果說在人們開始稱之為「歐洲」的地方，這些灰塵被人們深深地吸入，那麼在其他地方——無論是在北大西洋岸邊孤立的屯墾地，或是在墨西哥，還是在遙遠的太平洋地區——都同樣有人呼吸著這些懸浮的微粒。伽利略曾經展望未來，想像他的繼任者們踏上一條他也無法思及的道路。「會有一扇門被打開，會有一條道路通往偉大且卓越的科學發展，比我更加銳利的心智，將會更深刻地探究其中奧祕。」然而，在未來等待的不只是科學，還有其他許多門戶、許多道路。

唯一不變的，是它們同樣都源於基督宗教世界。

PART 3

現代

MODERNITAS

第15章

聖靈

西元1649年，聖喬治山

五月二十六日，議會軍總司令率領他的軍隊來到聖喬治山的那一天，有十二個人在荒原上工作著，他們分別在土地上開墾挖掘、種植作物和施作肥料。這樣做無疑是一個大膽的冒險，因為自古以來這片土地就是屬於王室的財產，擅自侵入在其上農作在法律上是被嚴格禁止的。然而時局非常艱困，有些一貧如洗的當地居民，迫於窮困潦倒，便對私有財產這個概念感到深惡痛絕。領導他們的是一個名叫傑拉德·溫斯坦利（Gerrard Winstanley）的人，他是一名前布商，在一六四三年破產後從倫敦搬到了薩里郡的鄉村。他主張整個世界是「所有人的共同財富，包括富人和窮人」。[1]

西元一六四九年四月一日，他順服聖靈的命令，拿起鐵鍬去附近的聖喬治山，在那裡破土動工，許多男人和女人加入他的行列。如今，差不多兩個月過去了，儘管在鄰近的地主間激起了敵意，但「掘土派」人士仍然忙於耕種他們的玉米、胡蘿蔔和豆類。溫斯坦利以挑釁的堅定語氣說：「由於這場復興的工作，以色列將不會有乞丐。」[2]

國家和王權軍隊的逼近，通常會使入侵國有土地的人感到恐懼，然而時局並不如一般。① 四個月前，在一個凜冽的冬日，英格蘭國王查理一世被起訴叛國罪，遭到審判後被處死刑，在白廳宮外被斬首。君主體制隨即被廢除了。對於在英格蘭境內仍為數眾多的保皇派人士而言，處決君權神授的查理一世不僅是一種罪行，更是一種褻瀆，這是前所未見的情況。然而對於英格蘭共和國的支持者來說，這正是重點。使國王與他的議會發生武裝衝突的原因很多，導致他成為階下囚的道路漫長而曲折；但是，在那些審判他的人之中，沒有一個人懷疑上帝的手指在英格蘭的重塑中顯現出來。

溫斯坦利也同意這點，他宣稱君主制是對上帝權力的篡奪，土地領主的統治也是如此。就像伯拉糾這位很久以前就對「財富也許不是暴政」的觀念嗤之以鼻的神學家的追隨者一樣，溫斯坦利將聖經真實的教誨引以為戒：「你們這些富足人哪，應當哭泣號啕，因為將有苦難臨到你們身上。」[3]他認為即將到來的耶穌再臨不是從天堂降下，而是體現在男人和女人的肉身中。所有人都要平等地分享世間的財富。亞當墮落的罪惡註定要被逆轉。如果溫斯坦利在為這種幸福的可能性做準備時，完全滿足於鞭打那些拒絕做好本職的人，甚至在極端情況下，以奴役的方式進行制裁，那麼這充分反映了他對自己這個志業的信心。在聖喬治山開墾荒地，是為了重新獲得天堂。

然而，議會軍總司令對這一切會如何看待，是有疑問的。儘管他指揮的議會軍在西

①譯註：當時的背景為西元一六四二—一六五一年間的英國內戰，發生在議會派與保皇派之間的一系列關於管理和宗教自由的政治鬥爭和武裝衝突，英國的輝格派歷史學家稱之為清教徒革命。

元一六四五年改組為歐洲最強大的戰鬥部隊，並在之後擊潰國王，托瑪斯・費爾法克斯爵士（Thomas Fairfax）並不贊成處決查理一世。在四月十六日那天，費爾法克斯已經接到掘土派組織活動的警報。溫斯坦利在被傳喚到白廳時，成功地說服了費爾法克斯，說明自己帶領的掘土派的活動對英格蘭共和國的秩序並沒有構成威脅。但現在，一個月過去了，情況發生了變化。

叛亂爆發了，費爾法克斯和他的副手奧利弗・克倫威爾中將（Oliver Cromwell）——一位既虔誠又令人敬畏的將軍——迅速地採取行動，才成功地打破這一局面。叛亂分子晚上在牛津以西的伯福德鎮被打了個措手不及。第二天早上，其中三人在墓地被處決，秩序成功恢復。然而，費爾法克斯在返回倫敦時，有充分的理由再度懷疑掘土派。因為預言了富人的厄運、祂的再臨將使窮人繼承世界，基督被溫斯坦利譽為「世界上最偉大，也是首位最真實的平等派」[4]。

「平等派」的稱號實際上並不是為基督而創的，叛亂分子早就已經宣稱這是他們自己的稱號。像溫斯坦利一樣，他們認為階級和財富是邪惡的，人人生而平等，基督的工作是要成為「人類墮落和沉淪的修復者和救贖者」[5]。然而，士兵不能成為掘土派，因為沒有階級就沒有紀律，沒有紀律就沒有軍隊。英國人對基督信仰的虔敬，並沒有堅固到能夠承擔起沒有軍隊這種局面。克倫威爾離開伯福德，開始準備遠征愛爾蘭，這是一個臭名昭彰、由羅馬教宗統治的領域，保皇派在那裡繼續策劃君主制回歸英格蘭，並推翻議會軍軍隊長期以來努力實現的一切。與此同時，費爾法克斯上將的責任是保護他的中將的後方安全，當他駛離通往倫敦的高速公路，與侍從們前往視察聖喬治山時，心中有很多的想法。

到了掘土派人士的面前時，費爾法克斯給了他們一個簡短的訓誡，不過溫斯坦利並不畏懼，他帶著鄙視的態度摘下帽子，儘管說起話來理智又清醒，但是溫斯坦利不是那種會抑制聖靈的人，他以堅定的態度奮力表達自己的觀點。一個多世紀前，在宗教改革的最初陣痛中，托瑪斯．閔采爾宣稱，聖經本身與其說是真理的見證，不如說是上帝對靈魂的直接話語。而現在，在英格蘭共和國的溫室裡，聖靈再次給普世的男人和女人們帶來啟示。溫斯坦利堅定地說：「我雖然一無所有，但我的所作所為皆是由我內在的自由力量所驅策的。」[6] 更肯定的是，上帝旨意的證據不是在教堂裡，更可以在一個心裡深刻認識人類善良本質的農夫身上找到。

就如同閔采爾所做的那樣，溫斯坦利對於牧師們在聖經義理上的爭論感到鄙視，他曾表示：「所有的地方都充斥著自私自利的老師和可憎的統治者。」真正的智慧是所有凡人都可以擁有的對上帝的知識，只要他們準備向聖靈敞開心扉，如同溫斯坦利宣稱的，因為上帝就是理性；正是理性引導人類放棄自擁財產的概念，而能共同在世間建造天堂。溫斯坦利的敵人可能只會把他視為一個夢想家，但他不是唯一一個做夢的人。佔領聖喬治山是一個關於希望的宣示行動：總有一天，其他人也會加入掘土派，全世界將團結一致，合而為一。

像這樣的瘋狂言論總是引起恐慌，「重浸派教徒」[②]在整個歐洲仍然是一個骯髒的詞彙。如果一般人把自己視為聖靈的器皿，不去接受更高層次的牧者的中介和引導，那麼，誰知道最終事態會變成怎樣呢？身為宗教裁判的牧師們和長老們，虔誠地相信真理不容犯任何錯誤，並急於保護他們所牧養人們的靈魂免於受到詛咒。明斯特之亂的教訓並沒有被遺忘，自由可能很容易成為一種威脅，異端、偶像崇拜、教會的分裂，所有這些都必須受到嚴密的防範，如果疑犯被證明是有罪的，甚至可能需要給他最終的制裁。

西元一五五三年，約翰．加爾文曾批准將一個特別臭名昭彰的異教徒燒死在火刑柱上，此人對於三位一體的觀點令人震驚，幾乎不能算是三位一體信徒。在人們的記憶中，西元一六一二年，一個異教徒在英國被燒死，因為他以類似的方式質疑基督和聖靈的神性。西元一六四二年，絕大多數的清教徒起而反抗國王，他們堅信，寬容是「巴比倫大城的妓女」[7]③，於是拿起武器挺身作戰。如果說英格蘭教會中教宗的元素是一種明顯的邪惡，那麼新教宗派主義者的褻瀆也是如此，在許多清教徒的眼中，當修補匠和女僕聲稱可以直接從神那裡得到啟示，因此聖經在他們面前變得一文不值時，就會產生一種危險，即上帝本身最終也會受到懷疑。「判斷的自由被冒用，疑問不斷地被提出，直到連一件確信之事都不剩，沒有什麼事是不可動搖的。」[8]

然而，擊敗國王並沒有收緊紀律的韁繩，恰恰相反。儘管在西元一六四八年通過了一項褻瀆法令，以死刑懲罰反三位一體主義的人，並以監禁懲罰主張異端邪說的人，但事實證明，法令不可能嚇阻民眾。在見證了坎特伯雷大主教和國王查理一世被帶到街上處以極刑之後，倫敦的民眾對權威的概念充滿了蔑視，以往潛伏在陰影中的信念和實踐綻放出壯麗的花朵。正如第一代新教徒中更激進之人所做的那樣，浸信會④教徒將嬰兒

---

② 譯註：這是在歐洲宗教改革運動發生時，從瑞士的宗教改革家慈運理所領導的運動中分離而出的教派。從奧古斯丁提倡原罪以後，嬰兒洗禮的觀念對加爾文宗而言是必須堅守的。其後在十七世紀的聖潔運動也帶動了重浸派的發展。

③ 譯註：出現在聖經〈啟示錄〉第十七章的詞，在舊約時代，公元前五八六年接管了猶大王國並俘虜了許多居民的巴比倫王國代表罪惡的頂峰，而巴比倫的妓女則代表一切罪惡和遠離上帝的事物。

④ 譯註：又稱浸禮宗，主張只可對理解受洗意義的信徒施行洗禮。

洗禮視為違反聖經的罪行；當貴格會⑤教徒強烈地感到聖靈降臨時，他們會搖晃著身軀並口吐白沫；咆哮者⑥相信每個人都是上帝的一部分；這群人嘲弄任何單一國家教會的概念，對長老會⑦紀律的狂熱擁護者而言，這群民眾對異端的傳播就像瘟疫一樣，英格蘭的基督教秩序似乎面臨著徹底瓦解的危險。

然而，一個信徒的無政府狀態可能也是另一個信徒的自由。長老會信徒們必須謹慎行事，因為他們試圖使其他聲稱自己是聖靈恩賜的新教徒成為罪犯。儘管因為上帝恩典的轉化力量而燃燒，他們卻很容易被認為是偽君子。約翰・彌爾頓在拜訪伽利略之後，使他對審查制度的厭惡愈發強烈，他警告他的清教徒同伴們，遵循加爾文的榜樣會冒著讓他們眼花繚亂的風險，崇拜早年的改革者這種行為並未好過天主教徒所做的。真正的改革之路從未完成，這始終是一項不斷進行著的工作。每個基督徒都必須透過自己自由地尋求通往上帝的道路。抑制聖靈的運作不是一個國家的事，更不是教會的事。「在當今這個時代，沒有一個人或一群人能夠在宗教事務上，成為除了他們自己以外的其他任何人良知中的判官或決策者。」[9]

但是，對一個新教國家而言，什麼是「宗教」呢？離開了羅馬天主教會這個原棲之處，這個詞已經演變成兩個截然不同的含義。查理一世曾經宣稱：「這是所有權力的唯一堅實基礎，無論鬆散或墮落，任何政府都無法使之穩定。」[10] 長老會也同意這個看法。內戰雙方為之奮鬥的宗教概念在本質上是相同的：即理解英國與上帝之間的正確關係應該是什麼。如果僅憑這一點就被視為屬實，那麼它顯然不能容忍競爭對手。宗教改革需要達成，它的勝利必須是完全的。

然而這還不是事情的全貌。宗教也是一種親密而個人的事物，一個曾經用來描述修道院公共生活的詞彙已經具有非常不同的含義：在聖靈的運作之後，新教徒也可能擁有與上帝之間的私密關係。費爾法克斯以既是長老會信徒、同時也是英格蘭真正國教的主要維護者之姿來告誡掘土派，但當溫斯坦利談及自己對上帝的責任、並斷然拒絕撤離聖喬治山時，和費爾法克斯一樣，他也是在服從自己的宗教信仰。費爾法克斯意識到了這一點，選擇不強行解決這個問題，再次確信掘土派人士對公共秩序沒有構成威脅之後，他離開了，繼續上路前往倫敦。與此同時，溫斯坦利和他的同伴們又回到了他們的開墾

⑤譯註：基督新教的一個派別，成立於十七世紀的英國，因創始人喬治·福克斯在一次宗教審判時，警告法官「你若知道上帝的公義，就應當顫抖。」而得名Quaker，意譯為震顫者。

⑥譯註：在一六四八年於英格蘭共和國時期出現的激進團體，雖然組織鬆散也沒有領袖，但同時代的人毫不懷疑他們的存在。

⑦譯註：又稱長老宗，基督新教加爾文宗的一個流派，持守加爾文主義，源自十六世紀的蘇格蘭改革。

崗位上。

在那些相信只有一個真實宗教的人的要求，以及那些相信上帝希望所有人都能自由信奉他們宗教的人的要求之間，不可能達成輕易的和解。費爾法克斯甚至試圖走中間道路，這反映了一個事實，即身為議會軍總司令，他在英格蘭共和國中比任何平民都擁有更突出的權威地位。在對抗國王的戰爭中，真正的勝利不是在議會，而是在軍隊。要指揮軍隊，不可避免地會被指控是試圖完成一個不可能的任務。到了西元一六五〇年，費爾法克斯已經受夠了，身為一個在馬鞍上比在議會廳裡更快樂的人，他辭去了職務。

他的繼任者奧利弗·克倫威爾是一個在行使權力方面完全更自在的人，而且與費爾法克斯不同，他不是長老會教徒。西元一六五三年末，當被任命為英格蘭共和國護國公時，克倫威爾既是一位軍事獨裁者，也是英格蘭有史以來第一位支持宗教信仰自由的新教國家元首。在兩個對立的威權統治體之間進行的內戰，被他的宣傳者重新塑造成「為自由而戰」的鬥爭。護國公時期的創始憲法明確地闡述了這一點，憲法裡載明：「那些透過耶穌基督承認對上帝的信仰的人，在信仰的表白和宗教的實踐中不應受到限制，而是應受到保護。」[11]

這是一個被矛盾所籠罩的響亮宣言。究竟是誰被定義為那些通過耶穌基督而信仰上帝的人呢？絕對不是天主教徒，這是肯定的。西元一六四九年五月，在克倫威爾遠征愛爾蘭前夕，消息在伯福德的叛亂者之間流傳開來，人們哀歎著即將到來的屠殺。「偏布的無辜人民和基督徒在這塊土地上血流成河的時日實在太久了！」[12]如同前一年在歐洲大陸上長達三十年的大屠殺，⑧人們也同樣地表達了厭惡和絕望，最終促成戰爭的終結。就在這片血流成河的羅馬帝國的土地上，在德國境內簽署了一系列條約——《威斯特伐利亞和約》（*Westphalia treatie*），其上記載著：「基督宗教將達到普世及永久的和平。」[13]簽署和約的王子們承諾，他們不會把自己的宗教強加給他們的臣民。

天主教徒、路德教徒和加爾文教徒，所有人都被賦予了隨心所欲地敬拜上帝的自由。這個協定遠非試圖將宗教從國家運作中驅逐出去，恰恰相反，這是一個建立完好的基督宗教秩序的計劃。這個協定不是背叛基督——那位敦促其追隨者愛他們的敵人並轉過臉來的基督，而是表達了一種清楚的雄心壯志以符合祂的教導。容忍宗教差異已經被奉為基督宗教的美德。

克倫威爾在戰爭中取得了勝利，歐洲大陸上沒有其他將領能夠與之匹敵，他因此

⑧譯註：西元一六一八—一六四八年間的三十年戰爭，是由神聖羅馬帝國的內戰演變而成的大規模歐洲戰爭。

對上帝的支持充滿信心，卻沒有感到自己需要對愛爾蘭的天主教叛亂分子給予相應的寬容。他在愛爾蘭的侵略行動規模猶如給德國帶來毀滅的三十年戰爭一樣，但克倫威爾本人非但沒有哀歎腥風血雨的恐怖，反而為自己作為神聖正義工具的角色而歡欣鼓舞。身為護國公，他對戰爭展現不屈不撓的意志。天主教徒雖然有宗教信仰的自由，但不被允許進行他們不敬虔的儀式。英國有新教徒大膽地譴責這是虛偽，但這並沒有動搖克倫威爾的作為。諸如約翰．彌爾頓的一位出版商所提出的論點，即「新教徒的佈道儀式對天主教徒而言就像偶像崇拜一樣，天主教的彌撒儀式對新教徒而言也是一樣」[14]，只會激起克倫威爾的憤怒。當激進分子們挑戰他認為可以接受的意見的極限時，他感到困惑和憤怒，克倫威爾宣稱這些人是「卑鄙和無恥的一代人」[15]。

革命在戰鬥和處決的動盪中來到英國。然而在倫威爾的保護之下，它也同時經歷了一個更清醒的事態：權衡和取捨。在長老會對一個淨化的聯邦的渴望，以及激進分子對宗教絕對自由的要求之間，護國公走了一條微妙的道路。當一個反三位一體的人被判處流放、一個冒充基督的貴格會教徒遭斷肢刑罰時，雙方都不滿意。然而，從克倫威爾為確保兩人都免於死刑而進行的個人干預，以及他準備允許顯然代表他終極信念的一六四八年的褻瀆法令漸漸凋零看來，很明顯地，這是護國公的權衡之計。不像起草《威斯特伐利亞和約》的外交官那樣，並非與敵人建立和平的需要才促使克倫威爾接受寬容作為基督徒的責任，相反地，這是他將自己視為聖靈器皿的感覺以及他對聖經經文的細心閱讀，保羅對羅馬人說：「你這個人，為什麼論斷弟兄呢？又為什麼輕看弟兄呢？因為我們都要站在神的臺前。」[16]

儘管憑藉著野心，從默默無聞的省級官員一路升職到英國的護國公地位，克倫威爾卻是一個對於上帝的特權太過清楚，以至於從未考慮過篡奪這些特權的人。他曾經說過：「寧願看到伊斯蘭教在英國實踐，也不願意見到一位上帝的兒女受到迫害。」[17]書籍可能會被燒毀，但作者不會被處以刑罰。即使是天主教徒，儘管克倫威爾厭惡他們的宗教，但眾所周知，他們是他餐桌上的客人。馬里蘭州是一個專門為英國天主教徒提供避風港的位於新世界的殖民地。

在西元一六五七年，克倫威爾以一種特別令人吃驚的態度採取行動，確保馬里蘭州創始人的兒子不應該被剝奪其對該省的權利。那麼，寬容會成為一個原則，一個即使是上帝最忠實的僕人也可能選擇以各種方式來進行和持守的原則。聖靈的光照並不總是容易地轉化為政策，有些時候，與其在確定的狂喜中回應，更可能需要用妥協來回應。信仰有時候似乎可以通過模棱兩可來表達。

除了光，沒有其他老師

在談及伊斯蘭教時，克倫威爾可以用漫不經心的態度開玩笑。當然，穆斯林希望在英國定居的前景並不遙遠。然而，一個對上帝敬虔的聯邦是否應該容忍那些不承認耶穌基督是主的人，成為一個熱門的話題。西元一六五五年，一位居住在阿姆斯特丹的拉比抵達倫敦，瑪拿西・本・以色列（Menasseh ben Israel）帶著一個請求前來。他直接向克倫威爾呼籲，懇求他給予猶太人在英國的合法居留權。西元一二九〇年實施的禁令⑨從未被廢除，有很多新教徒認為這條禁令永遠不應該被廢除。

基督徒對猶太人的敵意並沒有因為宗教改革而變得緩和，反而讓這條禁令變得更精鍊。路德在閱讀聖徒保羅寫給加拉太人的信時，從中找到了他自己反對教宗運動的直接靈感。聖靈就是一切。那些否認信心是作為通往上帝之處的首要地位的人——無論是羅馬天主教徒，還是猶太人——都犯了邪惡的信奉律法之罪。他們貧瘠而死氣沉沉的思想阻擋了乾渴的罪人，使他們無法從真理的活水中得到滋養。

對路德來說，猶太人不斷地堅持認為自己是上帝的選民，這樣的思想是對他個人的侮辱。他曾說：「我們這些愚蠢的外邦人，原本不是上帝的子民，現在成了上帝的子民，這樣倒使得猶太人精神分裂和顯得愚蠢了。」[18]然而，假如有人精神分裂，那也是路德。在他生命的盡頭，他開始生出被迫害的妄想，這些妄想遠遠超出了教宗曾經下令的制裁。他要求猶太人應該被圍捕、被禁錮在一個屋簷下，接受艱苦的勞動；他們的禱告書、他們的塔木德、他們的猶太會堂，所有這些都應該被燒毀。他說：「舉凡任何無法燃燒的東西，都應該被掩埋並覆蓋泥土，這樣就再也沒有人會看到這些像石頭或煤渣一樣的東西了。」[19]

就連路德的崇拜者也傾向於認為這樣做有點極端了。儘管在新教徒當中可能對猶太人普遍存在著不滿，但也有人對他們感到同情。在英國，清教徒將國家視為新以色列的自我認同促進了希伯來語研究的蓬勃發展，這有時候可能幾乎會變成對猶太人的欽佩，甚至在瑪拿西抵達倫敦之前，就有宗派主義人士聲稱：「禁止猶太人在我們當中公開就業和實踐他們的宗教，是一種罪惡。」[20]有些人警告說，除非為猶太人被驅逐一事而表示悔改，否則上帝的義怒必然會落在英格蘭身上；其他人則要求猶太人重新進入國境，

⑨譯註：西元一二九〇年七月，國王愛德華一世下令議會頒佈《驅逐敕令》，勒令所有在英格蘭的猶太人必須於當年十一月一日之前出境，否則格殺勿論。

這樣他們就可能更容易贏得基督，從而加快末日的來臨。克倫威爾在白廳召開了全程的會議，討論瑪拿西的要求並對他提出的觀點表示同情，然而，克倫威爾未能贏得正式的支持。因此，他以典型的方式選擇了折衷的做法——猶太人在英國定居的書面許可被拒絕了，但克倫威爾確實給了瑪拿西私底下的應允，以及一百英鎊的養老金。同年的十二月，一篇日記寫下了這樣做的實際成果：「如今猶太人被接納了。」[21]

然而，這個數量還不足以滿足英格蘭的一些人。「朋友」（貴格會教徒的自稱）覺得自己肩負著對猶太人的使命。「聖靈在我的身體內工作，上帝的話就臨到我身上（在我身體裡面就像烈焰一樣地燃燒著）。」[22]正是這種宣告上帝國度的烈火燃燒般的衝勁，激勵了一些「朋友」赤身裸體地講道，而另一些「朋友」則穿著麻布和灰燼，而使得當局所有試圖撲滅這把火的努力遭到挫敗。與最終都被當地地主逐出各個社區的掘土派人士不同，貴格會教徒則在面對官方的敵意時仍然積極地蓬勃發展，其中婦女尤其活躍；一位走進克倫威爾在白廳的住所，大膽地稱呼護國公為「糞堆」，然後花了一個小時敦促他悔改，另一位婦女則是在前往君士坦丁堡旅行的時候，在那裡以某種方式成功地向蘇丹本人傳道，她以前曾經擔任女傭一職。

然而，猶太人才是貴格會希望中的特別目標。克倫威爾拒絕給予猶太人正式入境的權利，這促使傳教士前往阿姆斯特丹。一開始的跡象並不樂觀，那裡的猶太人似乎對貴格會的訊息完全不感興趣，當局充滿敵意，只有一位傳教士說荷蘭語。但絕望不是貴格會的作風，其中一位傳教士在報告裡寫道：「許多猶太人的心中都懷抱著一個火苗，隨著時間的推移，火苗可能會燃成熊熊的烈焰。」[23]

對任何「朋友」來說，這樣都是足夠的鼓勵了。雖然貴格會教徒可能熟讀聖經，但他們和其他激進分子一樣，並不認為這是獲得真理最直接的來源。讓他們的領袖感到尷尬的是，最激進的貴格會教徒有時候會在公共場合焚燒聖經。只有向聖靈直接地敞開自己，才能戰勝困擾其他基督徒的邪惡教派主義思想。「當信上說基督就是光時，把信當作是光的人，他是瞎眼的。」[24]無論是作為保羅提到的所有人類自然的良心，還是聖靈，或是基督，或者作為這三者的融合，也或許完全是其他的東西，如何定義這道光，這是貴格會教徒永遠無法提供一致的答案的問題。

不過，這並沒有給他們帶來很大的困擾，感受這道光就是去認識祂。這是「宗教之友協會」的創始成員之一瑪格麗特・費爾（Margaret Fell）直接向瑪拿西傳達的訊息。在這之後，《在猶太人中向亞伯拉罕的後裔致以親切的問候》這本小冊的續篇很快地出版了。貴格會在阿姆斯特丹的傳教士急於將這兩本小冊都翻譯成希伯來語，並很高興地向費爾報告，他們已經成功地聘雇了一位翻譯員。這位譯者不僅是一位熟練的語言學家，他也正是瑪拿西的學生。[25]

巴魯赫．斯賓諾莎（Baruch Spinoza）⑩不是普通的猶太人，事實上，他幾乎不認為自己是猶太人。西元一六五六年七月，他被阿姆斯特丹的猶太會堂正式驅逐、詛咒和譴責。這樣的判決並非聞所未聞，他們發布這個判決時，期望犯罪者會奮力地與猶太會堂的管理委員會達成和解，而不是冒著被自己的社區永久隔絕的風險，但斯賓諾莎拒絕講和，他有其它的停靠港。不是貴格會傳教士在阿姆斯特丹接近他，而是他主動接近「朋友」。一位貴格會的傳教士在寫給瑪格麗特．費爾的信中解釋說，斯賓諾莎被猶太會堂「趕出去（正如他自己和其他人所說的），是因為他稱自己除了光之外，沒有其他的老師」[26]。

無論這是否為一份準確的報告，斯賓諾莎被他的猶太社區驅逐之後，肯定不缺乏陪伴和支援。然而他並沒有投奔貴格會，而是向他們最接近的荷蘭同行⑪尋求庇護——正如他們所說的那樣，研經派與他們在英格蘭的激進分子同伴一樣，在相同的土壤中繁殖。他們蔑視主流大眾教會權威的要求，蔑視階級制度和教會聖職的所有理想，他們對教派之間的爭鬥和對抗感到絕望。斯賓諾莎在荷蘭的研經派朋友就像他的貴格會聯繫人一樣，相信真正的聖潔是啟示。「正是它，以真理引領人們進入通往上帝的道路，使人們有行善的理由，在人們的良心上給予平安，是的，使人們與上帝結合，其中所有的幸福和救贖都由啟示之光達成。」[27]

就像在西元一六六〇年搬到萊頓郊外一個村莊萊茵斯堡時所做的那樣，這個村莊已經成為研經派教徒生活的中心，斯賓諾莎在這樣的新教徒當中定居，非常有意識地和荷蘭社會中主要的教徒群體站在同一邊。西元一六一九年對異端傳教士的清洗，只為歸正會⑫提供了暫時的勝利。幾十年來，紀律和寬容這兩邊的競爭者一直陷入長期的僵局；與此同時，在英國，新的動盪加劇了人們危在旦夕的不安感。西元一六五八年，克倫威爾去世兩年後，君主制得以恢復，英格蘭國教會也隨之恢復。《統一法案》將貴格會教徒和其他宗教異見人士推向了邊緣。

這對荷蘭的新教徒而言似乎是一個嚴峻的警告，因為他們拒斥制度化教會的自命

---

⑩譯註：荷蘭哲學家，西方近代哲學史重要的理性主義學者，與笛卡兒齊名。

⑪譯註：研經派，十七世紀的荷蘭教派，善於運用聖經，崇尚理性，主張實行寬容，講求言論自由，成員可以各持不同的信仰。有共同的信念，重視個人研讀聖經的價值。

⑫譯註：又稱歸正宗。由約翰·加爾文論述發展而來的主要基督新教宗派即歸正宗，下有法國的結盟宗、荷蘭的改革宗、蘇格蘭的長老宗，與英格蘭的清教、公理宗等。

不凡，肯定個人的啟蒙是真理最可靠的指南，把上帝的話語解讀為寫在良心上的東西。與寬容為敵的人無處不在，自由永遠不能被視為理所當然——即使在荷蘭共和國也是如此。西元一六六五年，當斯賓諾莎著手準備寫一本捍衛宗教自由的書時，他對祖國的讚美既帶有諷刺意味，也充滿了感激之情：「我們很幸運地生活在一個共和國中，每個人都可以尊重自己判斷的自由，每個人都可以按照自己的想法崇拜上帝，沒有什麼比自由更珍貴或更甜蜜的了。」[28]

正是加爾文自己提出，真正的順服上帝應該以自由為基礎。[29]當斯賓諾莎在推動寬容的理由時正在參加一場辯論，這場辯論一直是新教教義的基礎。然而，這並不意味著他認為自己受到辯論的束縛，恰恰相反，斯賓諾莎的野心是證明為宗教而爭辯是愚蠢的，更不用說為宗教而戰鬥了。作為一名望遠鏡和顯微鏡的微調鏡片研磨機師，他知道打磨一種可以揭示肉眼看不見的神蹟的儀器意味著什麼；不是作為一個基督徒，更不是作為一個猶太人，斯賓諾莎乃是作為一個哲學家，窺見了宇宙。他沒有挑出神學的戈耳狄俄斯之結（**Gordian knot**）⑬，而是試圖直接剖析它。

到了西元一六六二年，關於他令人震驚的觀點的傳說，已經開始在阿姆斯特丹周圍甚囂塵上。據報導，斯賓諾莎認為每種物質都是無限的，並且無法產生另一種物質。既然如此，就只能存在一種物質。上帝「就是整個宇宙」[30]。上帝不存在於統治宇宙的法則之外，不存在於那些幾代以來的自然哲學家都致力於識別的法則之外——上帝本身就是法則。就連那位宣稱「舉凡不是由神蹟源生的萬事萬物，都可以得到充分的解釋」的彼得·阿伯拉德所說的話，都比斯賓諾莎想像的還要真實得多。奇蹟並不存在，這是不可能的。只有自然、上帝所有的律法、誡命以及祂所有的旨意，才是唯一真實擁有自然的秩序。不亞於加爾文，斯賓諾莎認為每個人類的命運都是註定不可違逆的。然而，上帝不是神聖的審判者，他是幾何學。他曾說：「因為萬事萬物都遵循上帝的永恆誡律，其必然性，就和從三角形的本質中得出的三個角等於兩個直角的事實結論一樣。」[31]

當然，這不是大多數牧師會承認的上帝，對斯賓諾莎來說，這正是重點。他質疑基督宗教信仰基本原理的野心既是政治上的，也是哲學上的。他宣稱：「這是多麼有害！無論是宗教還是國家，都允許神聖的牧師獲得制定法令或處理政府事務的權利。」[32]雖然有許多新教徒也這麼同意，但是在荷蘭共和國，風向似乎越來越不利於他們。西元一六六

⑬譯註：是亞歷山大大帝在弗里吉亞時的傳說故事，據說這個結在繩結外面沒有繩頭。一般隱喻為使用非常規方法解決不可解的問題。

八年，一位深受斯賓諾莎影響的改革宗傳教士被逮捕，這位兄弟被判犯有褻瀆罪，一年後在監獄中去世。斯賓諾莎對他的著作進行了最後的潤飾，他這樣做，是堅信消滅歸正教會權威的唯一途徑，就是攻擊它最終所依賴的深層基礎，宗教本身必須被抹黑。

與此同時，斯賓諾莎知道自己涉入的危險有多麼深，當他的著作《神學政治論》（*Theological- Political Treatise*）於西元一六七〇年初在阿姆斯特丹出版時，封面上並沒有他的名字，書上還標示其出版地為德國漢堡。但是，歸正教會正統教義的守護者並沒有被矇騙，到了一六七四年夏天，荷蘭當局被說服針對斯賓諾莎的書發布正式的禁令，這個強行實施的指令中，列述了書中一連串最可怕的褻瀆行為：「違逆上帝和祂的屬性、違逆上帝崇高的三位一體、違逆耶穌基督的神性和祂真正的使命，連同違逆真正基督宗教的基本教條以及真正的聖經的權威……」[33]斯賓諾莎作為基督宗教敵人的惡名，從此被確立了。

事實上，《神學政治論》是一本只有完全沉浸在新教假設中的人才能寫的書，使這本書如此地令荷蘭當局感到不安的原因，與其說是否認他們的信仰，不如說是將他們推向了無情的結論。斯賓諾莎的天才之處在於，他將路德和加爾文用來反對羅馬教宗的策略轉向基督教本身。當他哀歎著有多少人「被異教徒的迷信所奴役」[34]時，當他擯斥洗禮儀式或節日慶祝活動，只因為這些僅是純粹的「儀式」[35]時，當他哀歎基督的原始教義已經被教宗敗壞時，他所爭論的內容是一位嚴厲的歸正宗牧師可能也爭論過的。即使是他最惡名昭彰的主張——相信神蹟是迷信的無稽之談，仔細閱讀經文就會證明祂是人而非神的起源——也只是新教徒的論點被推向了激進的極端。

當斯賓諾莎試圖證實他的主張時，他形容自己是「光明」的瞳孔，就像他對貴格會所做的那樣。當然，他並沒有把自己覺悟的經歷說成是超自然的，他嘲笑說，那些聲稱被聖靈照亮的人，只不過是為他們自己的幻想捏造一個律法罷了，真正的啟示源於理性。斯賓諾莎在給一位他之前的學生的信中寫到：「我不認為我找到了最好的哲學，但我知道我認識了最真的哲學。」[36]令他沮喪的是，這位學生已經皈依了天主教。在這裡，他也在追求一種熟悉的策略。自從馬丁路德與托馬斯．卡傑坦的對峙以來，新教徒一直堅持自己對聖經經文的詮釋，以及對上帝旨意的理解的正確性。現在，透過斯賓諾莎這個人，這個傳統已經開始蠶食自身。

然而，斯賓諾莎本人認為這不僅僅是新教徒的東西。身為一個猶太人，他從祖先的法律中學到東西，他離開自己的社區，去宣揚一個激進而令人不安的新訊息。他毫不猶豫地暗示，他看出了誰才是自己最明顯的祖先：「保羅，當他第一次皈依時，就把神視為一道偉大的光。」[37]斯賓諾莎強烈地暗示，這道光即是真正的神聖。保羅與摩西或其他先知們不同，採用了哲學家的方法：與他的對手們辯論，並將自己的教導交託給他人自由判斷。

儘管可能被一種學術性的超脫語氣所掩飾，斯賓諾莎對猶太教的批判還是被認出是基督宗教的。他和路德一樣非常地欽佩保羅：作為使徒，他把上帝的誡命寫在他們心上這個好消息帶給全人類。與舊約這個貫穿《神學政治論》的神學術語不同，新約見證了一項適用於所有民族的法律，而不僅僅是為一個民族，於是構成了「真正的自由」[38]而不是繁瑣的律法主義，這個概念最好通過光來理解。斯賓諾莎曾說：「保羅在〈加拉太書〉第5章第22至23節中寫道：『聖靈所結的果子，就是仁愛、喜樂、和平、忍耐、恩慈、良善、信實、溫柔、節制，這樣的事沒有律法禁止。』無論他是僅憑著理性，還是僅憑著聖經，他都確實是被上帝教導著，而且是完全快樂的。」[39]

斯賓諾莎當然不是贊成所有的基督宗教美德。謙卑和懺悔被他斥為非理性，憐憫則被他視為「邪惡和一無是處的」[40]。儘管如此，他將基督的誡律視為等同於宇宙自然法則的主張，不啻為一個大膽而又出色的策略，對於崇拜三角形這種自然法則一點也不熱衷的基督徒來說，這個主張提供了一個重大事實的保證，那就是，即使不相信以色列的造物主上帝，基督教義的大部分內容可能仍然會被保存下來。雖然斯賓諾莎私底下對耶穌可能已經從死者中復活的任何觀點不屑一顧，他還是在《神學政治論》中毫不猶豫地斷言，基督是一個確實達到了「超人」完美程度的人，即使在未發表的著作中，斯賓諾莎也保持著這種敬畏的語氣：「因此，祂的話語可以被稱為是上帝的話語。」[41]

斯賓諾莎將整個職業生涯都獻身於捍衛宗教自由，在這個他最看重的志業裡，他直接了當地認同「基督的聖靈」。[42]儘管斯賓諾莎在整個歐洲迅速地成為惡名昭彰的宗教敵人，但當談起耶穌基督時，他的態度中仍然帶有一種深深的敬畏。西元一六七七年，在斯賓諾莎去世的幾十年後，他的敵人和崇拜者都稱讚他為「我們這個時代的首席無神論者」[43]，他對基督宗教的態度中的矛盾心理，以及他那與其說是開啟先河，不如說是進行翻轉的哲學方法，很快地就被阻塞住了。當貴格會教徒們說是內在的光使真理昭然若揭的時候，當研經派教徒們說基督就是這道光的時候，他們都急切地運用斯賓諾莎的方法。所有的人，無論是信靠聖靈還是理性，或者兩者兼而有之，他們都夢想著基督宗教宗派之間的爭端可以永遠地得到解決，而他們都失敗了。

斯賓諾莎非但沒有平息基督宗教各教派的眾聲喧嘩，相反地，只是增添了基督宗教信仰的另一種變體。

駝背者的朝聖旅程

「成為基督徒，就是要成為一個朝聖者。」新教徒廣泛認同這個信念，並不意味著對教宗統治的黑暗日子——教士們哄騙信徒長途跋涉，在虛假的聖物之前鞠躬——有任何的懷舊之情。相反地，它意味著朝聖者們盼望在生命的旅途終結時，將會遇到身著黃金般閃耀華服、全身充滿光輝的天使，並由天使帶領他們進入天國——一座位於山上的城市。這並不是一個輕率的承諾，一路上必然會遇到重重的困難和障礙：可能深陷灰心的泥沼、可能受到虛榮心的誘惑，以及時不時襲上心頭的巨大絕望感。

許多人沒有在這樣的苦路上勉力前進，而是肩負著自己罪疚的重擔，可以理解地選擇原地踏步。但是，對於那些已經意識到自己生活在毀滅之城的人來說，這永遠不可能是一種選擇。一位至各地巡迴的傳教士回憶起那段在聖靈的光明降臨之前、充滿黑暗的日子，他說：「我就像一隻從樹頂被射下來的鳥一般地倒下了，陷入了巨大的罪疚和可怕的絕望之中。」[44]從那時起，他的一生就是一段孜孜不倦地走向聖潔的旅程，這就是一個朝聖者。真正的基督宗教如果不是進步，就什麼都不是。

當然，往天城朝聖並不是真的要求基督徒風塵僕僕。他們也提供給那些只佇立等待的人。然而，西元一六二〇年建立普利茅斯殖民地的那種無法止息的動力，繼續激發著許多新教徒的渴望，他們渴望擺脫舊世界的苦難和誘惑而重新出發，有些人願意繞半個地球去實現這個目標。西元一六八八年，一百五十名剛被皇家命令驅逐出法國、信奉加爾文主義的胡格諾派（Huguenot）⑭教徒，乘船前往開普殖民地，這是一個由荷蘭商人在非洲最南端建立的定居點。然而大多數的新教徒還是繼續前往美國。麻薩諸塞州於西元一六六一年通過一項法律，規定貴格會教徒必須被綁在馬車上並受鞭笞刑罰，在那裡，清教徒繼續堅持敬拜上帝的統一性（uniformity）；而祖國那邊，之前在克倫威爾保護之下的英國已經永遠註定要失敗。

然而，新世界不是新英格蘭，在波士頓和普利茅斯以南，有不少地區可以讓抱持相異政見的人安心定居，而不必擔心受到騷擾。最充滿願景的是一個名為費城（希臘文意譯為「兄弟之愛」）的殖民地。費城的創建人威廉·佩恩（William Penn）是一個矛盾的人，他是克倫威爾的一位海軍上將的兒子，同時是一個與王室有密切關聯的紈綺子弟，

⑭譯註：十六至十七世紀法國基督新教信奉加爾文思想的一支教派，意譯為「宣誓結盟」，又稱法國新教，十七世紀以來是法國最有影響力的新教教派，在政治上反對君主專制。天主教會一五五九年開始用「結盟者」來稱呼這些加爾文的信徒。

也是一個因信仰而多次遭受監禁的貴格會教徒。作為皇家憲章授予佩恩的一大片土地、賓夕法尼亞殖民地的首府，費城被創建成一個將「神聖實驗」[45]付諸實踐之地：一個沒有圍牆的城市，與原住民印第安人和平相處，所有「自稱相信耶穌基督」[46]的人都可以被允許擔任公職。正如新英格蘭以上帝之名所建立的殖民地是為全世界設立的典範一樣，費城雖是如此，但卻是一處寬容的避風港。到了十八世紀初，費城的街道上擠滿了重浸派教徒和貴格會教徒、德國人和英國人、猶太人，甚至還有天主教徒。新英格蘭這個曾經是新教徒在海外擴張權力的先鋒，似乎與時代脫離得越來越遠。

因此，橫渡大西洋就是宣告保羅所宣稱的屬於每個基督徒的自由。西元一七一八年秋天，一位名叫本傑明．賴（Benjamin Lay）的貴格會教徒和他的妻子莎拉一起航行到加勒比海，曾說過「基督釋放我們，正是為了讓我們得到自由」[47]的他，信心滿滿地確定他們會成為「朋友」中的一員。巴貝多是近一個世紀以來的英國殖民地，在西元一七〇七年英格蘭與蘇格蘭合併後，便屬於大不列顛王國。一位在巴貝多的居民曾說它是「所有民族的巴別塔和集人類各種狀況之大成」[48]。然而，即使是在島上主要港口橋鎮的色彩和喧囂中，本傑明．賴夫妻兩人也顯得非常突出，因為他們都駝背，而且兩人的身高都只有四英呎。

儘管擁有一雙「如此細瘦、看起來幾乎無法將身體支撐起來」[49]的腿，本傑明．賴在四十一歲時已經過著令人驚訝的活躍生活。他出身卑微，曾做過各種工作，如手套工人、牧羊人和水手；他造訪過敘利亞的一口井，據說耶穌曾經坐在那口井邊；他也曾經親自向英國國王遊說過。他小小的身形使他更加堅定地忠於「聖靈的教導和指引」[50]，並反對任何他認為與基督相悖的事情。在一個許多貴格會教徒開始受人尊敬的時代，本傑明．賴反其道而行，選了一條更加瘋狂和充滿對抗性的路，這讓他在英國四面樹敵。現在他抵達巴貝多，即將樹立更多的敵人。

不是每個來到新世界的人都會選擇這麼寬容。有一天，莎拉拜訪了一位住在橋鎮外幾英里處的貴格會教徒，她震驚地發現一個赤身裸體的非洲人被吊在他家門外。那人剛剛被殘暴地鞭打，鮮血從他抽搐的身體不斷滴落，在地上形成了一攤血，蒼蠅蜂擁而至，在他的傷口處盤旋不去。就像巴貝多其他七萬多名非洲人一樣，這個人是奴隸。那名貴格會教徒向莎拉解釋說那個奴隸是一個逃跑的人，因此他覺得沒有必要因為打死他而道歉。

就像尼撒的貴格利時代一樣，在本傑明．賴的時代也是如此，和貧窮、戰爭或疾病一樣，奴隸制被絕大多數的基督徒視為生活中一個殘酷的事實。在基督耶穌裡沒有奴隸也沒有不自由，並不意味著這種區別本身被廢除了。歐洲人生活在一個奴隸制已經廣泛消失的大陸上，因此他們很少想到要立即譴責它。即使是將印第安人從奴隸制中解放出來、並將此視為畢生奮鬥焦點的巴托洛梅·德拉斯·卡薩斯，他也從未懷疑過奴役可能是對某些罪行的懲罰。

在加勒比地區和西班牙美洲殖民地，比起依靠那些能在溼熱氣候中勞動而不會死於歐洲勞工容易患上的熱帶疾病的工人，購買非洲人似乎是一個更明智的選項。任何一個基督徒都不應該為擁有奴隸而感到內疚，亞伯拉罕也擁有奴隸，《摩西五經》的律法規範了奴隸的待遇。保羅的追隨者寫了一封信，敦促奴隸要順服自己的主人。信上寫到：「你們要這樣做，不僅是當主人的目光在你身上，你們想贏得主人的青睞時，要帶著真誠的心和對上帝的敬畏。」[51]因此，對逃跑的奴隸的懲罰，很可能被視為上帝的工作。儘管自己並不擁有奴隸，但眾所周知，當別人的奴隸從他那裡偷東西時，就連本傑明·賴也會伸手拿起鞭子。他說：「有時候我會抓住他們，然後給他們一頓鞭打。」[52]

當本傑明·賴憶起自己把鞭子重重地揮向一個飢餓奴隸的背上時，他知道自己沒有遵行聖經裡關於公義的教誨，相反地，他強烈地察覺到一種自我厭惡感。他的罪疚感其來有自，因為他忽然驚覺自己是一個身處毀滅之城的人，他說：「哦，當我看見和聽到自己做的這些事時，我的內心深處經歷了無數的痛苦。」[53] 巴托洛梅・德拉斯・卡薩斯對自己的罪疚也有類似的覺察，因而轉向了天主教學術界偉大遺產的引領：托馬斯・卡傑坦、多瑪斯・阿奎那，以及教會法的編纂者。

當本傑明・賴和妻子無所畏懼地與巴貝多的奴隸主對峙時，他們也轉向聖靈的指引，懇求奴隸主們「審視自己的心」[54]，這是對聖經的終極含義有著發自內心的肯定。本傑明・賴感覺自己蒙受上帝的啟示，相信祂已經把祂的選民從埃及的奴役中解放出來；他相信上帝的獨生子耶穌為門徒洗腳（約翰福音 13:1-17），他相信耶穌從人類遭受莫大痛苦的屈辱，並救贖了全人類免於奴役。

買賣奴隸、強迫他們與親人孩子分離、鞭打奴隸並為他們上銬和殘忍地施以火刑、蹂躪奴隸令他們操勞至死或是把他們活活餓死，奴隸主不在乎奴隸們勞苦生產出來的血汗粗糖，簡直就像是混進了奴隸們的「手腳、腸胃和排泄物」[55] 一般。這些暴行非旦無法讓奴隸主成為基督徒，反而成為比撒但本身更邪惡的人。本傑明・賴和妻子越是向飢餓的奴隸們開放家門和餐桌，就越瞭解奴隸制，而他們越憤怒地譴責奴隸制的結果，就是最終他們就越不受歡迎。西元一七二〇年，本傑明・賴和妻子被迫從巴貝多撤離，他們從未逃脫恐怖的陰影，在他們的餘生中，一直致力於廢除奴隸制的運動，儘管看起來像是堂吉訶德式那般異想天開，卻是他們身為朝聖者的一段進展。

他們不是新世界的第一批廢奴主義者，早在十七世紀七十年代，一位名叫威廉·埃德蒙森（William Edmundson）的愛爾蘭貴格會教徒就曾遊歷巴貝多和新英格蘭，向當地的非洲奴隸傳播基督宗教。接著在西元一六七六年九月十九日，在寫給他定居於美國羅德島州紐波特的貴格會同伴的信中，埃德蒙森被一個突如其來的想法震懾心頭，他寫說：「你們當中許多人認為讓印第安人成為奴隸是違法的，如果真的是這樣，那麼為什麼黑人成為奴隸就不是違法的？」[56]

這番話正呼應了巴托洛梅·德拉斯·卡薩斯的想法；這位偉大的西班牙人權運動家，急於拯救美洲印第安人免於遭受奴役的命運，幾十年來一直支持引進非洲奴隸從事強迫性勞動。他早期會這樣做的原因，是他認為非洲奴隸是被定罪者，把他們賣為奴隸是作為對他們罪行的懲罰，直到在生命的晚期，卡薩斯才發現了一個可怕的事實：非洲人是基督徒奴役下的受害者，如此地違反公義，不亞於基督徒對印第安人的迫害。卡薩斯懷抱深刻的內疚，他曾說「某些種族適合成為奴隸」，他知道自己這樣說無疑是為亞里斯多德的論點提供了養分，因此，面對自己助長了這樣的不公義，加深了他被投進地獄的恐懼和厭惡。

當威廉・佩恩在獄中引用「他從一人造出萬族，使他們散居在整個地面上，而且為他們預先定下了年限和居住的疆界」[57] 這段經文時，他一直在提出與卡薩斯完全相同的理念：全人類都是上帝按照祂的形象平等地受造的。他認為種族階級制度是冒犯了基督給予人類最基本的誡律，沒有一個民族應該被他們的膚色來決定是成為主人或是奴隸。由於這是一個基督宗教傳統教義的精髓論點，自然會在非洲奴隸主當中引起一些焦慮。

正如道明會的反對者引述了亞里斯多德的話一樣，貴格會廢奴主義者的反對者，也可能會在舊約中探索和引用那些晦澀難懂的經文，特別受歡迎的是一段講述了關於挪亞詛咒他的孫子的經文，⑮ 通過各種曲折的演繹，挪亞孫子的後代已經被認定就是非洲人。然而這個論點是如此地缺乏說服力，以至於沒有人非常認真地看待它，但那些良知薄弱的奴隸主，以及希望「醫治」奴隸們的奴隸主，寧願採用一個他們自認為更有根據的理由——奴役異教徒，把他們運送到基督宗教的領土上，是為了他們靈魂的益處。正如本傑明・賴在巴貝多發現的那樣，這種理由正是貴格會教徒廣泛接受的奴隸制許可

⑮ 譯註：此段經文為「挪亞醒了酒，知道小兒子向他所做的事，就說，迦南當受咒詛，必給他弟兄做奴僕的奴僕。」（創世紀9:24-25）

證，就連費城的創始人威廉．佩恩也被說服了，這就是為什麼那位偉大而無可置疑的「自由權利法案」[58]的熱愛者，他自己就是奴隸的主人。

對本傑明．賴來說，這一切都是最卑鄙的虛偽。西元一七三一年，當他和妻子抵達費城時，他震驚地發現這個稱為兄弟之愛的城市充斥著鞭子、鐵鏈和奴隸市場。他們沒有留在這個和巴比倫一樣的罪惡之地，而是定居在附近的阿賓頓鎮。在那裡，就像匈牙利的聖依撒伯爾曾經做過的那樣，他們試圖抵制任何可能以另一種生物的痛苦為代價而獲得的事物。這對夫婦自己做衣服，只喝水和牛奶，完全仰賴蔬菜維生。然而與聖依撒伯爾不同的是，他們並沒有試圖只在自己與上帝之間信守道德生活的承諾，相反地，他們的雄心壯志是藉著在公眾面前展示自己的生活，喚起人們對他們生活方式的關注。

西元一七三五年，當莎拉．賴去世時，她的丈夫通過將他的行動主義推向一個全新水準來哀悼她；到了西元一七三七年，阿賓頓鎮的貴格會奴隸主已經厭倦了本傑明．賴無止無盡的抗議，所以禁止他進入他們的會議廳。第二年，在費城貴格會的年度大會上，本傑明．賴完成了他迄今為止最壯觀的宣傳行動，在被要求向貴格會同伴發表談話的時候，他起身站了起來，撫平了外套，然後拔出一把他一直藏在外套皺褶中的劍，並用響亮的聲音宣稱：「如果有人說對非洲人的奴役，是和『在全能者的眼中，他們以平等的眼光看待和尊重所有民族和膚色的人』一樣地正義，那麼，你應該拿起一把劍刺穿他們的心，就好像我對這本書所做的一樣。」[59]然後他舉起一本掏空的聖經，裡面藏著一個裝滿果汁的皮袋，將那把劍刺了進去。血紅的果汁濺得到處都是，會議廳裡群情激憤。本傑明．賴轉身邁步，蹣跚地走了出去。他已經清楚地表達了自己的觀點。

當然，召喚世人悔改並不是什麼新鮮事，聖經裡充滿了這樣的內容。然而，儘管借鑒了先知的榜樣，儘管反對奴隸制的告誡是引用聖經的依據，本傑明．賴的行動確實構成了一些不同的東西。以廢除奴隸制為目標，就是要賦予社會本身一個朝聖者的特徵，持續踏上一段遠離罪惡、走向光明的旅程。這是將奴隸制視為一個重擔，長期以來一直由墮落的人類所肩負，但由於上帝的恩典，重擔有一天可能會從肩背卸下而消失。這令人驚訝地否定了一個大多數基督徒一直認為理所當然的制度，但卻孕育了基督宗教的精髓。不亞於鄰近的費城的寬容精神，不亞於那些在遙遠的阿姆斯特丹思考著斯賓諾莎著作的人，本傑明．賴的行動見證了聖靈的運作，它建立在幾個世紀以來，在西方基督宗教的土地上作為革命的偉大溫床的信念之上：社會可能重生。如同新約聖經〈約翰福音〉第3章第6節寫的：「肉身生出肉身，但靈生出靈。」[60]

本傑明．賴從來沒有對耶穌的這些話感到絕望。在毀掉費城貴格會年度大會的二十年後，本傑明．賴臥床病重之際，他得到消息說，議會投票通過一個新的決定，要懲罰任何從事奴隸交易的貴格會教徒，他鬆了一口氣說：「我現在可以安詳地死去了。」[61]儘管被生活裡各種晦暗悲楚的事件圍繞著，儘管被各式令人沮喪的結果打擊著，不顧那些所有試圖嚇阻精神的妖魔鬼怪，他仍然不斷地勇往直前，從未偏離過工作的目標，在西元一七五九年去世時，本傑明．賴已經成功地使他所在的社區更像他自己——更加地進步和成功。

第16章

啟蒙

西元1762年，圖盧茲

十月十三日傍晚，可怕而痛苦的嚎叫聲劃破了圖盧茲（Toulouse）[1]商業區中心商店街的平靜，隨後更多的哭聲接踵而至。尖叫聲來自於六十多歲的布商讓・卡拉斯（Jean Calas）擁有的一家商店。當人群開始聚集時，他和他的家人在商店上方的兩個樓層，通過窗戶可以看到他們聚集在一個似乎是屍體的旁邊。不久後，一位外科醫生的助手來了，而快到午夜時分，一位地方法官帶領著大約四十名士兵到達現場。接下來的幾天，出現了關於當晚的證詞，內容令人困惑。

首先，根據報導，讓・卡拉斯的長子馬克・安東尼（Marc-Antoine）被家人發現死在商店的地板上。外科醫生的助手拉開年輕人的領結，發現他脖子上有明顯的繩子勒痕，似乎是被勒死的，符合父親最初的證詞。但讓・卡拉斯很快地改變了他的證詞，宣稱他並非在地板上發現他的兒子，相反地，他發現馬克・安東尼被一根繩子吊著，並取下了他的屍體放在地板上。他甚至可憐地希望他的兒子還活著，為此幫他墊了一個枕頭來讓他感到舒服些。所以馬克・安東尼並非被謀殺，而是自殺的。

究竟要如何解釋這些矛盾？有一個顯而易見的答案：悲痛欲絕的卡拉斯不顧一切地想讓兒子死後免於被定為自殺的恥辱，要不然他的屍體將會被拖過街道，然後扔進垃圾場。然而前來調查的地方法官並不相信，他有一個不同的假設：馬克・安東尼是遭到自己父親的謀殺。很快地，他發現一條關鍵的線索，卡拉斯生在一個只有天主教為合法宗教的國家，而他是一名胡格諾派的新教徒。會不會是馬克．安東尼在他父親的「異端」信仰中長大，卻發現了天主教的「光芒」？會不會是卡拉斯決心不讓他的兒子皈依天主教而殺了他？會不會一切關於自殺的證詞都只是一種掩飾呢？

當圖盧茲人們的議論逐漸失控，這些假設很快就成為事實。十一月八日，在夾雜著淚水的可怕莊嚴之中，馬克．安東尼在該市的大教堂被紀念為天主教信仰的殉道者，十天後，他的父親被判處死刑。隔年三月，在上訴失敗後，準備執行圖盧茲的死刑。一開始，以水刑試圖讓他坦承自己的罪行，接著以鎖鏈牽著他，將他帶到圖盧茲市中心的聖喬治廣場，並把他被綁在一個大圓輪上，用鐵棍將他的四肢碾碎。持續了兩個小時，他以堅忍的毅力忍受著骨頭被壓碎的痛苦。他宣稱他的死是無辜的：「我不可憐自己，因無邪的耶穌基督，為我受了更殘酷的折磨而死。」[1]當他嚥下最後一口氣時，就連一直在他身邊勸他信教的神父都被感動，不禁想到早期為了教會的殉道者。

①譯註：圖盧茲是位於法國西南部的城市，上加龍省（Haute-Garonne）的省會，是法國人口第四多的城市，僅次於巴黎、馬賽和里昂。

讓・卡拉斯被當作殺人兇手而非異端處決。四個月後，一名因弒親而被定罪的天主教農民同樣在聖喬治地區被處死，而這次的行刑之前，增加了把他的右手切斷的酷刑。儘管如此，卡拉斯所信仰的新教加爾文主義在案件中的核心地位，在胡格諾派中引起了廣泛的震驚。沒過多久，他悲慘命運的消息就傳到了日內瓦。

作為當時歐洲最知名的人物之一，伏爾泰（Voltaire）在日內瓦城牆外擁有三座地產中的一座莊園。這位法國最偉大的作家，作為國王的知己和對手，因其無與倫比的機智而受到同等程度的敬畏和欽佩。伏爾泰立即對這起案件感到著迷，他起初傾向於相信卡拉斯有罪，但很快便改變了主意。當卡拉斯的兩個兒子作為難民抵達日內瓦時，他詳細地採訪了他們當中的小兒子，他將小兒子形容為一個單純的孩子，天真、有著最溫柔和有趣的性格。[2]最後，男孩的一番話讓伏爾泰確信發生了致命的誤判——一個醜聞似乎就這樣從圖盧茲過去最黑暗的陰影中誕生。對伏爾泰來說，卡拉斯似乎和阿爾比派教徒一樣，都是天主教凶殘狂熱的受害者。這樣的錯誤無法容忍，無辜的鮮血向天堂呼喊。這位偉大的作家集結他一切的超凡才能和精力，決心為這位被處決的胡格諾派教徒爭取死後的赦免。

伏爾泰曾受洗加入天主教會，並接受耶穌會士的培育，即使他曾公開斥責他們是渴望權力的戀童癖者，但私下卻對教會的學識表示敬意。他不是出於對新教的任何同情而為卡拉斯爭取赦免。那年九月，當他忙於準備案件時收到一封信，信中稱他為「敵基督者」，這個頭銜很適合他的名聲。伏爾泰這個憔悴的矮個子男人，嘴上掛著大大的嘲弄式微笑，帶有一種惡魔的神情。然而，他的譏笑並沒有完全展露。虔誠的信徒（包括新教與舊教）逐漸震驚地意識到，這位連他的敵人也情不自禁地欽佩他的歐洲最著名作家，以一種近乎固執的仇恨來看待基督宗教。

幾十年來，伏爾泰一直掩飾著這件事，他知道自己能夠表達的限度，善於運用諷刺、私底下的笑話和會心的眨眼。不過，最近他的態度變得越來越明顯，他擁有一處不在法國政府管轄範圍內的日內瓦地產，另外兩處不在日內瓦政府管轄範圍內的法國地產，他感到前所未有的安全。

雖然他以匿名的方式持續發表著令人震驚的諷刺詩文，在公開的場合仍堅持他是天主教會的成員，但沒有人被他愚弄。他巧妙地嘲笑基督徒，因為他們可以在一點點麵餅中吃掉他們的上帝，他們的聖經充滿了最明顯的矛盾與荒唐，還有他們的宗教裁判所、絞首架，以及相互殘殺的戰爭。這些內容顯然是伏爾泰的作品，當他公開呼籲粉碎那惡名昭彰、令人厭惡的東西時，他不需要指明那究竟是什麼。導致卡拉斯死亡的狂熱絕非異常，而是基督宗教教派的本質。它的整個歷史只不過是一部令人遺憾的迫害記錄，它的偏執和不寬容已經起到了「用屍體覆蓋地球」[3]的作用。

這種褻瀆的比喻雖然令基督徒深感震驚，但對某些人來說卻是一種戰鬥的召喚。將伏爾泰稱為敵基督者的這封信，並非由反對者所寫，而是由一位仰慕者寫的：一位哲學家和惡名昭彰的自由思想家丹尼斯・狄德羅（Denis Diderot）。這是這位偉人應得的貢品，在反對狂熱主義的戰爭中，沒有任何謙虛或自卑的餘地，名聲是一種武器，自我推銷是一種義務。像伏爾泰這樣的影響力已經在歐洲的宮廷和沙龍中產生作用，如果沒有得到充分利用，只會被浪費掉。這就是為什麼他將信念與無敵的自尊相結合，堅持自己作為整個「新哲學」的先祖地位。

伏爾泰並不是唯一一個蔑視基督宗教的人，與他相比，狄德羅的思想更加根深蒂固。與他們並列的是一大群哲學家、形而上學家、百科全書學家、歷史學家和地質學家，他們對「名譽毀壞」的蔑視往往不亞於伏爾泰。無論是在愛丁堡還是在那不勒斯，在費城還是在柏林，以他們的天才而聞名的人，越來越多人將教會視為偏執者。成為一名哲學家，就是為自由的新時代中正在推進的可能性而激動，迷信和無理特權的惡魔正在被驅逐，一直在黑暗中行走的人們看到了光明，世界正在重生。當伏爾泰比較憂鬱時，他擔心教會的邪惡控制可能永遠不會鬆動，但總體而言，他傾向於更樂觀的看法，因他的時代是「啟蒙時代」。自君士坦丁大帝統治以來，第一次從基督宗教知識分子手中奪得歐洲文化的制高點。令人震驚的是，卡拉斯的悲劇發生在哲學取得如此大的進步時刻，狂熱主義似乎被理性的進步激怒了，在憤怒的痙攣中掙扎。[4]

然而，沒有比將世界從黑暗帶入光明的召喚更具有基督宗教色彩了。當伏爾泰開玩笑說他的年紀能做的比路德和加爾文更多時，這是種典型狡猾的忘恩負義。他抱怨這兩位偉大的改革者只是掐住了教宗，而沒有將其殺死，這與許多新教激進分子相呼應。伏爾泰年輕時曾在英國度過，他曾在那親眼目睹了從貴族沙龍到貴格會的會議廳，見證了令人羨慕的寬容，以及在背後推動變革的啟蒙信仰。「如果英國只有一種宗教，就會有暴政的危險；如果有兩個，他們會互相割喉；但是有三十個，他們可以和平幸福地生活在一起。」[5]

然而，伏爾泰帶著一種可笑的傲慢審視著這片宗教景觀時，並沒有就此滿足，卡拉斯被處決的影響恰恰讓他從自滿情緒中振作起來。基督宗教教派是無可救藥的，只要有半點機會，他們總是互相迫害。因此，理想上應該有一種可以超越彼此仇恨的宗教，伏爾泰在他為卡拉斯開脫的運動中寫道，他知道這樣一種宗教不僅存在，而且是世界上

「最古老、最廣泛」的宗教。實踐這個宗教的人不會在教義上爭論不休，他知道他沒有得到任何神聖的啟示。他崇拜一位公正的上帝，但他的行為超出了人類的理解範圍。「從北京到卡宴都有他的兄弟，他認為他的兄弟們都很有智慧。」[6]

這當然只是為了宣揚另一個教派，而且是一個令人非常熟悉而自命不凡的教派，如果不是天主教，那麼普世宗教的夢想就不算什麼。自路德時代以來，基督徒試圖修復基督宗教世界撕裂的結構，結果只是進一步粉碎它。伏爾泰對基督宗教的指責：偏執、迷信、聖經充滿矛盾，這都不是他的原創。在兩個多世紀的時間裡，這些缺點都經過虔誠的基督徒的抱怨。伏爾泰的上帝，和貴格會一樣，像學院一樣，像斯賓諾莎一樣，是一位神，他蔑視宗派紛爭，一切都歸咎於宗派紛爭。「迷信之於宗教，正如占星術之於天文學，那是一個極其聰明的母親所生的愚蠢女兒。」[7]伏爾泰對人類手足情誼的夢想，使他即使將基督宗教視為易怒、狹隘、凶殘的東西，也不忍反叛其根源。正如保羅曾宣稱在基督耶穌裡既沒有猶太人也沒有希臘人，所以在一個完全啟蒙的未來，註定不是猶太人、不是基督徒，也不是穆斯林。他們的每個分歧都會被消除，人類將合而為一。

「你們都是上帝的兒子。」[8]這是保羅劃時代的信念，他認為世界正處於新時代的邊緣，這樣的認識將寫在人們的心中，舊的身分和分歧將消失。然而，這樣的信念並沒有放掉它對哲學家的掌握；即使是那些將自身對「理性之光」[9]的追求推向明顯瀆神極端的人，也不得不成為其繼承人。西元一七一九年，年輕的伏爾泰抵達荷蘭的三年前，也就是他第一次出國旅行的時候，當地出版了一本書，其內容是如此駭人聽聞，以至於「光是書名就引起了恐懼」[10]──《論三位騙子》（*The Treatise of the Three Imposters*）。

儘管暗中傳言，這本書自馬爾堡的康拉德時代就已祕密存在，但它實際上是由海牙的胡格諾派小團體編寫的。正如它的另一個標題《斯賓諾莎的精神》所表明的，它是那個時代的書。然而，這個導致胡格諾派流亡法國的對手所提出的宗教理解與解決方案，甚至讓《神學政治論》都黯然失色：基督遠非斯賓諾莎所說的「上帝的聲音」，而是一個騙子、一個狡猾的虛假夢想賣家，他的弟子是愚蠢的，他的神蹟是騙人的；基督徒沒有必要為聖經爭論，因為聖經不過是一張撒了謊的蜘蛛網。雖然這本書的作者們確實渴望通過證明「基督宗教本身不過是一個騙局」來弭合新教徒和天主教徒之間的分歧，但他們並不滿足於這種野心，他們仍然是很「基督徒」的，希望為整個世界帶來光明。

這本書還提到，猶太人和穆斯林也是被愚弄的，耶穌是與摩西、穆罕默德並列的三個騙子之一，所有的宗教都是騙局──這樣的論述連伏爾泰都感到震驚。他對自己所理解的上帝真理的忠誠並不亞於任何牧師，他認為這本書的褻瀆是公然的無神論，與迷信一樣有害。所以他暫時停止嘲笑基督徒的教派競爭，並寫了一首詩警告他的讀者不要相信地下激進分子所兜售的啟蒙模式。這本書本身就是一個騙局。社會需要某種神聖感，否則就會分崩離析。「如果上帝不存在，那就有必要把祂發明出來。」[11]

但應該存在什麼樣的上帝？當伏爾泰寫他著名的《概述》（*apercu*）時，他在爭取讓・卡拉斯的赦免中取得了驚人的勝利。西元一七六三年，女王親自接待了卡拉斯夫人和她的女兒們，並在一年後，皇家委員會宣布對卡拉斯的定罪無效。西元一七六五年，在對他宣判死刑的週年紀念日，他最終被定為無罪。伏爾泰因這一勝利而興奮不已，於是開始了進一步的運動：一位因褻瀆宗教遊行而被肢解和斬首的年輕貴族，伏爾泰捍衛了人們對他的紀念活動；後來的第二位胡格諾派信徒，在他還活著的時候，伏爾泰成功制止了對他宣判的死刑。伏爾泰一直對「惡名昭彰」②的偏執和殘酷特別反感，現在他成功地推翻誤判，便敢於想像它的最終潰敗。為卡拉斯這樣一位在嘲笑和嗜血人群面前被折磨致死的無辜之人所爭取到的無罪宣判，不僅是啟蒙事業的勝利，也是基督宗教的失敗。「只有哲學才有責任擔下這場勝利。」[12]

但是，並不是基督徒都是這個樣子。有許多天主教徒對伏爾泰的干預表示敬意，如果沒有這些教徒，他推動的運動永遠不會成功，因為法國幾乎沒有足夠的哲學家來影響這個國家。即使在被伏爾泰視為迷信地獄的城市圖盧茲，也有很多人同意他對宗教不容忍的警告，也不認為這些警告與天主教教義之間存在任何矛盾。圖盧茲一位著名政治家的妻子寫給兒子的信中寫道：「耶穌基督在聖經中為我們提供了一切的例子。」、「尋找迷途羔羊的人，不會用鞭子把牠帶回來，他會把牠背在背上，撫摸牠，並試圖用他的仁慈讓牠依靠在自己身上。」[13] 軟弱可能是力量的泉源，受害者可能戰勝折磨他的人，痛苦可能構成勝利，這些悖論存在於福音的核心。當伏爾泰描繪在車輪上被碾碎的卡拉斯的肖像時，不禁讓讀者在腦海中浮現了十字架上的耶穌形象。他判斷基督宗教和譴責它錯誤的標準並不是普遍的，不為世界各地的哲學家共享。從北京到卡宴都不同，他們是與眾不同的、特別的基督徒。

即使是最激進的哲學家，有時也可能沒有覺察到這一點。西元一七六二年，在卡拉斯事件的第一波動盪中，狄德羅欽佩地寫到伏爾泰準備將他的才能運用到受迫害家庭的事業中。「卡拉斯對他而言是誰？有什麼地方能讓他對受迫害者如此感興趣？他有什麼理由暫停他所愛的工作而為他們辯護？」身為無神論者，狄德羅太誠實了，沒能承認最

②譯註：伏爾泰以此代指天主教會。

可能的答案。「如果有上帝，我向你保證伏爾泰會得救。」[14]

基督宗教的根源太深、太厚，且無情地盤繞在構成法國結構的一切的基礎上，緊緊地抓住它古老而巨大的基石，無法輕易地將其拔起。想在一個長期以來被譽為「教會的長女」的領域中建立新秩序、破除迷信、將世界從暴政中拯救出來，這份雄心必然會被基督宗教看穿並擊潰。哲學家的夢想既新奇又不新奇，在他們之前，許多人曾努力將人類從黑暗中拯救出來：路德、額我略七世、保羅等人。從一開始基督徒就一直在倒數計時，等待地球上的一切發生劇變。「夜將末，晝將至。」

在曾經是基督宗教王朝的土地上，革命曾引起教會和王國的劇動，誰能保證它不會再次出現？

富足的人有禍了

人們費了好一番功夫，才建造出聖瑪爾定教堂這樣的大教堂，③在查理．馬特戰勝撒拉森人後的一千多年時間裡，它繼續作為朝聖中心蓬勃發展。經過維京人的襲擊、火災等一連串的災難，一再見證了它的重建。大教堂周圍的建築群如此龐大，以至於它被稱為馬蒂諾波利斯（Martinopolis），但革命者樂於接受挑戰。西元一七九三年秋天，當他們帶著大錘和鎬子佔領大教堂時，他們開始興致勃勃地進行破壞工作。有人推倒聖人雕像、燒毀祭衣、砸碎墳墓、將鉛從屋頂上剝下、將鐘從塔上取下。「避難所可以沒有柵欄，但祖國的防禦不能沒有長矛。」[15]馬蒂諾波利斯的寶藏被快速地掠奪，僅在幾週內就所剩無幾。即便如此，在這所謂的危機狀態，大教堂不堪的外殼也不能浪費。在圖爾以西的旺代（Vendee）革命遇到了危機，一群叛亂分子聚集在聖母像後面揭竿起義。當被招募到騎兵隊的愛國者到達圖爾時，需要一個地方來養馬，而最快的解決方式，就是將聖瑪爾定大教堂改建成馬廄。

在基督宗教世界曾經最神聖的聖地之一，熱騰騰的馬糞讓伏爾泰對「惡名昭彰」的蔑視得到了比在沙龍裡讀到的任何東西都更加辛辣的表達。法國新統治者的野心是塑造一個完整的「哲學人民」[16]。被衡量過的舊秩序已被指出其缺陷，君主制已被廢除。這位在加冕時被塗抹了為克洛維一世（Clovis）的洗禮而從天堂帶來的油，並佩戴了查理大帝

③編註：聖瑪爾定教堂（Église Saint-Martin）又譯為聖馬丁教堂，位於法國城市科爾馬的一座教堂，始建於西元一二三四年。

的寶劍的昔日法國國王，已作為普通罪犯被處決。路易十六在一群歡呼的人群前的斷頭台上被斬首——斷頭台是被專門設計的一種死亡機器，既開明又平等。

就像國王的屍體被埋在粗糙的木棺裡，然後被生石灰覆蓋一樣，這個國家的每一個等級劃分、每一個貴族的標誌都被打破，融為一個共同的公民體。然而，僅僅為社會奠定新的基礎是不夠的，迷信的陰影無處不在，時間也必須重新校準。那年十月推出了新的曆法，主日被廢止，包括從耶穌基督降生開始計算的年分記數。從今以後，在法國，共和政體的宣告將帶來新的時間劃分。

即使有了這項創新，仍有許多工作要做。十五個世紀以來，祭司與教士們一直在過去如何被理解這件事上留下他們骯髒的指紋，一直以來他們都帶著「封建靈魂中的驕傲和野蠻」[17]。在那之前呢？在希臘和羅馬的歷史中，可以找到關於革命失敗可能會導致的嚴峻警告。因此，最近開始照耀歐洲的光芒，並非歐洲大陸第一次獲得啟蒙。理性與非理性、文明與野蠻、哲學與宗教的較量，也在古代上演過。「在異教世界，一種寬容和溫柔的精神佔據了主導地位。」[18]正是因為如此，基督宗教的險惡勝利被抹殺了，狂熱佔了上風。如今，哲學家們的所有夢想都成真了，邪惡被打倒了。自君士坦丁時代以來，基督宗教第一次成為政府要剷除的目標，它在革命的烈火中被視為應被放逐的邪惡統治，是個做得過久的噩夢。它是將前後兩個進步時代分開的「中世紀」。

這是對過去的理解，也因為它對整個歐洲的情感如此討好，註定會比革命臨時性的日子更為持久。然而，就像啟蒙運動的許多其它標誌一樣，它並非源自哲學。將歐洲歷史理解為三個不同時代的延續，最初是由宗教改革所宣揚開來的。對於新教徒來說，是路德驅逐了世界上的陰影，而在教會被教宗腐化之前的幾個世紀，便成了光明的原始時代。到西元一七五三年，當英文首次出現「中世紀」一詞時，新教徒已經將一段獨特的歷史時期視為理所當然：從羅馬帝國衰敗的歲月一直延續到宗教改革時期。

當革命者拆毀聖但尼修道院的建築、將教士驅逐出克呂尼並任其倒塌、將巴黎聖母院重新奉為「理性之殿」並在它的拱頂下安排一位打扮成自由女神的歌手，這些都是在不知不覺中向早期的劇變致敬。同樣在圖爾，對大教堂的褻瀆並不是第一次對它進行這樣的破壞。早在西元一五六二年，當舊教徒和新教徒之間在法國爆發武裝衝突時，一群胡格諾派教徒縱火焚燒聖瑪爾定大教堂的聖殿，並將聖人的遺物扔到火中，只有一根骨頭和他的頭骨碎片倖存下來。因此，在革命的最初混亂時期，許多天主教徒在困惑和迷惘中懷疑這一切都是新教的陰謀，是可以理解的。

事實上，大動蕩中克洛維一世的繼承人被送進貧民墳墓的起源，能追溯到比宗教改革更久遠的年代。「富足的人有禍了。」耶穌基督的話幾乎是那些只買得起破褲子的人的宣言，他們因此被歸類為沒有及膝馬褲的人——無套褲漢。他們當然不是第一個呼籲窮人繼承地球的人，伯拉糾派當中的激進分子也是如此，他們夢想著一個人人平等的世界。塔博里派（Taborites）也是如此，他們根據共產主義原則建造了一座城鎮，並戲謔地用稻草為國王的屍體加冕。礦工們也是如此，他們譴責私有財產是對上帝的冒犯。

在圖爾古城，洗劫這座城市的大教堂的無套褲漢也不是第一個被教會財富和主教宅邸所激怒的人。在馬爾穆捷，阿爾昆曾將聖經宣傳為所有基督徒的遺產，十二世紀的一位教士為聖瑪爾定制定了一個譜系，將他視為國王和皇帝的繼承人，但瑪爾定並不是貴族。高盧的絲綢地主被他粗魯的舉止和著裝所冒犯，他們憎恨他，就像他們的繼承人憎恨法國革命的激進分子一樣。就像那些剝光聖殿的激進分子一樣，聖瑪爾定是偶像的破壞者、特權的蔑視者、對強者的禍害。即使在馬蒂諾波利斯的一切輝煌中，對聖人最常見的描繪也顯示他與乞丐分享他的斗篷，一再證明瑪爾定是個無套褲漢。

有許多天主教徒在革命初期就認識到這一點。正如英國激進分子在查理一世失敗後歡呼耶穌基督為第一個平等主義者一樣，也有革命狂熱者稱瑪爾定為「第一個無套褲漢」[19]。那麼，革命所宣揚的自由與保羅所宣揚的不一樣嗎？「你們，我的兄弟們，被呼召獲得自由。」這是西元一七八九年八月在葬禮上，為那些在一個月前襲擊巴士底監獄時遇難的人所寫的文字，巴士底監獄是巴黎的偉大堡壘，為法國君主制提供了最令人生畏的監獄。在革命中占主導地位和最激進的雅各賓派，最初也歡迎神職人員的參與。確實有一段時間，牧師在他們隊伍中的比例比任何其它職業都要多。直到西元一七九一年十一月，巴黎的雅各賓派選出的總統還是主教。他們的名字應該來自道明會的加入，雅各賓派的前總部在他們的基地似乎很合適。當然，幾乎沒有證據表明革命可能會引發對宗教的攻擊。

許多來自大西洋彼岸的人提出了相反的意見。在攻占巴士底監獄前十三年，英國在北美的殖民地宣布獨立，英國鎮壓革命的企圖失敗了。在法國，君主制對抗叛軍的財政支出最終導致了它自己的崩潰，美國的革命很明顯符合哲學家的理想，並且獲得新生共和國許多上層的支持。喬治·華盛頓這位帶領殖民地走向獨立的將軍，稱讚美利堅合眾國是啟蒙運動的里程碑。在西元一七八三年，也就是成為第一任總統的六年前，他宣稱：「我們國家的基礎不是建立在無知與迷信的黑暗時代，而是建立在人權比以往任何時期都得到更好理解和更明確定義的時代。」[20]

這番傲慢的說詞遠比斯賓諾莎或伏爾泰所寫的任何東西都多，並且沒有暗示任何對基督宗教的蔑視，甚至相反。新英格蘭為美國提供了民主模式，在賓夕法尼亞州的寬容制度中，人人生而平等，並被賦予不可剝奪的生命權、自由權和追求幸福的權利，這並不是不言而喻的真理。大多數美國人認為，這些觀念應是源於聖經而不是哲學：基督徒和猶太人、新教徒和天主教徒、加爾文主義者和貴格會教徒都得到了同樣的保證，即每個人都是按照上帝形象創造的。美利堅共和國最真實和最終的苗床是〈創世記〉，不管那些撰寫其原始文件的人可能會怎麼想。

美國制憲者的天才之處在於，他們將激進的新教披上了啟蒙運動的長袍，這是他們剛剛起步的國家的主要宗教資產。西元一七九一年美國通過了一項修正案，禁止政府偏愛任何一個教會，這與克倫威爾對宗教自由的熱情一樣，不再是對基督宗教的否定。反對將測試強加於美國人身上，以此作為衡量他們觀念是否正統的手段，這要歸功於費城的會議室，而不是巴黎的沙龍。

「如果基督宗教傳教士像耶穌基督和他的門徒那樣繼續教導，不求回報，而像現在的貴格會一樣，我想這份測試永遠不會存在。」[21]班傑明．富蘭克林這位博學者如此寫道，他以發明避雷針而聞名。他因在獨立運動做出的傑出貢獻，被人們譽為「第一個美國人」，是新英格蘭和賓夕法尼亞兩地的協調者。他出生在波士頓，年輕時逃到費城，成為終身的清教徒平等主義者，並追隨了本傑明・賴。作為一個堅信神聖旨意的人，他曾因貴格會先一步解放奴隸的榜樣而感到羞恥。如果他將任何帶有迷信色彩的東西視為無用的教條，並懷疑耶穌基督的神性，就像那些欽佩他、將他視為殖民美德之化身的哲學家們一樣，那麼他同樣也是國家新教傳統的繼承人。伏爾泰在巴黎與富蘭克林會面，並祝福他的孫子，他用英語宣讀了他認為唯一合適的祝福：「上帝和自由。」[22] 富蘭克林就像一位有效革命的發言人，說明了對未來充滿影響的真理：將基督宗教教義推廣為普世性的最可靠方法，是將它們描繪成源自基督宗教以外的任何事物。

在法國，這是一堂有很多學生的課，並談論到了權利。法國大革命創始文件的標題為「人權和公民權利宣言」，是在巴士底監獄倒塌後不到一個月發布的。它部分由美國駐法國大使撰寫，很大程度上借鑒了美國的榜樣，但兩國的歷史卻截然不同。法國不是一個新教國家，存在著對人權的敵對主張。正如大西洋兩岸的革命者所聲稱的那樣，自然存在於事物的結構中，並且一直如此，超越了時間和空間。當然這與在聖經中找到的任何東西一樣，都是帶有奇幻的信仰。自宗教改革以來，由新教法學家和哲學家所中介的人權概念的演變，其起源已模糊難辨。它並非源自古希臘或羅馬，而是源自所有右翼革命者都譴責的那個已經失落的千禧年歷史時期。在這個歷史時期中，任何啟蒙的跡象都會立即被教士、焚書狂熱者扼殺。這是中世紀的經典律法所遺留的遺產。

儘管天主教會與鼎盛時期相比已經大大削弱，卻也沒有放棄其對普遍主權的要求。這對於堅持「任何主權的原則本質上屬於國家」[23]的革命家而言，難免會成為一個障礙。任何離開國家權力的合法性來源都不能得到允許。因此在西元一七九一年，即使美國的立法者同意「不應該立下關於建立宗教或禁止宗教自由的法律」[24]，但法國的教會已經被國有化，額我略七世的遺產似乎被斷然地沒收了。只有拒絕宣誓效忠新秩序的天主教徒頑固不從，才使得必須針對基督宗教本身做出改變。即使是質疑「從法國根除宗教」這個做法是否明智的革命領導人，也從未懷疑過天主教會的自命不凡。到西元一七九三年，雅各賓派不再歡迎神職人員，任何有價值的東西都可能來自中世紀的迷信，這樣的想法太荒謬了，令人不能想像！人權與基督宗教歷史無關，它們是永恆和普遍的，而革命是它們的守護者。

「權利宣言是所有民族的憲法，所有其他法律都因性質而異，並從屬於這一法律。」[25]馬克西米連．羅伯斯比（Maximilien Robespierre）④曾如此宣稱，他是雅各賓派領導人中最強大和最無情的人，很少有人對承繼這種過去的未來願景抱持著那麼冷酷的輕蔑。長期反對死刑的他，為處死國王而勤快工作。由於對教會的破壞力感到忌憚，他相信沒有恐懼的美德是無效的，對革命的敵人不能有任何憐憫。法國染上了瘋瘋病，只有當他們被截肢、他們的邪惡從國家中被剔除之後，才能保證人民的勝利，只有這樣法國才能完全重生。然而，一個熟悉的諷刺籠罩在這之上：消除世襲的罪惡和荒謬、淨化人性、使人們從罪惡走向美德，這份雄心不僅令人聯想到馬丁路德，也有教宗額我略七世的味道。普世主權的願景建立在國王的謙卑和立法者的統一組織之上，顯然是歐洲原始革命者的後裔。他們對於接受異議的努力也是如此，伏爾泰試圖讓卡拉斯獲得赦免，他將圖盧茲的法律制度比作反對阿爾比派教徒的十字軍東征。

三十年過去之後，一位自稱是伏爾泰崇拜者的人，向進軍旺代的軍隊所下達的命令，以更加殘酷的精確度呼應了十字軍。「將他們殺光，上帝自有祂的主見。」這是傳說中教宗使節在貝濟耶城牆前下達的命令。而在西元一七九四年初，被派去平定旺代的將軍如此指示他的部隊：「用刺刀刺殺沿途遇到的所有居民，即使我知道這個地區可能會有一些愛國者，但這都無所謂，我們必須全部犧牲。」[26]他們屠殺了當地三分之一的人口，

④譯註：法國大革命時期的政治家，雅各賓專政時期的實際最高領導人。他主張男性普選權及對常見食品實施價格管制，並於一七九四年成功地在法國殖民地廢除奴隸制。

約為二十五萬人。與此同時，在首都，那些被認定為人民公敵的人被處決時，被狂熱的革命恐怖分子以充滿聖經色彩的方式描繪。善惡交鋒，危在旦夕；被詛咒的人被迫喝下憤怒的酒；一個取代舊時代的新時代——這是我們熟悉的啟示錄輪廓。當革命政府為了證明其正義，甚至進入墳墓，下令挖掘聖但尼（Saint Denis）的墓地，將屍體傾倒在石灰坑中，則被稱為最後的審判。

然而，雅各賓派不是道明會的人。基督宗教對最終審判是上帝的特權、每個罪人的生活都是通往天堂或地獄的旅程等信念，正是他們啟蒙精神的蔑視對象。即使是相信靈魂永恆的羅伯斯比，也沒有想到應該將正義留給他稱為至高無上的神。所有珍惜美德的人都有責任在此時此地為美德的勝利而努力。共和國必須受到淨化，幻想神可能會履行這一職責，是最卑鄙的迷信。福音書中預言，那些壓迫窮人的人會在末日得到應有的報應，那時基督將榮耀歸來，將「人與人分開，就像牧羊人將綿羊與山羊分開」[27]。但這永遠不會發生。一群有哲學見識的人看破它不過是一個童話故事。因此，雅各賓派無私、冷酷又無情地肩負了將山羊從綿羊中挑選出來的任務，給予他們應有的懲罰。

這就是為什麼在旺代，沒有人像修士們在阿爾比派十字軍東征後所做的那樣，對一個患病地區使用手術刀而不是劍。這也是為什麼在巴黎，斷頭台似乎永遠不會停止工作。西元一七九四年春末夏初，刀刃發出的砍聲越來越無情，血漬在鵝卵石上的潑灑範圍不斷擴大。受到譴責的不是個人，而是整個階級，不論貴族、溫和派、反革命分子，都是人民的敵人，而向他們表示憐憫也是犯罪。放縱是一種暴行，弒親要被赦免。甚至當羅伯斯比敗於他常勝的派系鬥爭、自己被送上斷頭台時，他的信念「法國大革命是第一個建立在人權基礎上的大革命」[28]並沒有褪色。不需要天上，也不需要坐在寶座上的上帝來伸張正義。

「你們這被詛咒的人，離開我，進入為魔鬼和他的使者準備的不滅之火中吧。」[29]因此，在最終的審判日，基督註定要區分出那些未能讓飢餓的人吃飽、給赤身的人穿衣、探望獄中病人的人。但在啟蒙時代，沒有必要認真對待這種胡言亂語。唯一的天堂是地球上革命者創造的天堂，人權不需要上帝來定義它們，因為美德本身就是獎賞。

美德的不幸

「中世紀的黑暗，提醒了我們一些值得注意的情況。」[30]這種居高臨下的姿態是一種有趣的承認：即使在中世紀的黑暗中，偶爾也可以觀察到奇怪的閃光。這對哲學家來說並不是陌生的說法。然而對於忠誠的革命家而言，是不可能向野蠻妥協的，中世紀一直是迷信的溫床，僅此而已。不出所料，雅各賓派對基督宗教勝利之前就存在的風俗習慣抱有極大的熱情。早期教會在對宗教改革的想像中所扮演的角色，在法國大革命對古典希臘和羅馬的想像中也起了作用。為了設計慶祝新時代到來的節日，從古老的神廟和雕像中汲取靈感。聖人的名字從巴黎的街道上消失了，取而代之的是雅典哲學家的名字，而革命領袖們痴迷於西塞羅（Cicero）⑤。

即使法蘭西共和國類似羅馬歷史的陰暗進程，屈服於軍事獨裁統治，新政權仍繼續掠奪過去所留下的古典遺產。一位閃耀發光、名為拿破崙的天才將軍，撼動了凱撒月桂花環的地位。他的軍隊跟隨鷹旗在歐洲取得勝利，他的勝利在巴黎巨大的凱旋門上被紀念。與此同時，教會勉強容忍這位邀請教宗為其加冕、但隨後拒絕加冕的皇帝，有效地發揮了國家部門的作用。當一位名叫拿破崙的聖人被塑造出來以紀念皇帝，並舉行自己的公開盛宴時，加速了共和政體的獨裁化，奧古斯都想必也會對此贊成。

然而，認為古代提供給現代人的，只有美德與開明等進步時代的模範，而沒有其他負面事物，這種觀念是有局限性的。西元一七九七年，有一本在巴黎出版的書提供了一個非常不同的視角，沒有強調古人的「寬容與溫和」。波斯人這種「世界上發明最巧妙酷刑的種族」[31]設計了一種船形的酷刑器具；當希臘人在攻占一座城市時，將強姦作為對勇氣的獎勵；羅馬人在他們家庭中養育了年輕的男孩和女孩，並隨心所欲地使用他們。古代的每個人都認為殺嬰是完全合法的，將另一邊的臉頰轉給打你的人是愚蠢的。「大自然讓弱者成為奴隸。」[32]在數百頁的篇幅中，對於古代帝國那些原本被視為完全合法、後來在基督宗教影響下被視為犯罪的習俗，進行了細緻的陳述。更挑釁的是，本書還主張樂衷於痛苦的公開展示如何被視為一種給公民的福利，例如羅馬人在市中心以公眾娛樂的方式展示人們的痛苦。「在這些殘酷的景象中，羅馬一直是世界的女主人。當基督宗教設法以道德勸說她，看著人被屠殺比看著野獸被屠殺是更大的錯誤時，她就陷入了衰落，並從那時陷入了奴隸制的泥淖。」[33]

這種反思並不完全是原創的，基督宗教促成了羅馬帝國的衰落，此論點在具有歷史思想的哲學家中很流行，但在其它方面，作者確實將原創性推向了極致。他的書令人震驚，以至於出版時沒有任何作者的名字或暗示。《新潔絲汀》（*The New Justine*）根本不是一部歷史作品，而是一部小說。它對古代文明特徵的觀察僅佔巨大掛毯中的一條線，並

⑤譯註：羅馬共和國晚期的哲學家和政治家，曾於公元前六三年擔任羅馬共和國的執政官。

將其編織起來，證明一個令人迷惑的命題：「美德不是一個無價的世界，它只是一種隨氣候而變化的行為方式，因此沒有什麼是真的。」[34]不這樣想的話是愚蠢的。

在小說中，講述了一對姊妹的冒險經歷，潔絲汀非常賢惠，朱麗葉卻淫穢又無情。一直相信人性本善的潔絲汀多次遭到強姦和暴行對待，而朱麗葉一直蔑視任何美德的暗示，她通過賣春和謀殺賺取了驚人的財富。她們各自的命運證明了世界運行的方式：上帝是個騙子，只有自然才是真理，弱者的存在是為了被強者奴役和剝削。慈善是冷酷且毫無意義的過程，而談論人類手足情誼是一種詐欺，任何人都不應抱有這種想法，因為這只是一個可怕的騙局。「那個狡猾小鬼耶穌的宗教——虛弱、病弱、受迫害、特別渴望戰勝當今的暴君，脅迫他們承認手足情誼的教義，並從中獲得喘息的機會。基督宗教認可了這些可笑的手足關係。」[35]

撰寫這部小說的醜聞，足以讓拿破崙的警察局長在西元一八〇一年被揭露作者的身分時，鋃鐺入獄。但這種褻瀆只是在不經意間反對了基督宗教。薩德侯爵（Marquis de Sade）是在啟蒙運動的懷抱中長大的人，從小就受過哲學家思想的教育，並與一位伏爾泰的摯友叔叔一起，一直是一個自由思想家。然而自由有其局限性，薩德拒絕服從慣例，因為他的慾望往往具有暴力性質。出生於西元一七四一年的他度過了性愛高峰期，因為法律規定即使是妓女和乞丐也有不被綁架、鞭打或被強迫餵食春藥的權利。儘管有侯爵的頭銜，但他在巴士底監獄淪陷前幾年的異常越軌行為，導致他被監禁在法國最惡名昭彰的監獄中。在那裡，他被剝奪了他非常珍視的自由，但他發現自己之前沒有時間去細想基督宗教教義的可鄙性。「愛人如己的教義，是歸功於基督宗教而不是大自然的一種幻想。」[36]

被革命解放的薩德發現，自己即使生活在「哲學的統治」[37]下，在一個致力於剷除迷信束縛的共和國中，耶穌軟弱的教義對人們來說仍然有效。在革命委員會的房間裡，像在教堂裡一樣，似是而非地談論手足情誼。西元一七九三年，在他意外當選巴黎一個地方委員會的主席之後，薩德向他的同胞發出指示，要求他們所有人都應該在自己的房子上寫下標語：「統一、不可分割的共和國、自由、平等、博愛。」[38]然而，與其說薩德本人是一名神職人員，不如說是一名雅各賓派。社會真正的分裂不在於人們的朋友和敵人之間，而在於天生的主人和天生的奴隸之間，只有人們意識到這一點並採取行動時，基督宗教的汙點最終才能被根除，人類才能按照自然的規定生活。《新潔絲汀》中的一位哲學家冷靜地觀察到，「低等人就是站在梯子上黑猩猩上方的物種，兩者之間的距離比他和上等人之間的距離還要小。」[39]

如果這是讓薩德在最後幾年被送進瘋人院的言行，那麼他冰冷的眼神中所展現出的是無情而不是瘋狂。他可以看到比許多啟蒙愛好者所承認的更清楚，人權的存在並不比上帝的存在更能被證明。西元一七九四年，在法屬西印度群島聖多明戈（Saint-Domingue，今海地）的叛亂以及《權利宣言》的推動下，革命政府宣布在整個法國殖民地廢除奴隸制。八年後，拿破崙試圖阻止聖多明戈的黑人建立自己的共和國，但最終徒勞無功。這種無恥的行為不會讓薩德感到驚訝，因為掌權者都是偽君子。

在《新潔絲汀》中，每一位神職人員、主教、教宗都是放蕩的無神論者，當薩德考慮販賣奴隸時，他也不再相信新教徒的虔誠。加勒比地區的英國地主，儘管他們掌握著生與死，卻是少數值得與古代人進行比較的同時代人之一。「狼吃羊，羊被狼吃掉，強者殺弱者，弱者成為強者的犧牲品，這就是大自然，這就是它的設計，這就是它的計劃。」[40]英國人就像斯巴達人或羅馬人一樣，明白這個道理。薩德寫道，這就是為什麼他們習慣於將奴隸切碎並放入大桶中煮沸，或者用甘蔗廠中的機器將其壓碎：「既緩慢又可怕的死亡。」[41]永恆的語言只有一種，就是權力的語言。

進步，這個受到阿伯拉德珍視和彌爾頓讚頌的基督宗教理想，只是為革命提供戰鬥口號的幻想罷了。西元一八一四年，薩德在精神病院被監禁十一年後，法國恢復君主制度。拿破崙的野心動搖了整個歐洲的各個王室，最後他被流放到義大利附近的一座島上，原本的貴族們則回到巴黎。九月，當各國外交官抵達維也納，就歐洲新的勢力平衡進行談判時，仍然大放厥詞，談論人類的手足情誼等狂言。本該鎖著的門已經被撬開太多了，是時候再次關閉它並將其深鎖了。薩德知道被關進監獄是什麼滋味，對於一個啟蒙時代的最終到來，他並不會感到意外。十一月，當他的堂哥到病床前探望他、向他談及自由時，他沒有多做回答。十二月二日，他斷氣了。與此同時，在維也納，在閃爍的鑽石和砸碎的酒瓶中，皇帝和國王們繼續在地圖上劃線，維持歐洲舊有的秩序。

在大國的一片和諧中，也有證據表明啟蒙思想作為一種理想而存在。那年六月，英國外交大臣從巴黎的談判回來後，受到其他議員的熱烈歡迎。在卡斯爾雷子爵（Lord Castlereagh）簽署的條約中，有一項特別令人感到驚訝的條文：英國和法國將加入一場廢除奴隸貿易的運動。對於本傑明．賴來說，這簡直是天方夜譚，一個不可能實現的夢想。然而，對於英國議會中的一些成員而言，該條約還遠遠不夠。

卡斯爾雷急於維持法國剛恢復君主制的穩定，同意允許法國商人再繼續販賣奴隸五年，但事實證明，這讓步實在太大了。在外交大臣看似勝利地從巴黎返國後的幾天內，一場前所未有的抗議運動席捲了英國。前所未有的大規模請願淹沒了議會，有四分之一擁有資格簽署這些文件的人寫下了他們的名字。在過去，英國民眾從未如此明顯地針對於一項議題提出看法。法國外交部長在困惑和蔑視中指出，這已經「成為一種狂熱的激情，到了無法回頭的地步。」[42]卡斯爾雷在維也納與他的對手談判時，知道他的步數已盡，他別無選擇，只能簽署這一項反對奴隸貿易的條約。

自費城之友禁止貴格會教徒交易奴隸以來，僅僅過了六十年，原本讓本傑明・賴遭到嘲笑的事業，已經演變成各國的潮流。在美國和英國，人們都害怕奴隸制被視為一種巨大的罪惡，因為這種罪惡不僅是個人，而是整個國家都會受到上帝的懲罰，這份害怕已經席捲了廣大民眾。「能否期望他造了這麼大的罪孽仍不受懲罰？」[43]之類的問題也讓前幾代的基督徒感到不安。聖經中似乎支持奴隸制的章節仍然存在，西印度群島和美國南部的的農場主毫不猶豫地引用了上面的文字，但這並沒有阻止抗議活動的激增。事實上，它讓奴隸主面臨一種新的、令人不安的指控：他們是進步的敵人。

在美國獨立建國運動時期，貴格會教徒就已經成為廢奴主義者。然而，聖靈的恩賜並不限於朋友之間，在講英語區的新教徒聚集地，這些思想都被大量傳播。他們當中的許多人，從浸信會到英國國教徒，都受到福音的眷顧。成為福音派信徒，就是要明白上帝的律法不僅是正義的律法，也是愛的律法。任何感覺到罪惡鎖鏈脫落的人，都不會懷疑「奴隸制在上帝眼中是可憎的」[44]。西元一八〇七年，因緊迫的時間壓力，在與拿破崙的生死存亡的戰鬥之中，英國議會通過了《廢除奴隸貿易法》。到了西元一八一四年，卡斯爾雷子爵在談判桌面對不理解此法的外國王子，他發現自己不得不以談判消除其他國家仍然認為理所當然的生意。這的確是奇異恩典！

對薩德來說，這一切都是愚蠢的。沒有什麼人類的手足情誼，強者也沒有欠弱者什麼義務。福音派就像雅各賓派一樣，是他們共同遺產的受騙者：他們相信進步，他們對改革存在著信念，他們相信人類將被引導至光明。然而，正是這種血緣關係與協同作用，使得卡斯爾雷在面對其他頑固不化的外交官們時，制定了一種從各方面來說都很開明的妥協方案。由於無法強制明確禁止奴隸貿易，他轉而選擇了更模糊、更深遠的目標。西元一八一五年二月八日，歐洲的八個大國簽署了一項重要宣言，當中提到奴隸制「違背了人道和普世道德的原則」[45]，這代表了新教福音派的語言與法國大革命的語言相融合。

拿破崙在宣言簽署三週後離開流放地，並希望為他的回歸爭取國際支持，因此毫不猶豫地宣布支持宣言。那年六月，在終結他野心的布魯塞爾外的大戰中，雙方一致認為奴隸制作為一種制度是可憎的。早在滑鐵盧開的第一門大砲之前，英國和法國、本傑明·賴和伏爾泰、精神愛好者和理性愛好者的雙重傳統就已經陷入了瘋狂之中。諷刺的是，無論是新教徒還是無神論者都不願細談：啟蒙和革命的時代已經將一項源自天主教歷史深處的原則確立為國際法。歐洲越來越頻繁地用人權語言向世界宣告其價值觀。

第17章

宗教

西元1825年，巴羅達

十一月二十九日傍晚，一名英國外科醫生來到印度的眾友仙人河河岸，目睹一名年輕女子被活活燒死。東印度公司的鐵路局局長理察德・哈特利・甘迺迪（Richard Hartley Kennedy）可不是無所事事的傻瓜。他在印度有長期而傑出的服務記錄。在過去的幾十年裡，東印度公司成功地在那裡建立了一個不可思議的帝國，到了西元一八二五年，這個帝國已經遍及次大陸的大部分地區，它之所以能夠順利地運行，對醫生的依賴不亞於士兵。多年來，甘迺迪一直負責維護公司員工的健康；首先是在孟買工作，然後從西元一八一九年開始，來到向北約三百英里外的巴羅達市（Baroda）[1]。

從名義上看，這是一個獨立王國的首都，不過在英屬印度的管轄之下，這個名義上的首都總是對東印度公司有利。根據與巴羅達王公簽署的條約，王國的對外事務現在由東印度公司負責。甘迺迪身為一個眾所周知的居民以及公司在巴羅達市的代表，儘管不是全權代表，但也絕對不僅僅是一名大使。與印度其他土邦[2]一樣，英國在巴羅達的殖民統治最好通過遮掩自己的方式來發揮作用。甘迺迪作為一名受僱於公司的外科醫生，完全理解這一點。那個下午，在抵達橫跨眾友仙人河的大橋旁時，他知道在那些湧向河邊的群眾中，沒有人敢禁止他觀看。但他同時也知道，自己無權阻止即將發生的事情。

幾個月前，甘迺迪遇到了安巴拜（Ambabai），當時她的丈夫還在世。他記得她是一個幸福的女人。然而現在，丈夫因高燒而死，她看起來大不相同：頭髮凌亂，神情堅定而嚴峻。那天下午，跟隨死者的送葬隊伍，然後看著火葬柴堆被搭建而成，在這一切當中成為關注焦點的是安巴拜，而不是她的丈夫。太陽開始下山。葬禮床被佈置成「晚上在家裡休息時躺臥的沙發」[1]的外觀。安巴拜走進河裡的淺水區洗漱一番，接著澆上祭酒，舉起雙臂，仰視著天空。然後她從河裡走出來，將濕漉漉的紗麗③換下，換上暗藏紅花色的衣服。一群人圍著她，她分發了遺產。她很快就發完了，人群又退了回去。安巴拜停頓了一下，短暫到幾乎察覺不到的時間，繞著柴堆轉了一圈，眼睛一直盯著她丈夫的屍體。

火苗在一個大的金屬盤子裡生起。安巴拜看顧著火苗，為它添上檀香木。她站了起來。人們遞給她一面鏡子。她照完鏡子後把它還回去，然後宣稱在鏡子裡面看到了自己靈魂的歷史，而靈魂將很快地就會回到「造物主的懷抱和身體中」[2]。不過，現在她的丈

①譯註：現稱Vadodara，位於印度古吉拉特邦。

②譯註：土邦指的是英屬印度時期由土著王公統治的附庸國。土邦體制多承襲占領以前的封建體制，繼續由原王公、君主或其家族沿襲繼承，直接受控於英國殖民政府，效忠英王。

③譯註：是印度、孟加拉、巴基斯坦、尼泊爾、斯里蘭卡等國婦女的一種傳統服裝。

夫正在呼喚她。她爬上柴堆，在他的屍體旁邊舒服地躺下，開始唱起自己的葬禮歌曲。即使柴堆被點燃了，她仍然繼續吟唱。很快地，火焰的熱度迫使觀眾往後退。不過安巴拜從未離開她的位置，動也不動，沒有發出任何哀嚎。濃煙滾滾。太陽下山了。黑漆漆的淙淙河流旁邊，餘燼發著光，然後寂滅。到了午夜，除了一堆灰色的灰燼外，柴堆裡已經什麼都沒有了。安巴拜已經成為了她立志成為的人——一個「好女人」，一個「娑提」（Sati）④。

這是一個可敬的英國家庭可能會想在早餐桌上閱讀的，富有異國風情而令人震驚的場景。甘迺迪稱之為安巴拜自焚的「蘇特」（Suttee）⑤報導充斥了倫敦報紙和期刊的版面。一個美麗寡婦投火自焚的形象，與基督宗教對異教的至高優越性所需的所有證據互相結合。甘迺迪的報導背後隱藏著一種偶像崇拜的恐怖，這種恐怖在基督宗教歷史上可以不斷回溯。科爾特斯在特諾奇蒂特蘭的地下遺址面對一堆頭骨，聖波尼法爵冒險深入薩克森州的森林，俄利根輕蔑亞歷山卓血跡斑斑的祭壇，都見證了這一切。偶像被提升為惡魔的過去信念，見證了「撒但帝國的程度和力量」[3]，對英國福音派產生了牢牢的控制。當甘迺迪看著安巴拜時，也發現自己把她比作阿波羅的女祭司。其含義是明確的。無論是在古希臘還是英屬印度，偶像崇拜總是擁有同樣的面孔。異教就是異教。

只是甘迺迪知道他在眾友仙人河岸上看到的比那還多。目睹安巴拜擁抱她命運的勇氣，向「她心中的天堂願望和發光的熱情致敬」[4]。他知道印度的傳統可以追溯到多遠。英國人用來描述其居民的名稱——「印度人」——最終能上溯自波斯帝國大流士大帝的法院。儘管東印度公司的官員可能很頑固，但印度文明的純粹古代性不禁激發了他們當中許多人的敬畏之情。當印度已經以財富和成熟而出名的時候，英國人的祖先在森林裡還是野蠻民族，因此他們不願意把「印度教迷信」[5]僅僅當作迷信。事實上，一位英國官員宣稱，基督宗教「為了文明社會的實用目的，而使教徒們成為足夠正確和有道德的人，是沒有必要的」[6]。

雖然很少有基督徒走得那麼遠，但人們還是越來越願意接受印度教徒不能簡單地被斥為異教徒。他們有和聖經一樣古老的經文，他們的寺廟在規模和美感方面可以媲美歐洲的大教堂，他們有一個完整的社會階層——「婆羅門」——在歐洲人看來，他們很像牧師。是婆羅門人陪同安巴拜到眾友仙人河裡，婆羅門人蓋了她的火葬柴堆，婆羅門人準

④譯註：娑提原為印度教司婚姻幸福的女神達剎約尼的別名之一，因為傳說的關係成為忠貞的代名詞。神話中的娑提為了控訴父親達剎侮辱其戀人濕婆而投火自盡，她的靈魂轉世為雪山女神並與濕婆再度結婚。

⑤譯註：印度寡婦的自焚殉夫，是印度古時的習俗。

備她的死亡。因此，認為印度教徒有宗教信仰似乎是很合理的。

然而，英國觀察家在試圖通過這個棱鏡來看待印度時，卻面臨著一個明顯的挑戰。宗教改革開始至今已經有三百年了，在那段時間裡，宗教這個詞開始產生意義的陰影，這會讓中世紀英格蘭的基督徒感到困惑。那麼，對於一個印度教徒來說，它必然會顯得陌生得多。沒有任何印度語言中存在任何近似的單詞。對新教徒來說，宗教的本質似乎很清晰：它在於信徒與神的內在關係。信仰是個人的、私人的事情。因此它存在於一個不同於社會其他部分的領域——政府、貿易或法律。這個世界存在著一個宗教的維度，然後是其他一切的維度：「世俗」。

其他社會似乎也可以用這種方式進行分別——但對那些沒有英國人那麼自信的人來說，這種想法似乎有點牽強。事實上，這是一種非常獨特的看待世界的方式。對於在印度的英國官員來說，他們擁有一顆學術的心，對自己所發現和管理的這片古老土地很感興趣，並且永遠意識到它與自己的國家是多麼不同。他們認為「印度宗教」（Hindoo Religion）這種東西的存在實在是太有用了，不能放棄。在古希臘神話中，講到一個叫做普洛克路斯忒斯的強盜的故事，他在投宿的旅客躺到床上後，會根據情況將身材高大者截斷雙足，身材矮小者則強行拉長，以確保他們的身長適合床的長度。英國學者正是本著非常相似的精神，來面對印度文明的豐富、複雜性和矛盾，開始從當中塑造出一種可以識別為宗教的東西。

不可避免的是，定義有很多的延伸和編纂。最迫切的需要是決定誰是「印度教徒」：是來自印度的人，還是信奉「印度宗教」的人？由於談論「印度穆斯林」或「印度基督徒」越來越有可能造成明顯的困惑，英國人發現自己選擇了第二個定義。這反過來又促成了另一種創新的語言。英國官員越是以印度本土的宗教來認定印度教徒，就越需要一個方便的速記來作為標誌。「印度教」這個詞最初創造於西元一七八〇年代，正是為了填補這個空白。已知第一個使用過這個詞的人，是福音派⑥教徒查爾斯・格蘭特（Charles Grant）。

他是蘇格蘭人，曾在東印度公司擔任過士兵，同時也是董事會的成員。他最初對基督宗教的使命感不大，他到印度是為了致富。因此，他認為沒有理由不同意公司的既定政策：公司營運唯一的目標就是業務，任何致力於印度教徒皈依基督宗教的企圖都將危

⑥譯註：基督新教的新興派別，而非一個教派，常被視為自由派和基要派的中間立場。福音派強調基督徒個人與耶穌基督之關係，並把社區和信仰連結，直接通過傳播基督來到的福音及傳遞基督的信息，達成耶穌教義的傳播。

及公司的穩定基礎。公司的目的是賺錢，而不是贏得靈魂。但後來格蘭特生活中發生了巨大的變化，賭博的債務造成了他的財務危機，他的兩個孩子在十天內相繼死於天花。格蘭特在痛苦的深處發現自己被神的恩典救贖。從那一刻起，他生命中最大的目標就是為基督贏得印度教徒。因為深信他們迷失在無知之中，他承諾自己要拯救他們免於所有的偶像崇拜和迷信。這些崇拜和迷信就是他所謂的「印度教」。

他相信，他的使命是解放那些遭受奴役的印度人。這就是為什麼他在一七九〇年回到倫敦的時候與廢奴主義者致力於共同的事業。畢竟，奴隸制有多種形式。如果神聖的上天賜給了英國終止跨越大西洋而來到印度置產的機會，那麼也給了東印度公司一個無可比擬的機會，得以廢除那些使印度教徒深陷迷信的桎梏。西元一八一三年，當公司與英國政府就續約問題進行談判時，格蘭特抓住了機會。幾十年來，他一直要求董事會成員們在法律上有義務為印度人的「宗教和道德改善」[7]而努力。現在，這個決定性的時刻，這個活動已經走到了權力的核心。

福音派熱情地團結起來支援這項倡議：向議會遞交了九百零八份請願書。英國政府——就像接下來這一年一樣，被迫改變其奴隸貿易的政策——向公眾輿論低頭，憲章已經修訂完。然而，即使取得了這樣的成功，格蘭特仍然堅持他的行動主義。印度教中有一個讓他最困擾的噩夢。「如果我們征服了墨西哥這樣的王國，那裡每年都有一些受害者在太陽祭壇上被犧牲，我們是否應該平靜地默許這種可怕的屠殺方式？」[8]格蘭特向公司董事們提出的這個問題，即使在他於西元一八二三年去世後，仍然引起迴響。當甘迺迪在遙遠的巴羅達觀看著安巴拜進行自焚的儀式時，英國被其週期性的道德迸發所攫住。禁止寡婦自焚的要求壓倒性地強烈起來。

所有這些都使公司陷入困境。儘管特許狀已經修訂了，政府仍然不願意干涉印度教的宗教習俗。然而，如果可以證明殉夫自焚不是宗教習俗，那又會怎麼樣呢？當然，這個問題在英國來到印度之前是毫無意義的：但在歷經東印度公司幾十年的統治之後，越來越多的印度人已經足夠瞭解它的影響了。使用宗教、世俗或印度教等詞語的印度教徒不僅能流利地使用英語，他們還對自己的國家採用了新的和陌生的觀點，並將其轉化為他們的優勢。福音派在反對寡婦自焚一事上並不孤單，也有印度教徒反對這種事。幾個世紀以來，對殉夫自焚的習俗，讚美與直率的譴責一直交替出現。在安巴拜自焚前一千多年，一位印度教詩人曾譴責像她這樣的死亡事件僅僅是一種「瘋狂的恐怖，一條無知的道路」[9]。

英國人相信印度存在一種名為印度教的宗教，與基督宗教相當，有正統和古老的經文，這為英語流利的印度教徒而言，提供了塑造這種宗教應該是什麼樣子的絕佳機會。由於他們的博學，婆羅門享有特殊的優勢。西元一八一七年，一位婆羅門向加爾各答政府提交了一份文件，堅持寡婦殉夫自焚的做法是可自主選擇的行為；一年後，另一個婆羅門甚至更進一步表明，印度教最古老的文本中根本沒有證據載明這種做法。拉賈・拉姆莫漢・羅伊（Raja Rammohun Roy）堅持要向英國人說明這一點，他很清楚自己在做什麼。他對基督宗教非常感興趣，自學了希伯來語和希臘語，在東印度公司各部門工作多年後，他完全知道如何給公司官員他們迫切需要的東西：讓印度教徒接受禁止殉夫自焚習俗的理由。

羅伊向英國人保證，在柴堆上焚燒寡婦純粹是一種世俗的現象。有婆羅門人主持這樣的儀式，完全是因為他們對印度教經文一無所知。有正宗的印度教，也有被惡意司祭的貪婪和迷信所腐蝕的印度教。腐敗的傳統就像蔓生的攀緣植物，如果不加注意，就會把一座古老的寺廟淹沒，並把它吞沒到叢林裡。如果這一切聽起來很像新教，那麼確實如此。羅伊對基督徒的怨恨是「他們是為了推翻當地居民的意見，強行引進他們自己的意見而前往遙遠國家的人」[10]。

然而這並沒有阻止他認識到基督徒的用處。每個人都有很多東西可以提供給對方：

羅伊能夠向英國人保證，寡婦殉夫自焚不是宗教習俗，因此可能合法地被禁止；英國人能夠支持羅伊的努力，對如何正確地定義印度教提出規範。西元一八二九年，印度總督頒布法令，禁止「寡婦殉夫自焚的做法：活活燒死或活埋印度教寡婦」[11]。一年後，由於擔心英國政府可能推翻禁令，羅伊前往倫敦。在帝國首都那裡，他獲得了決定性的勝利。不久之後，由於英國氣候惡劣，他被帶進了墳墓，獲得廣泛的哀悼。福音派已經能夠承認羅伊——儘管他是印度教徒——是他們的一員。

一位印度歷史學家寫道：「基督宗教以兩種方式傳播，通過皈依和世俗化。」[12]夢想大規模地收穫印度靈魂的傳教士註定會失望。印度教的眾神沒有被羞辱，他們的偶像也沒有被洋洋得意地扔進塵土中。英國官員繼續走一條微妙而謹慎的道路。即使有傳言說東印度公司正在為印度的皈依而努力，也有可能削弱其統治。事實上在西元一八五七年，這將引發一場爆炸性的革命，⑦在血淋淋的短短幾個月內，大英帝國在印度的整個未來將命懸一線。帝國當局永遠不會忘記這種震驚。這使他們更加地堅定，決心不冒險

⑦ 譯註：印度一八五七年起義指的是西元一八五七—一八五八年期間，印度反對英屬東印度公司殖民統治的一次失敗的大型起義。起義被英屬東印度公司剿滅，蒙兀兒帝國正式滅亡。東印度公司戰後倒閉，英國成立英屬印度直接管治。

在印度推廣基督宗教。

然而，他們毫不猶豫地培養了基督宗教神學的假設，那就是存在一種叫做印度教的宗教，它的作用不同於人類活動的整個領域——英語中稱為「世俗」的領域。這並不是原產於印度次大陸的信念。相反地，它是新教的獨特看法。不過，這並不能阻止它成為英國對印度進口可能最成功的一部分。事實上在兩個世紀之後，英國的統治終於結束，印度也獨立了，以一個自我宣稱為世俗國家的方式獨立。事實證明，印度不需要成為基督教國家，而是開始通過基督宗教的眼睛看到自己。

猶太人與猶太教

西元一八四二年，普魯士的國王參觀了歐洲最古老的建築，腓特烈・威廉四世（Friedrich Wilhelm IV）接手統治了在過去一個世紀裡成為德國最強大的國家。當拿破崙佔領其首都柏林、並企圖永遠消滅它時，被羞辱之後的普魯士最終在拿破崙的失敗中扮演了關鍵角色。西元一八一四年，普魯士軍隊迫使他離開王位，之後在滑鐵盧封殺了他的命運。然而，拿破崙的帝國並不是唯一被終結的帝國，還有一個更古老的帝國。西元一八〇六年八月六日，在革命和戰爭的風暴中，幾乎沒有人注意到鄂圖一世所建立的凱撒陣線正式滅亡。一個近千年來一直以神聖和羅馬自豪的帝國已經不在了。即使拿破崙失敗了，帝國也沒有死而復生。

這就是為什麼在維也納會議上，列強的代表們把大部分時間都花在重新繪製中歐地圖上，而不是用於討論奴隸販賣的問題。普魯士表現得很好，之前被拿破崙攻下的領土在會議中重新劃分，薩克森州的近一半納入普魯士，使得它的國土大為擴增。威登堡已經成為普魯士的財產。同樣地，在曾經是屬於神聖羅馬帝國領土的西部邊境上，萊茵蘭有一大片土地。

腓特烈．威廉四世於一八一四年首次前往那裡。這位年輕的王儲此行的亮點是訪問科隆。柏林是一個遠離基督宗教傳統中心地帶的新興首都。與柏林不同的是，科隆是一座古老的城市，其基礎可追溯到羅馬帝國的奧古斯都時代。它的主教是七位有權選舉羅馬帝王的諸侯之一。它的大教堂始於西元一二四八年，於西元一四七三年廢棄，幾個世紀以來一直被起重機吊在南塔的巨型樹樁上。腓特烈．威廉四世參觀了這座半完工的教堂，他被迷住了。他承諾要待在那裡，然後重建它。在他登上普魯士王位兩年後，他準備履行他的誓言。西元一八四二年夏天，他命令建築工人開工，九月四日，他奉獻了一塊新的基石。然後，在對科隆人民自發和衷心的致詞中，他向他們的城市致敬。他宣稱，這座大教堂將崛起而成為「德國統一精神」的紀念碑。[13]

為監督該專案而設立的執行委員會發現了令人吃驚的證據。西門．奧本海姆（Simon Oppenheim）是一位被授予董事會終身榮譽會員的銀行家，他非常富有，文化程度很高，而且是猶太人。但在現存的記憶中，他當年在科隆的存在是非法的。近四百年來，猶太人一直被禁止進入這個虔誠的天主教城市。直到西元一七九八年，在法國人佔領並廢除其古老特權之後，他們才再次被允許在那裡定居。奧本海姆的父親於一七九九年移居科隆，而科隆兩年後正式被併入法蘭西共和國。由於法國革命政府忠實於《人權宣言》，給予境內猶太人充分公民權，奧本海姆一家得以與天主教鄰居們享有公民的平等權利。

即使拿破崙在西元一八〇八年提出了一項明確旨在抵制猶太商業利益的法律，並沒有削弱他們對科隆的認同感，也沒有削弱他們在當地經營一家非常成功的銀行的能力。普魯士在併吞萊茵蘭時，已經下令境內猶太人民應同時被列為「本地人」和「公民」，這也幫了大忙。拿破崙的歧視性立法仍然保留在法規書上，普魯士法令繼續禁止猶太人進入國家就業，這絲毫沒有削弱奧本海姆取得進一步發展的希望。大教堂對他來說不是基督宗教過去的象徵，而是猶太人未來可能在德國享有完整和平等的公民權利的象徵。這就是為什麼他同意資助它。腓特烈・威廉四世親自登門訪視、獎勵他，毫不猶豫地稱他為愛國者。猶太人，也許確實已經像是德國人了。

然而，國王在探訪奧本海姆的時候，提出一個相當不同的觀點。對腓特烈・威廉一世來說，科隆大教堂作為基督宗教歷史的可敬象徵地位並不是一個偶然，而是他想看到教堂完工的熱情。他半信半疑地認為法國大革命是世界末日的預兆，他夢想著恢復君主制在神聖羅馬帝國鼎盛時期所享有的神聖品質。儘管他肥胖、禿頂、極端短視，腓特烈・威廉四世絲毫沒有減低他想成為查理大帝繼承人的熱情。綽號「胖胖的比目魚」的腓特烈・威廉四世甚至翻新了一座廢棄的中世紀城堡，身著華麗的禮服，舉行了火炬遊行來為它揭幕。不出所料，他面對了一個挑戰，也就是將猶太人納入他閃閃發光的基督宗教普魯士的計劃。在摸索一番之後，他摸索出從中世紀召喚出來的一個解決方案。腓特烈・威廉四世認為，只有基督徒才能被歸類為普魯士人。猶太人應該被組織成法人（corporations），這樣他們才能夠在一個基督宗教的領域保持他們獨特的身分。

這根本不是奧本海姆希望聽到的，在國王抵達科隆前不久，他甚至寫了一封公開的抗議書。城市裡的其他人也集結起來支援他的倡議。地區政府推動全面解放。科隆媒體龍頭的報導如雷貫耳，寫道：「基督徒和猶太人之間的緊張關係只有通過無條件的平等地位才能解決。」[14]結果陷入僵局。腓特烈・威廉四世——傳達著一位身著鎧甲的中世紀皇帝的精神——拒絕退讓。他堅持認為，普魯士是完完全全的基督教國家。它的君主制、它的法律、它的價值觀都源於基督宗教。正因如此，猶太人在他的統治之下不可能有立足之地。如果他們希望成為正當的普魯士人，那麼他們有一個簡單的辦法：皈依基督宗教。猶太人在擔任公職時所要做的就是「公開承認基督宗教」[15]。這就是腓特烈・威廉四世願意親自登門訪視奧本海姆的理由。畢竟，如果不是一個尋求並親近基督的人，一個猶太人又如何能夠資助一座大教堂呢？

但國王一直在自欺欺人。奧本海姆沒有尋找基督的意圖。相反地，他和他的家人繼續他們的戰役。不久之前科隆才被譽為愛國主義的堡壘，是猶太解放運動的開拓者。西元一八四五年，拿破崙的歧視性立法被明確地廢除。時代將見證到一個華麗的圓頂猶太教堂上升為城市的偉大地標之一，由負責大教堂的建築師設計，並不可避免地由奧本海姆資助。然而在它建造之前，腓特烈・威廉四世復活中世紀基督宗教模式的夢想顯然已經破滅。西元一八四七年，一位特別易怒的神學家將國王描繪成一個現代的尤利安（Julian the Apostate），追逐一個永遠消失的世界。然後，彷彿要為這段描繪蓋上印證，革命又回到了歐洲，歷史似乎在重演。

西元一八四八年二月，一位法國國王被廢黜。到了三月，德國各地燃起抗爭和革命之火。在柏林的街道上可以聽到羅伯斯比時代熟悉的口號。普魯士王國短暫地擔心斷頭臺不敷所需。在這種情況下，暴動的情緒終究平復，搖搖欲墜的普魯士君主制穩定下來，腓特烈．威廉四世提供的讓步將被證明是持久的。他的王國從西元一八四八年的巨大危機中走出來，成為第一個擁有成文憲法的國家。絕大多數男性居民現在有權投票選舉議會。其中，普魯士的猶太人最終得以登記成為平等的公民。腓特烈．威廉四世對這個自己一直承諾要維護的神聖秩序所受到的威脅感到震驚，他難過地宣稱：「如果我不是一個基督徒，我會自殺。」[16]

然而，正如國王可能有理由指出的，解放的不是猶太教，而是實踐猶太教的人。《人權和公民權宣言》的支援者一直明確地表明這一點。迷信的束縛是在猶太會堂裡鍛造的，不亞於在教堂裡。西元一七八九年末，法國解放猶太人的支援者們曾試圖用這樣的口號來安撫他們的革命者：「我們必須把一切給予作為個體的猶太人，但拒絕他們成為一個國家！」、「他們既不能組成政治機構，也不能建立國家，他們必須是個人的公民。」[17]因此，那個時代已經過去了。當法蘭西共和國給予猶太人公民身分時，它這樣做的理解是，他們放棄了作為一個與眾不同的人民的任何自我意識。沒有摩西律法給予承認或保護。猶太人作為一個獨特社群的身分被容忍，只是因為它不妨礙「共同利益」。[18]

這是一個旨在改變猶太教本質的公民自我完善計劃，儘管可能只是裝飾著啟蒙運動的高調言辭。一千多年以前，羅馬皇帝赫拉克略（Heraclius）也曾嘗試過類似的東西。猶太人的獨特性可能被歸入一個全世界都可以分享的身分——上帝為了將猶太人從其他民族中分離出來而賦予的律法將不再重要——這個夢想一直傳到保羅那裡。法國大革命初期，受命描繪《權利宣言》的藝術家們毫不猶豫地將其作為新契約，刻在石碑上，從一片光中傳遞。猶太人不是同意這個容光煥發的願景，就是被放逐到風暴席捲的黑暗中。如果這在一些猶太人看來是一種非常熟悉的最後通令，那是因為它就是。《權利宣言》聲稱自己擁有比基督宗教更普遍的權威，這僅僅強調了其野心的規模和自命不凡的程度，這完全是基督宗教式的。

因此，猶太人為他們的自由所付出的代價是實實在在的。公民身分要求他們要更像基督徒。這在德國也許比在法國更明顯。虔誠的路德教徒——不亞於雅各賓派——對猶太人的懷恨為猶太人的解放提供了很好的理由。事實上，有些人從巴士底監獄倒塌之前就開始這樣做了。他們的案例充滿了路德著作中熟悉的修辭；早就成為枯萎屍骸的摩西律法仍然被所有服從它的人擁在懷抱裡。教宗通過迫害整個中世紀的猶太人，使得他們的性格如此退化，以至於他們一直處於落後和腐敗的狀態。只有把他們從路德派嚴厲批評的最主要對象中解放出來，一切才會變好。猶太教將進行自我改革。猶太人將成為富有生產力的公民。

這個計劃——無論它是否被新教徒的假設所擊穿——是德國猶太人普遍願意與之結盟的方案。縱使這個方案暗示著摩西律法被基督律法取代的這種冒犯的說法，但他們毫不猶豫地主張它符合普魯士的法律。一個獨立的猶太國家的時日已一去不復返。取代了以色列，猶太人現在有猶太教。直到解放的前景開始在他們面前閃閃發光，這個基督宗教所發明的詞是他們從未想過要用的。在新教神學家的壓力下，他們接受猶太法律的地位，認為猶太法律僅僅是私人的和禮儀性的，他們被迫接受更多的東西：他們不是屬於一個國家，而是屬於一個宗教。

許多猶太人對這個概念沒有意見。事實上，有些人發現了它的解放力量。西元一八四五年，柏林的一群猶太知識分子正式呼籲猶太教超越《妥拉》的書面指示，如此將能轉變為一種「符合我們的年齡和心靈情感的宗教」。[19]正當腓特烈．威廉一世試圖重新樹立猶太人和基督徒之間的障礙時，橫跨德國路德派中心地帶的拉比已經開始宣布信仰凌駕於法律之上。與此同時，其他猶太人對這種暗示西奈半島上摩西可能沒有明確表明的說法感到震驚，譴責他們是異教徒。兩個相互競爭的傳統——「改革」和「正統」——開始出現。

隨著時間的推移，普魯士國家本身將正式確定這些分歧。堅持摩西律法持久權威的猶太人將獲得正式許可，以建立自己作為一個獨立的社區，它的創始人堅稱，「猶太教不是一個宗教。」[20]儘管如此，他還是抗議得太多了。以私人和熱情的方式持有信仰，正在成為猶太教徒以及新教會眾的標誌。看來基督徒不再是宗教改革的唯一見證者了。

西元一八四六年，由一位英國報紙編輯首次稱之為「世俗主義」的這個主張，原來有中立的意味，但這是一個空想。世俗主義不是一個中立的概念。這個詞有著古老的基督宗教的餘韻。世俗與宗教兩種層面的存在，是超越宗教改革幾個世紀前的一個假設，來自額我略七世、聖高隆邦和奧斯定。儘管世俗主義的概念是由發明這個詞作為宗教解藥的編輯所提倡的，但它終究證明的不是基督宗教的衰落，而是它看似無限的進化能力。除了英語，在其他語言中也有同樣的表述。西元一八四二年，當「laécité」一詞首次出現在法語中時，它既表示了與「世俗主義」相似的概念，也表示了一個相似的血統——laicus⑧最初只不過是上帝的子民。

在歐洲，就像在印度一樣，那些不是基督徒的人被認同為宗教的過程，不可避免地是一個以暴力令人就範的過程。對猶太人來說——與基督徒如此地相似，也如此地截然不同——斡旋新身分的任務也許特別微妙，沒有比德國更是如此了。在這裡，正如腓特烈・威廉四世為復活中世紀基督宗教的徒勞努力所見證的那樣，基督徒也越來越不確定他們在瞬息萬變的世界中的地位。在神聖羅馬帝國的廢墟中，身為德國人意味著什麼？猶太人通過塑造一種宗教，可以取代基督宗教在世俗秩序中的地位，贏得了幫助解決這一難題的權利。然而，他們的德國同胞究竟是歡迎他們的貢獻，還是憎恨他們做出這一嘗試，仍是一個懸而未決的問題。

解放不僅僅是一種解決辦法，這是一個持續的挑戰。一個可追溯到幾千年前的獨具特色的文化，如何最好地與基督宗教假設所貫穿的世俗秩序平起平坐的問題，是一個沒有現成解決方案的問題。然而，尋找答案是幾乎無法迴避的議題。猶太人別無選擇，只能繼續在世俗主義的邊界斡旋，並期待最好的結果。

危害人性之罪

近兩千五百年來，大流士為了證明他對世界的統治而編撰的銘文——用三種不同的

⑧譯註：拉丁文中的「平信徒」，即基督宗教中沒有聖職的人，又稱為在俗教友、信友。

語言書寫，並以國王本人的特別專橫的肖像為特色——一直保存在一座山的一側，山的名字叫貝希斯敦（Bisitun）。它被雕刻在從伊朗高原通往伊拉克的公路上約兩百英尺高的懸崖上。由於難以接近，它的存在得到了保證。然而，為了破譯古文字而冒著生命危險的機會，可能是奇怪冒險家會積極追求的機會。這些冒險家當中，其中一位是亨利・羅林森（**Henry Rawlinson**），一名從印度借調到波斯法院庭的英國軍官。西元一八三五年，他第一次偵察出訪貝希斯敦，費力地攀上懸崖，並極所盡能地大量拓取古波斯語銘文。八年後，他帶著木板和繩索再度回到當地，在搖晃不穩的梯子上完成了其餘銘文的拓取工作。他後來回憶說：「職業上的興趣完全消除了任何危險感。」[21] 到西元一八四五年，羅林森完成了用古波斯語寫的章節的完整翻譯，將其送交倫敦出版，於是大流士一世再次發言了。

貝希斯敦懸崖上紀錄的誇耀，會得到東印度公司雇傭的一名軍官的欣賞。大流士對於全球的野心與滿足它所需的嫻熟政治藝術結合得相當好——無畏、狡猾、自信。羅林森作為一個經驗豐富的間諜以及士兵，非常清楚帝國並不是依靠魔術而存在。英國的力量已經在印度牢固地建立，也依靠那些願意把雙手弄髒來打擊對手的特務人員來維持。羅林森沒有把所有時間都花在尋找古代的銘文上。無論是面對甜言蜜語的波斯國王、與俄羅斯人對抗，還是在阿富汗英勇地贏得獎牌，他都曾是一位才華橫溢的運動員，在一八四〇年寫給他的情報官的一篇文章中，他將其命名為「偉大的遊戲」[22]。大流士在貝希斯敦的描述中一直是一個運動員和一個勝利者。他將對手粉碎、踩在腳下，是帝國擴張遊戲中的偉大運動員。九位國王曾想過要反抗他，全數被他打敗！貝希斯敦的雕塑家聽從主人的委託，把他們描繪成矮侏儒，脖子被拴在一起，在征服者的面前畏縮。對於像羅林森這樣的軍官來說，這是帝國建立之殘酷現實的永恆見證。

當大流士征服了野蠻和紛爭的人民時，他聲稱這樣做是為了宇宙的利益。他的任務是打擊謊言。在這裡，他堅信無論在哪裡發現邪惡，只要真相被帶到世界最外層，就必須反對邪惡，這為帝國的合法性提供了持久的有利辯護。而羅林森本人見證了它兩千五百年以來的效力。這場「偉大的遊戲」本身並不是目的。羅林森的同事曾建議他扮演一個「高尚的角色」[23]，因為一個基督教國家的職責是為不幸土地的復興而努力。當然，這是把自己的國家塑造成文明的典範，也是評判其它所有國家的一種自負的標準。對帝國人民來說，這種自負自然而然，以至於波斯人早在大流士時代便也陶醉其中。

然而，儘管許多英國人都確信他們的帝國是上天賜給世界的祝福，他們卻不能完全分享大流士的狂妄。他們對棕櫚樹和松樹的統治所感到的自豪，伴隨著某種緊張感。他們的上帝要求的犧牲是一顆謙卑和悔改的心。對於基督徒來說，即使統治外國人民（更不用說要掠奪他們的財富、定居在他們的土地上，或把他們的城市與鴉片掛鉤）也不會忘記他們的救世主曾經是一個強大帝國的奴隸，而不是主人。基督是被那個帝國的官員判處死刑的，是那個帝國的士兵把他釘在十字架上的。羅馬的統治早已消逝，基督的統治卻永世長存。

每一個英國外交大臣都生活在這種意識中，無論他多麼強硬、多麼虛張聲勢。除非為「上天旨意」[24]服務，否則對海洋的指揮將一無所獲。一種罪比其它任何罪都更沉重地壓在英國人的良心上：一種最近才像磨石一樣掛在脖子上的罪，準備把他們沉入他們的滅亡。西元一八三三年，在禁止奴隸貿易之後，整個大英帝國的奴隸都解放了，當時的廢奴主義者用狂喜的聖經話語來迎接他們的勝利時刻：「這是諾亞在洪水中看到的彩虹，這是以色列人通過紅海的通道，這是從墳墓裡復活的基督的突破。」英國這個在死亡陰影的山谷中迷失了這麼久的國家，終於浮出水面，現在，為了贖罪，她有責任幫助全世界重生。

儘管如此，英國廢奴主義者比大聲宣揚新教使命感的人更清楚，奴隸制很普遍，使葡萄牙、西班牙和法國的許多人變得極為富有。沒有天主教勢力的支持，反對這種做法的運動永遠不可能有希望成為真正的國際性運動。不管是英國海軍的力量使奴隸船得以被搜查，他們的船員得以受到審判，但許可這些行動的法律框架必須顯得堅決中立。英國法學家們克服了西班牙人從伊麗莎白一世時代繼承的深刻懷疑，稱讚巴托洛梅·德拉斯·卡薩斯的「勇氣和崇高原則」[25]。結果是整個法律機構（包括條約和國際法院）通過融合新教和天主教的傳統而大有作為。西元一八四二年，當一位美國外交官將奴隸貿易定義為「危害人類罪」[26]時，這個詞是一個經過考量、所有基督宗教教派的律法師都能接受的術語，並且是前所未有的。奴隸制在幾十年前幾乎被普遍視為理所當然，現在被重新定義為野蠻和落後的證據。反對它就是站在進步的這一邊，支援它則是在法律前受到譴責，不僅是對基督宗教，對每一個宗教皆是如此。

所有這些對穆斯林來說都可能是前所未聞的。西元一八四二年，當英國駐摩洛哥總領事試圖推動廢除死刑時，他要求禁止非洲奴隸貿易的請求完全無法被理解。蘇丹宣稱，這是「所有教派和國家從亞當時代起就同意的事情」[27]。作為證明，他很可能指向美國，一個在其創始文件中宣稱人人平等的國家。然而，其眾議院兩年前才裁定不再接受反奴隸制的請願書。從某個層面來說，如果這證明了廢奴主義觀點的重要性，那麼它也反映了美國南部奴隸主決不放棄其人類財產的頑固決心。美國奴隸制的支援者嘲笑任何聲稱奴隸制可能與文明不相容的說法。他們指出，廢奴主義是一個只來自世界一個小角落的運動。反對它的有亞里斯多德的權威、古羅馬的法學家，和聖經本身。在美國，仍有牧師相信其他地方的新教徒早已全部拋棄的觀點：上帝頒布的奴役法永遠是好的。「祂已經給了他們裁定，因此，他們必須符合於祂的道德。」[28]

摩洛哥的蘇丹肯定會同意這種情懷。英國廢奴主義者的任務繼續被擱置一旁。西元一八四四年，摩洛哥海岸外一個島嶼的總督斷然通知，任何禁止奴隸制的禁令都將「違背我們的宗教」[29]。這種直率並不奇怪。認為經文的精神可能與其文字區別開來的這種狂野宣稱，可能會被大多數穆斯林視為愚蠢和險惡的褻瀆。神的律法不是寫在心裡的，而是寫在先知一生的偉大遺產中。這些與神聖之火一起燃燒的人們無法忍受矛盾。擁有奴隸是經由《古蘭經》、穆罕默德本人和《聖行》律法所許可的，這是伊斯蘭傳統和習俗的偉大語庫。那麼，是哪些基督徒要求廢除死刑呢？

令穆斯林統治者越來越困惑的英國人，拒絕把問題拋在一旁。早在西元一八四〇年英國就曾向奧斯曼帝國施加壓力，要根除在君士坦丁堡的奴隸貿易，正如英國駐該市大使所說：「對摧毀一個與社會框架緊密交織的機構的提議，感到極度驚訝與莞爾。」[30]十年後，當蘇丹發現自己面臨著軍事和金融危機的毀滅性組合時，英國支援的代價是可以預見的。西元一八五四年，奧斯曼政府不得不頒布法令，禁止跨黑海進行奴隸貿易，三年後，非洲奴隸貿易被禁止。被廢除的還有丁稅（jizya）——這種伊斯蘭國家對猶太人和基督徒的稅收可以追溯到伊斯蘭教的起源，並直接由《古蘭經》授權。

當然，這些措施可能會使蘇丹感到相當尷尬，畢竟他們是按照徹底的異教徒（英國人）的標準來改革《聖行》的。承認任何違背伊斯蘭傳統的東西都是基督徒強加給穆斯林統治者的這種想法是不可想像的，因此，奧斯曼帝國的改革者反而確保要求自己的裁定。他們認為自先知時代以來，情況發生了變化。與讚揚釋放奴隸是一種最取悅上帝的行為的統治相比，伊斯蘭法理學中縱容奴隸制的裁決似乎算不了什麼。如果用正確的眼光來解讀《古蘭經》，就會讓信徒看到伊斯蘭教的真正本質：在穆罕默德死後十二個世紀之際，這種本質被揭露為廢奴主義。儘管這種策略似乎挽救了蘇丹的面子，它也面臨伊斯蘭教被基督宗教對法律合宜運作的假設所感染的威脅。事實證明，《聖行》的精神可能最終勝過它的文字。不知不覺中，在伊斯蘭世界的精英圈子中，對法律適切性的新理解正在形成：這種理解最終不是來自穆罕默德，也不是來自任何穆斯林法學家，而是來自聖保羅。

西元一八六三年，在摩洛哥蘇丹宣布奴隸制為自古以來就被批准的制度僅僅二十年之後，突尼西亞市長寫信給美國總領事，引用了伊斯蘭經文中關於廢除奴隸制的理由。在美國，由於該機構的是非紛爭而不斷升級的緊張局勢，促使西元一八六一年南方的邦聯分離，並與北方的聯邦爆發可怕的戰爭。當然，只要美國人在戰鬥中互相屠殺，這個問題就不可能得到最終解決。然而在西元一八六三年初，美國總統亞伯拉罕．林肯發表了一份宣言，宣布邦聯領土上的所有奴隸都獲得自由。顯然地，只有美利堅合眾國從內戰中獲勝，奴隸制就有可能在全國被廢除。正是為了支援這種可能性，突尼西亞市長試圖給予鼓勵，意識到美國人不太可能受到伊斯蘭經文引文的左右，他在信中最後敦促他們採取行動，並表達這是出於「人類的憐憫和同情」。[31]

也許，這最終證明了新教廢奴主義者的推動獲得了多麼有效的普遍性，僅僅一個世紀前，發端於少數古怪的貴格會教徒的火苗，最後像聖靈的野火一樣蔓延開來。不需要傳教士在世界各地宣傳福音派的教義，律法師和大使們可能會更有效地實現這一目標，因為他們主要是暗中行事。危害人性的罪比對基督所犯的罪更加獲得超越基督宗教世界極限的共鳴。事實證明，十字軍的運動反而更有效地讓人遠離十字架。

所有這些都為最初發起廢奴行動的帝國帶來了巨大的優勢。與地緣政治和經濟利益相悖，代價極高，英國人還沒有以憤世嫉俗的心情開始他們的消除奴隸貿易運動。然而，全球輿論的潮流越是反對奴隸制，那些最初退縮的國家的威望就越不可避免地被抹光。西元一八六二年，一位波斯王子驚呼：「英格蘭被認為是奴隸貿易的堅定敵人，為瞭解放非洲種族付出了巨大的代價。非洲族群正是因為共同人性的紐帶而獲救。」[32]他表達了對這種無私的驚奇，英國人也忙著利用它贏得威望。西元一八五七年，一項承諾沙阿（*shah*）⑨鎮壓波斯灣奴隸貿易的條約也鞏固了英國對該國的影響力。

與此同時，在非洲的心臟地帶，傳教士們開始冒險去歐洲人從未想過要去的地方。他們帶回的關於阿拉伯奴隸販子繼續掠奪的報告證實了許多英國人的觀點，即直到整個大陸因文明而獲勝，奴隸制才會被徹底驅逐。當然，這與他們自己的規則一致，也是理所當然的。「失喪的，我必尋找；被逐的，我必領回。」所以上帝在聖經中宣布：「受傷的，我必纏裹；有病的，我必養醫治；只是肥的壯的，我必除滅，也要秉公牧養他們。」[33]在這裡——不僅僅是為了英國，也是為了任何可能聲稱擁有權力的國家——為殖民奠定了基礎。在適當的時候，這將助長對殖民地的爭奪。諷刺的是，最終定居非洲並征服非洲的不是奴隸販子，而是基督宗教歷史上熟悉的解放者。

⑨譯註：波斯語，是舊時伊朗統治者的稱號。

第
18
章

科學

西元1876年，朱迪思河

每天晚上這位教授都為惡夢所苦。當雷聲在蒙大拿州荒地上隆隆作響，愛德華·德林克·寇普（Edward Drinker Cope）會在睡夢中翻來覆去呻吟。有時，他的同伴會叫醒他。可想而知，探險隊裡的每個成員神經都繃得很緊。美國西部是一個危險的地方。寇普在這個尚未被美國陸軍繪製在地圖上的地區尋找化石，他當時穿越蘇族——一個特別難以對付的原住民族——的狩獵場。就在幾個星期前，一位經驗豐富的將軍以及在最近的內戰中率領聯邦軍贏得勝利的老兵喬治·阿姆斯壯·卡斯特（George Armstrong Custer）在小比格霍恩河畔（Little Bighorn River）被蘇族人的戰團打敗了。有一次，寇普和他的探險隊花了一天的時間抵達了那個被他們當中的一位形容為「成千上萬的戰士，喝著卡斯特和美國陸軍第七騎兵團勇士們的鮮血」[1]的地方紮營。因為害怕頭皮被蘇族人剝了，隊裡的一個偵察員和一個廚師已經逃走了。

然而，並不是蘇族人讓寇普做惡夢。像夢魘般糾纏他的是環繞在他和同伴的基地周圍、猶如巨型迷宮的峽谷和溝壑。在星光的照耀之下，這地方是一片難以穿透的黑暗。到處是一落千丈的斷崖，只要在鬆動的頁岩上稍一不慎滑了一下，很可能就會跌落谷底而亡。然而，眼前貧瘠的風景也曾經生機蓬勃。當時這裡還是沿海的平原，埋在峽谷中的是數百萬年前曾經在這個區域遊走的野獸的骨頭。在歷史上的大部分時間裡，沒有人知道這種生物曾經存在過，直到西元一八四一年，在遙遠的英格蘭，牠們才被賦予了名字。但現在，在蒙大拿州的荒野中，在朱迪思河（Judith river）上的高地安營紮寨的寇普知道，自己正被無數的遺骸包圍著：一個巨大的、未知的恐龍墓地。

對基督徒來說，理解地球遠古歷史的雄心壯志是很自然的。〈詩篇〉作者在讚美造物主時寫道：「祢起初立了地的根基，天也是祢手所造的。天地都要滅沒，祢卻要長存；天地都要如外衣漸漸舊了。」[2]在這個認為世界有開端、有歷史、線性發展且不可逆轉的圖像中，存在著一種與古代民族截然不同的對於時間的理解。基督徒對時間的理解與古代大多數民族的時代形成了決定性的對比，閱讀〈創世記〉時就知道，它並不將時間理解為無止境的輪迴。不令人意外地，聖經學者們一再試圖繪製出一個可能追溯到人類出現之前的年代表。路德曾宣稱，我們絕不能認為今天世界的面貌和原罪之前一樣。[3]然而，人們越來越熱衷於到十八世紀晚期才命名的地質學；他們的研究不是基於〈創世記〉，而是直接基於他們對神的創造的研究：岩石和化石，以及地球的輪廓。

對於這種研究的沉迷在英國的神職人員中逐漸開展。西元一六五〇年，當愛爾蘭阿瑪教區大主教、當時最傑出的學者之一詹姆斯．烏雪（James Ussher）尋求建立全球年表時，他完全依賴書面記錄，尤其是聖經。他也因此確定世界創造的日期為西元前四〇〇四年。西元一八二二年，當另一位牧師威廉・巴克蘭（William Buckland）發表論文，證明地球上的生命比挪亞的洪水要古老得多，更不用說岩石的沉積了。正是基於他在約克郡洞穴中發現的化石年代，才使他能夠證明自己的論點。兩年後，他寫了第一篇關於恐龍的完整報導。西元一八四〇年，他認為蘇格蘭地貌上的巨溝可以證明一個地球上古老的冰河時期的存在，而這個論點毫無疑問是違反聖經的。

巴克蘭是一個著名的怪人，喜歡嚐遍各種動物，從藍瓶僧帽水母到鼠海豚，①他認為在西敏寺座堂主任牧師和牛津大學地質學教授這兩個角色之間沒有絲毫的矛盾。對大部分的基督徒來說也是如此。雖然有些人堅持對〈創世記〉進行字面的解釋，拒絕接受地球的歷史可能可以追溯到遠在有人類之前、無法估量的時間點，但絕大多數人面對造物主能以如此大規模的尺度創造，只會感到敬畏。孕育自聖經中對時間之理解的地質學，與其說是動搖，不如說是支持了基督宗教信仰。

然而，有跡象表明，當寇普開始在美國西部的荒野中採集化石時，這種情況正在改變。寇普自己正經歷著信仰的危機。他因為這些埋在他發現的岩石中的恐龍感到深深的不安；在他的夢中，恐龍「把他拋向空中，踢他，踩過他」[4]。這位貴格會的後裔，從威廉・佩恩那裡購買土地後定居在費城，被一個相信挪亞洪水是歷史真相的父親撫養長大。寇普早熟地迷戀翼龍這種史前時期的動物，讓他很快就付出代價——但他並不想也付出信仰的代價。

寇普在荒地辛勤勞作，每天晚上都會舉行祈禱會，閱讀聖經。他對動物的癡迷，無論是活生生的，或是已經滅絕的，都顯示出他是一個獨特的基督徒。上帝創造一個充滿了生物的世界，祂看著他們，祂看著是好的。對仔細地閱讀〈創世紀〉的人來說，這些都見證了祂的設計。奧斯定很久以前曾寫道：「祂是自然界中一切存在的源頭，無論各個種類、形貌和價值的種子，種子的型態，以及種子和形態的運動。」[5] 威廉・巴克蘭對動物王國的各方面都非常著迷，以至於他是第一個識別出翼龍的糞便，並且親嚐並辨識蝙蝠尿液的人。而他只是致力於以細密方式檢視大自然世界的眾多神職人員之一而已。①

在十九世紀中葉，特別是英國和美國，相信神的造化之工透過在自然界中彰顯出來的「自然神學」，已經成為基督宗教捍衛者的關鍵武器。一個英國牧師可能引用蝴蝶的生命週期來闡述上帝的善，就像他引用加爾文的神學一樣。在英語世界裡，對許多基督徒來說，樹籬裡滿滿的昆蟲可能比〈啟示錄〉更能肯定地見證了他們的信仰。然而，這種

①也許，根據當時可靠的報導，巴克蘭最驚人的壯舉是吞下了法國國王路易十四的心臟。

信心在後來看來是不合時宜的，表面上看來無懈可擊地支持基督宗教，但事實證明並非如此。強而有力的地位已轉變為嚴重的弱點來源。自然神學幾乎一夕之間就成了致命傷。

達爾文（Charles Darwin）年輕時曾狂熱地收集甲蟲，奉聖令與地質學教授進行田野實地考察，並短暫地以為註定要在教會工作。他與威廉·巴克蘭和英國所有其他著名的自然神學捍衛者都是同樣環境的產物。然而，達爾文非但沒有加入他們的行列，反而成為他們的災難。西元一八六〇年，他寫信給美國最傑出的植物學家亞薩·格雷（Asa Gray），承認了他的動機：「我無意以無神論的立場書寫。但我承認自己無法像其他人一樣簡單地、符合期待地看見這個世界是由造物主所造的證據，而且遍布著仁慈。在我看來，世界其實存在著太多的苦難。」[6]

當然，約伯也提出了同樣的抱怨：達爾文和約伯一樣，也遭受瘡病和孩子死亡的痛苦。但上帝並沒有從旋風中與他說話。當達爾文在思考自然界時，發現其中有很多殘忍的例子，不相信它們是上帝有意設計的結果。比任何其他事情都還要困擾著他的，是寄生黃蜂的這種物種。「我無法說服自己，一個仁慈的、無所不能的上帝，會精心安排讓寄生蜂寄生在昆蟲幼蟲的體內，進而取食寄主身體的這種設計。」[7]

一年前，達爾文出版了一本書，其中姬蜂科的生命週期也具有類似的特點。這些在

《物種起源》所提出的論點，對任何自然神學的支持者來說，都似乎讓人深感不安。達爾文寫道：「這也許不是一個合乎邏輯的推論，但在我看來，杜鵑幼鳥驅逐其寄養兄弟、螞蟻做奴隸、在其它昆蟲幼蟲的活體內取食的寄生蜂幼蟲，把這些行為看作本能要令人滿意得多。不是把這些看作被特別賦予的、或是被創造的本能，而是作為一般法則的微小後果，帶來所有有機生物的進步，也就是說，經由繁殖和變異的歷程，適者生存，弱者終將被淘汰。」[8]這樣的進化論給自然神學帶來了可怕的命運，而自然神學就像是那個被寄生蜂造訪的宿主。越來越多的教區牧師帶著捕蝶網和壓花機來到英格蘭的田野裡遊蕩，表達他們的主張。他們認為物種的巨大多樣性見證了造物主那隻引導的手，他們主張只有瞭解物種和生長環境之間的關係後，才能充分理解該物種的完美設計，他們認為自然界所彰顯的目的是不可逆轉的。

達爾文在《物種起源》一文中沒有對這些假設提出異議。然而根據他的自然選擇進化論，毛毛蟲的內臟是寄生蜂幼蟲的內臟。「造物主透過……法則來創造。」[9]幾十年前，在還相信基督信仰的時候，達爾文在筆記本上這樣寫著。阿伯拉德也聲稱了同樣的話。幾個世紀以來，在基督宗教世界中，確認那些激發上帝創造的律法，從而更深入地理解祂，是自然哲學的偉大工程。現在隨著《物種起源》，一項律法已經被提出，儘管它把生命領域與時間統一起來這個律法似乎不需要上帝。它不僅是一個理論，它本身就是進化的驚人表現。

但真的是這樣嗎？到西元一八七六年，達爾文理論最令人印象深刻的證據已經被發現，也就是在那很快被證明是世界上最重要的化石床遺址——美國西部。寇普並不是唯一在那裡做出驚人發現的古生物學家、耶魯大學教授奧斯尼爾・查爾斯・馬許（Othniel Charles Marsh）②也是如此。馬許活像中年的亨利八世，留著鬍子，有著龐大的身軀，侃侃而談。在六年的野外工作過程中，他成功地挖掘出不下於三十種的史前馬。這些發現所構成的一系列完整證據，可以讓達爾文稱讚它們是「過去二十年出現的進化論的最佳支持」[10]。

對馬許懷著嫉妒與厭惡、並得到熱烈回應的寇普對此沒有異議。他早就接受進化論的證據是壓倒性的。然而，與他偉大的對手不同，他拒絕接受這是由自然選擇驅動的。他仍然渴望在自然界中找到一個屬於仁慈上帝的地方。他憂心忡忡地認為，天擇理論唯一能夠容納神的空間，就是對特定的物種進行拙劣修補的那些內容。當然在這樣的理論中，也沒有任何給神聖設計的餘地。但寇普相信，神聖設計正是馬的進化所要闡釋的。從朱迪思河回來後，他發表了一篇論文，有力地提出了這一點。馬許在西元一八七七年在美國博物學家的一次集會上，談及他發現的化石無法用隨機來解釋過於規律的變化，因此，「在高等動物中身體結構的演進，很可能是心靈進化的伴隨物。」[11]換句話說，現代的馬是透過意志成為現在的存在。該物種遠非受其環境的擺布，它一直掌管著自己的命運。它的進化過程也是其創造者早就預見到的，這證明的不是混沌和混亂，而是充斥整個自然的秩序。在時間的流淌中，每個物種都註定要達到上帝命定的目標。

當然，接受這一點也就意味著接受更多東西：人類也是進化的產物。達爾文在《物種起源》一書中，原來也只有含糊地暗示了他的理論對人類理解自身的意義，但這並沒有阻止其他人放任於他的推測。主教們要求從達爾文的捍衛者那裡知道大猩猩後裔的確切細節；諷刺作家很高興地將達爾文描繪成一隻猿；寇普宣稱他相信人類是從狐猴進化而來的。

然而，並不是所有的辯論社會都會參與，也不是所有漫畫中的猴子都穿著禮服，而所有關於人類世系的可能理論也不是都能完全掩蓋住背後已經存在的裂口——一個焦

②譯註：查爾斯．馬許（1831-1899）是美國古生物學家，曾經擔任美國國家科學院院長，他發現並命名了許多出土於美國西部的化石。

慮和懷疑的巨大深淵。對人類可能是從另一個物種進化而來的想法感到緊張，這不僅僅是對猴子的勢利眼，還有更多事情已經岌岌可危。相信上帝成為人，遭受了奴隸般的死亡，就是相信在軟弱中可能有力量，在失敗中會有勝利。達爾文的理論，比之前從基督宗教文明中出現的任何理論，都更根本地對這一假設提出了挑戰：軟弱沒有價值。耶穌通過讚揚溫順和窮人，而不是那些更適合生存的偉大鬥爭的人，使智人（*Homo sapiens*）走上了墮落下降的道路。

十八個世紀以來，基督宗教相信所有人類生命都是神聖的，其基礎來自於這個教義：男人和女人都是在上帝的形象中創造的。神聖可以在窮人、罪犯或賣淫者身上發現，也一樣能從擁有私人收入、在書本環繞中進行研究的紳士身上發現。達爾文的房子，儘管有花園、私人林場與種滿蘭花的溫室，卻佇立在磚塊與煙霧聚集的邊緣之地。在他愉快地研究昆蟲活動的田野之外，還延展到世界上最大帝國的首都，猶如奧古斯都時代的羅馬。正如羅馬曾經所做的一樣，倫敦同時成為極端的特權階級與貧窮人的居所。然而，達爾文時代的英國可以誇耀自己做到了奧古斯都的羅馬從未想過要做的：幫助與救贖窮人、病人，以及被剝削者。

達爾文本人是兩位著名廢奴主義者的孫子，非常清楚這些廢奴主義者的推力來自何處。社會改革的動因徹頭徹尾是基督宗教的。「我們為低能兒、殘廢者和病人建立庇護所，我們制定窮人法；我們的醫務人員以最大的技能去挽救每個人的生命。」[12]然而，達爾文對於這些慈善表現所下的判斷卻令人苦惱，就像斯巴達人會把生病的嬰兒扔下山溝一樣，他擔心的是強者讓弱者自我繁衍所帶來的後果：「任何致力於家畜飼養的人，都不會懷疑這一定會對人類種族帶來很強的傷害。」[13]

對於任何一個貴格會的人來說，這都是特別令人痛心的斷言。寇普知道他所繼承的傳統，是貴格會率先點燃了這場大火，在最近的內戰中，它開始破壞美國的奴隸制度；在美國和在英國一樣，是貴格會帶頭進行監獄改革運動。無論他們為救主最小的弟兄姊妹們做了什麼，他們都是為基督而做的。

那麼，這種信念如何與寇普混雜了責備與害怕所說的「適者生存的達爾文定律」[14]達成一致呢？這個問題也為達爾文本身帶來了困擾。他仍然是一個基督徒，把任何拋棄弱者和窮人的主張定義為「邪惡」[15]。他指出這種對弱勢群體關注的本能必然是天擇的產物，因此估計它們也帶有進化的目的。然而，達爾文猶豫不決。在私下談話中他承認，因為「在我們的現代文明中，天擇沒有發揮」[16]，他對未來是擔心的。他認為基督宗教的慈善觀念——不管他個人多麼同情它們——是錯置的，如果繼續給予它們發展的自由，堅持它們的人民必然會墮落，如果發生這種情況，人類這個物種將會受到損害。

無論如何，在這裡，寇普與達爾文是完全一致的。他搭乘穿過大平原遼闊土地的火車，他從建在蘇族土地上的堡壘發送電報，他看到他們的狩獵場周圍散落著幾英里長的野牛漂白骨頭，被最新的連發步槍擊碎。他知道卡斯特的失敗只是暫時的反常現象，美國本土部落註定要失敗。白人種族的進步是不可阻擋的。這是他們顯然的命運。這在全世界都很明顯，在非洲，歐洲的列強正密謀分裂非洲大陸；在澳大利亞、紐西蘭和夏威夷，無能抵抗白人殖民者的湧入；在澳洲的塔斯馬尼亞島（**Tasmania**），整個當地族群已經被迫滅絕。正如達爾文所說：「他們的文明等級似乎是國家競爭之成敗的最重要因素。」[17]

白人和美洲原住民之間、歐洲人和塔斯馬尼亞人之間的這些差異，要如何解釋呢？基督徒的傳統反應會主張不同種族的兩個人之間並沒有根本的區別：兩者都是在上帝的形象中平等創造的。然而對達爾文來說，他的天擇理論提出了一個完全不同的答案。年輕時，他已經航行在世界的海洋之中。他指出：「歐洲人無論踏上哪裡的土地，死亡似乎就在那裡緊緊追隨著原住民。」[18]他對土著的同情和對白人殖民者的厭惡並沒有阻止他得出一個鮮明的結論：在人類生存的過程中，自然的種族，等級制度已經存在。歐洲人的進步使得他們一代又一代地在「智力和社會技能」[19]上超越了更野蠻的民族。

儘管寇普拒絕接受達爾文對於這些事情如何發生以及為何發生的解釋，他仍然承認達爾文是有道理的。顯然，在人類中，就像在任何其他物種中一樣，進化的運作是永遠起著作用的。寇普承認：「那些比較低的種族，是我們現在發現與猿類或多或少比較近似的種族。」因此，這是一個虔誠的貴格會信徒試圖調和神的工作與自然的運作而獲致的對於人性的理解。而這樣的理解讓本傑明．賴感到震驚。寇普堅信一個物種可以憑自己的意願走向完美，這讓他相信同一物種的不同形式可以共存。他認為白人已經把自己提升到了一個新的意識水準。而其他種族則沒有。

西元一八七七年，當愛德華．德林克．寇普在蒙大拿州的化石岩床中躺臥一年後，由於惡夢的壓迫，正式辭去了貴格會的職務。

新的改革

並不是每個讀過達爾文的人，都把他的理論解釋為對人類社會的悲觀和肉食性看法。在他的追隨者中，將上帝從大自然領域逐出被視為一種真正的祝福。《物種起源》被它最早和最積極的評論員之一稱讚為「自由主義軍械庫中名副其實的惠特沃斯步槍」[20]。湯瑪斯．亨利．赫胥黎（Thomas Henry Huxley）是一位解剖學家，他精明的生物科學天才使他被描述為「達爾文的鬥牛犬」，他自稱是進步的狂熱者。由於對像巴克蘭這樣的人對地質學和自然史研究的影響感到不耐，他渴望看到它的專業化。「神學與神職」[21]的潰敗不僅為像他這樣的人——自學成才的中產階級，蔑視特權——帶來更多的機會，而且有助於傳播啟蒙的祝福。

迷信的迷霧越被驅散，真理的輪廓就越明顯。儘管陽光高照的理性高原在招手，但通往它們的道路仍必須被清理。只有跨過被殲滅的神學家的屍體，人類才能離開錯覺。如果這需要達爾文的理論來當作槍口裝載機，那就這樣吧，這是時代的要求。赫胥黎在《物種起源》出版前幾個月撰文，承認一場巨大的衝突正在醞釀之中。「很少有人看到它，但我相信我們是在新的改革前夕，如果我許下繼續活三十年的願望，那是因為這樣我或許就能看到科學的腳踩在她敵人的脖子上。」[22]

但赫胥黎所說的「科學」是什麼意思呢？答案一點也不清楚。知識的分支從文法到音樂在傳統上都被列為科學，神學長期以來一直是統治著它們的女王。在牛津大學，即使在十九世紀五〇年代，「科學」仍然意味著「亞里斯多德的成就」[23]。不過，赫胥黎並不是一個滿足於這種理解的人。

在十九世紀初，這個詞有了更劃時代的新定義。當古生物學家或化學家用「科學」來表示所有自然科學和物理科學的總和時，他們提出了一個讓同代人同時感到既新穎又熟悉的概念，就像「印度教」之於印度人一樣。赫胥黎猶如一個處心積慮的將軍，竭盡所能地保衛其最近併吞的土地的邊界。他警告說：「就思考來說，不要假裝那些尚未證明或是無法證明的結論是確定的。」[24]這就是「不可知論」的原則，赫胥黎自己想出了這個詞，他把這個詞作為任何希望實踐科學的人的基本要求。他斷然宣稱這是「確定真相的唯一方法」[25]。閱讀他的人都知道他的目的。既不能說明也不能證明的真理、立基於它聲稱的所謂超自然啟示的真理，根本不是真理。如果用攝影這個流行的新藝術的方式來說，科學，是被它的底片（negative），也就是宗教所界定的。

就這樣，一個驚人的悖論在這裡產生了。出現在十九世紀過程中的科學概念，被人界定為一種具有古老的永恆與普遍性的概念。這樣的界定帶有一種熟悉的自大。科學被投影成宗教的分身，因而不可避免地帶著歐洲基督宗教歷史的幽靈印記。然而赫胥黎拒絕承認這一點，作為解剖學家的天才，使他能夠識別出那在目前幾乎被普遍接受的「科學」一直存在。就像現代的鳥類曾經是數百萬年前在侏羅紀森林奔跑的恐龍的後裔。正如殖民官員和傳教士前往印度時，將「宗教」的概念強加於他們在那裡找到的社會，不可知論者也以類似的方式殖民過去。古埃及人、巴比倫人和羅馬人都被認為有「宗教」，一些民族（尤其是希臘人）也被認為有「科學」。正是這一點使他們的文明成為進步的泉源。哲學家一直是科學家的原型。亞歷山大圖書館則是「現代科學的發源地」[26]。

只有基督徒，由於他們對於理性的狂熱憎恨，決心根除異教的學問，才阻止了古代世界走上蒸汽機和棉紡廠的道路。教士們故意地把自己覆寫在任何帶有哲學意味的東西上。教會的勝利扼殺了所有朝向人道和文明社會的東西。黑暗降臨到歐洲。千百年來，教宗和宗教裁判所一直努力扼殺任何好奇心、探究或理性的火花。這種狂熱主義最值得注意的烈士是伽利略。他因為彰顯了地球圍繞太陽旋轉所帶來的懷疑的陰影而被折磨，正如伏爾泰所說：「在宗教裁判所的地牢裡，呻吟度日。」[27]那些嘲笑達爾文進化論的主教們，對大猩猩提出冷嘲熱諷的問題，他們只是這場與基督宗教一樣古老的戰爭中的最新戰士。

雖然在這敘述中沒有任何內容是真的，但這並不能阻止它成為一個廣受歡迎的神話。其吸引力也不僅限於不可知論者。它有很多部分也為新教徒津津樂道。中世紀的基督宗教被描繪成落後和偏執的地獄，一直追溯到路德。赫胥黎作為一名選民的自我感覺——正如同代人很快注意到的——有著一種熟悉的激進特質。「他具有道德認真、意志力、對自己信念的絕對信心，以及給全人類留下深刻印象的願望和決心，這是清教徒性格的重要標誌。」[28]

然而事實上，許多不可知論者越來越相信，只有科學有能力回答關於生命更大目的的問題——這個來自於古老苗床③的問題。從前，自然科學成了自然哲學。中世紀神學家在創造的造化之工與驚奇之前所感受到的敬畏，並非沒有出現在《物種起源》中。達爾文以鏗鏘有力的方式在其結論中宣稱：「這種對於生命的看法是宏偉的。」相信宇宙或許以人類理性可能理解的律法運行，而這些律法的結果是「最美麗、最令人感到驚嘆的」[29]，這種信念使得達爾文直接連結到古老的阿伯拉德。在德國，當達爾文主義者幻想教會可能很快就會以天文學的祭壇作為特色，並裝飾上蘭花時，他們對基督宗教那尊貴的渴望就變得清晰起來。科學與宗教之間的戰爭至少部分地反映了兩者對共同繼承的主張。

達爾文的基督徒妻子，在她最後的日子裡表達了許多恐懼，這似乎預示著什麼。達爾文去世後不久，她寫信給她的兒子，坦白地說道：「你父親認為所有道德都是透過進化

③譯註：作者指的就是宗教。

而成長起來的，這個觀點讓我感到很痛苦。」[30]看起來，已經不存在哪些基督宗教的教導是科學家猶豫而不敢介入的。當一些訓練有素的望遠鏡正在火星上試圖偵測看不見的輻射蹤跡時，其他人正在把他們的注意力轉向臥室。在這裡，正如薩德侯爵一向的抱怨，最終源於保羅的道德規範繼續規定著可被接受的行為界線。達爾文和他的理論已經帶來了巨大的騷動。

天擇的運作取決於繁殖。就研究領域來說，人類交配習慣的研究與鳥類或蜜蜂的交配習慣的研究同樣合法。這為科學家提供了調查性行為細節和多樣性的許可證，特別是那些與達爾文的國家相比，對性比較不會感到尷尬的國家。這些調查的規模之大，可能連薩德都會留下深刻的印象。西元一八八六年，當德國精神病學家理查德・克拉夫特・埃賓（Richard von Krafft-Ebing）[④]發表了一份關於他所謂的「病態戀物癖」的調查報告時，他的研究範圍之廣使他的書成為人們關注的焦點，遠遠超出了其研究對象的學術圈子。六年後，《精神病的性》（*Psychopathia Sexualis*）的英文譯本使得一位評論者哀歎其龐大而沒有辨別能力的讀者群。他抱怨說，整本書應該以拉丁文的晦澀來呈現和表達。

然而，古典主義者仍然可以從中找到很多東西來激起他們的興趣。特別是一個詞，一個希臘語和拉丁語的混成詞。「同性戀」（*Homosexualität*）這個詞於西元一八六九年被提出，當時是為普魯士道德法小冊子的作者提供了發生在同性之間的性關係的簡略表達。當然，這正是保羅在給羅馬人的書信中嚴厲譴責的行為類別，而阿奎那將之定義為雞姦。然而在啟蒙時代，就像貝爾納迪諾的時代一樣，這個詞仍然是一個棘手的詞。例如，在西元一七七二年，當薩德被裁定與婦女發生肛交時，他在法律上被定罪為雞姦。現在，克拉夫特．埃賓憑藉熟練的解剖學家的精準，成功地用一個詞識別出保羅譴責的性行為類別。也許，這只有醫生才做得到。

克拉夫特．埃賓對同性關係的興趣是源於科學家的身分，而不是道德家。為什麼男人或女人選擇和自己相同性別的人上床？這似乎違背達爾文的理論。傳統的解釋是，這些人是貪婪的掠食者，他們未能控制自己的慾望，導致他們厭倦了上帝所註定的自然，對精神病醫生來說，這樣的解釋似乎越來越不恰當。克拉夫特．埃賓認為，「同性戀者」更有可能成為潛在病態狀況的受害者。無論是被視為遺傳、代代相傳的疾病，還是由於

④譯註：埃賓（1840-1902）生於德意志巴登大公國曼海姆的貴族家庭，是德裔奧地利精神病學家，性學研究的創始人之一。

懷孕過程的意外，他都很清楚同性戀不應被視為一種罪，而應被視為一種非常不同的東西：一種不可改變的狀況。他認為同性戀者是一種傾向的產物。因此，基於基督徒對不幸者的關心，他們應該得到基督徒慷慨和同情的對待。

大多數基督徒沒有被說服。克拉夫特・埃賓的研究向他們對性道德的理解提出了雙重挑戰。《精神病的性》提出，有些人對經文譴責為不道德的性活動的興趣，是源於不由自主的喜好，那麼，同樣令人不安的，它是否也暗示教會歷史上的許多人本身可能一直受制於反常的性需求。當克拉夫特・埃賓發明「虐待狂」一詞來描述那些透過施加痛苦以享受情色樂趣的人時，他含蓄地將侯爵與柯那德・凡・馬柏格（Conrad of Marburg）等宗教裁判所的成員聯繫起來。

更觸動虔敬者神經的是，他所分析的「受虐狂」（masochism）名稱是以利奧波德・馮・薩克—馬索克（Leopold von Sacher-Masoch）的名字命名，這位奧地利貴族喜歡被穿著毛皮的貴族女士鞭打。「受虐狂受到各種虐待和痛苦，在這種虐待和痛苦中，無疑地獲得了慾望反射式的興奮。」因此，克拉夫特・埃賓毫不猶豫地主張「宗教愛好者的自我折磨」，甚至殉道者，都是一種受虐狂的形式。[31] 七百年後，當聖依撒伯爾服從告解師嚴格的服事命令時，精神病學以前所未有的無情目光凝視著她。克拉夫特・埃賓統治下的受虐狂是施虐者的最佳對手。「平行的對應是完美的。」[32]

雖然精神病學有助於挑戰基督宗教的思維概念，但它也強化了這些思維概念。克拉夫特·埃賓的結論並不像他的批評者或崇拜者所想的那樣，具有臨床的客觀性。他成長為天主教徒，理所當然地認定基督宗教婚姻模式的首要地位。教會是塑造並高舉終身一夫一妻制的機構，這樣的巨大努力是他十分珍視的。「基督宗教通過使女性在社會上與男人平等，以及將愛的紐帶提升到道德和宗教機構，將兩性結合提升到崇高的地位。」[33]克拉夫特·埃賓相信這一點。

但也正因為如此，在職業生涯結束的時候，他開始相信雞奸應該除罪化。他主張同性戀者「對心靈最高貴的靈感」的熟悉程度可能不亞於任何一對已婚夫婦。[34]他們當中的許多人受到他的研究啟發而寫信給他，和他分享他們最親密的渴望和祕密。正是根據這些通信，克拉夫特·埃賓才能得到這個弔詭的結論。教會譴責雞奸的性行為與基督宗教對文明的巨大貢獻——終身一夫一妻制的理想——完全一致。同性戀，正如第一個試圖對同性戀進行詳細分類的科學家所定義的，構成了基督宗教的罪與基督宗教的愛之無縫結合。

克拉夫特·埃賓以冰冷和平靜的語言，史無前例地在情色革命上蓋上印記。保羅通過男人與男人、女人與女人的性關係重新校準性的秩序。在當今的科學時代，性秩序達到其神化的地位。「同性戀」並不是《精神病的性》所提出的唯一混合希臘和拉丁語的醫學名詞，還有另一個，也就是「異性戀」。克拉夫特．埃賓所認定的其他性行為類別——施虐、受虐、戀物癖癡迷——僅僅是一個巨大的根本性鴻溝的變異而已，而這個根本性鴻溝就是異性戀和同性戀慾望之間的差異。

花了近兩千年才演變出來的類別，現在得到了堅實的定義。很快地，歐洲和美國人民就會忘記他們從未去過那裡。一種為慾望賦予概念的方式透過傳教士傳播出去，並嵌入世界各地的殖民法律制度中，橫掃全球。這個概念源起於流動的猶太人被尼祿（Nero）統治時。無論是性的秩序還是其他許多的秩序，現代性的根源深深地植根於基督宗教的土壤中。

參觀梁龍

與此同時，美國狂野的西部正在被馴服。古生物學家和牛仔們發現自己不得不適應邊境的封閉。寇普和馬許所採取的掠奪方式被證明是難以維持的。兩人最終都毀了。西元一八九〇年，記者們稱之為「化石戰爭」的醜聞細節被媒體曝光：美國兩個最傑出的古生物學家是如何雇用敵對的工人團來粉碎彼此的發現，並撰寫學術論文來破壞彼此的聲譽。化石勘探也不再像以前那樣便宜了，寇普和馬許都發現自己越來越缺乏資金。

一個新的時代正在來臨——在這個時代裡，尋找恐龍將由財閥主導。安德魯・卡內基（Andrew Carnegie），一個擁有世界上最大的液體財富的實業家，可以帶來資源來尋找史前遺骸，超越科學家最瘋狂的夢想。寇普和馬許被趕出了市場。卡內基對漫遊荒地尋找中生代植物和牙齒的碎片不感興趣。他想要與他巨額財富匹配的化石。當他的工匠們挖掘出一隻八十英尺長的恐龍骨骼時，他一定要通過將之命名為迪普洛多庫斯・卡內基（*Diplodocus carnegii*）來宣傳他對這發現的擁有權。他的公關人員尖叫著說：「這是地球上最巨大的動物！」[35]

獵獲獎盃是人生的目標，卡內基對此深信不疑。一個來自蘇格蘭的移民，從在棉紡廠勞動到壟斷美國鋼鐵生產，他的整個職業生涯一直是古希臘人可能稱之為鬥爭競賽的事業。對手在那裡被壓垮，工會被打破，資本的資源要集中掌握在自己永遠不滿足的手裡。農民、工匠、店主，這群人都要破產，而成為他的批評者所說的支薪奴隸。卡內基本人曾經很窮，他沒有時間去想窮人的悲哀可能是富人造成的。他對在邪惡的講壇上發表演說的神職人員感到不耐，對窮人遭受的苦難持更嚴厲的看法，因為他「發現了進化的真相」[36]。不是適者生存、就是不稱職者生存。不分青紅皂白的慈善活動除了補貼懶惰和醉漢，是沒有用的。

卡內基蔑視任何超自然的概念，對美國最傑出的社會科學家所說的「有利於窮人、反對富人的舊教會偏見」也是輕蔑的。耶魯大學教授威廉・格雷厄姆・薩姆納（William Graham Sumner）曾對牧職者發出呼籲，但擔任牧師的經歷卻使他拒絕了教會關於貧窮的教導。他說：「在人按照教會規則行事的日子裡，這些偏見造成了資本的浪費，並幫助歐洲重新陷入野蠻。」[37]要是聖高隆邦創辦了一家企業，而不是在樹林裡無利可圖就好了。要是聖波尼法爵給他們帶來了自由貿易的好消息，而不是嘮叨異教徒就好了。這些教導讓卡內基自豪地認為自己是一個門徒。

儘管這樣，他仍然是長老會教養出來的孩子。當卡內基的家人從蘇格蘭前往美國時，就像朝聖的神父曾經做過的那樣，他們帶著知識，知道再生對於墮落的人類來說並不容易。一個人不得不服從他的召喚。只有當他努力，彷彿一切都依賴於自己的努力，之後的獎勵才會來自上帝。卡內基即使懷疑神的存在，卻從來沒有懷疑他的努力致富為自己帶來了一個嚴峻的責任。航向新世界的約翰・溫斯羅普（John Winthrop）⑤曾警告說，如果他和他的開拓者同胞們「擁抱現世，執行我們的肉體意圖，為自己和後代尋求偉大的事物」[38]，接下來會發生什麼樣的災難。超過兩個世紀之後的卡內基也被同樣的焦慮所籠罩。

他宣稱，一個考慮週到的人每給兒子留下一美元，就是留下一份詛咒。他寫的這篇文章有一個尖銳的標題：「財富的福音」。慈善如果不能協助窮人自救，那就毫無意義。「造福社區的最好方法，是把階梯放在有抱負的人觸手可及的地方。」[39]正是在遵守這句格言後，卡內基在職業生涯中賺了大筆錢，退休後才把精力投入到花錢上。儘管他信奉的是協助窮人致富，而不是模仿基督的生命——自己生活在貧困之中[40]——他還是被認為是聖保利諾（Paulinus）⑥的繼承人。卡內基捐贈了公園、圖書館、學校，並資助了促進世界和平的事業。雖然這些姿態有可能是自我膨脹，但它們主要不是為了自己的利益。表達出對他人生活改善的關切，是約翰．溫斯羅普肯定會同意的。卡內基在家鄉匹茲堡的一座豪華博物館裡展出他的梁龍是不夠的，它的神奇必須廣泛分享，它的演出陣容被

⑤譯註：約翰．溫斯羅普（1588-1649）是律師，畢業於劍橋大學，屬於擁有土地的貴族。他因清教信仰被剝奪公職。他購買了新成立的馬薩諸塞公司的股票，而該公司年初獲得了在新英格蘭開闢殖民地的特許狀。

⑥譯註：羅馬傳教士，也是約克第一任主教。

帶到世界各地的首都。

西元一九〇五年五月十二日，卡內基在倫敦。在那裡，由二百九十二塊骨頭架起來的首隻梁龍已經準備就緒，向貴族和政要們揭幕。當然，他做了演說。他的恐龍就像他自己的商業帝國一樣巨大而驚人，是讓適者自由生存所實現的完美象徵。畢竟，正是他不受約束的資本得以積累，使他可以為自己的禮物提供資金，從而幫助英美兩國人民結成「和平聯盟」。[41]這個訊息提出的的場合再也合適不過了：倫敦的自然歷史博物館，一個由高聳的柱子和滴水嘴獸雨漏作終的巨大建築，有明顯的大教堂的氛圍。這不是偶然的，它的創始人理察．歐文（Richard Owen）——創造「恐龍」一詞的博物學家——有意識地創造這樣的氛圍。他曾經聲稱，科學的存在是為了「改邪歸善」。[42]

然後，卡內基自豪地打量著他的梁龍，可以感覺到它的骨頭已經被安置在一個合適的聖骨盒中。不過，他並不是五月到倫敦的外國遊客中，唯一一位相信對科學的適當理解將使人類實現世界和平的人。在梁龍揭幕的前一天，一位名叫弗拉迪米爾．伊利里奇．烏里揚諾夫（Vladimir Ilyich Ulyanov）的俄羅斯人（也就是列寧本人）也參觀了這座城市的自然歷史博物館。不亞於卡內基，他也是將進化論的教導付諸實踐的擁護者。但與卡內基不同，他不相信對資本進行自由的支配最能為人類創造幸福，列寧認為資本主義註定要崩潰，世界的工人——無產階級——註定要繼承地球。在「少數沉溺於骯髒和奢侈的傲慢百萬富翁，以及不斷生活在貧窮邊緣的數百萬勞動人民」[43]之間所裂開的深淵，使共產主義一定會得到勝利。

兩週來，列寧和其他三十七人一直在倫敦辯論如何最有效地加速這場世界事務中即將到來的革命，但進化論的法則是必要的這一點並沒有任何人感到懷疑。這就是為什麼列寧帶領他的同志代表們到博物館，彷彿來到神廟。然而，這是一站。倫敦有第二個神廟，一個更神聖的神廟。對人類社會運作及其未來的前進路線提供最可靠指引的不是達爾文，而是第二個蓄著鬍子的思想家，他像約伯一樣，遭受了喪親和瘡病的痛苦。每次列寧來到倫敦，他都會去參觀這位偉人的墳墓：西元一九〇五年也不例外。大會結束的那一刻，列寧就把代表們帶到了城市北部的墓園。二十二年前，他們的老師，比其他任何老師都更激勵他們改造世界的人，就埋葬在那裡。站在墓前，三十八位弟子向馬克思（**Karl Marx**）致敬。

西元一八八三年，他的葬禮上只有十幾個人。然而從來沒有人懷疑過他的劃時代意義。其中一名哀悼者在露天的墳前講話，他一定要闡明：「正如達爾文發現進化定律適用於有機物一樣，馬克思也發現進化律，因為它適用於人類歷史。」[44]共產黨人可以確定自己的理據，不是因為它是道德的、正義的，或者只是寫在——正如馬克思自己嘲諷地說的——「天上的氣雲中」[45]，而是因為它得到了科學證明。多年來，他一直坐在大英博物館的閱覽室裡，處理數字、分析數據，最終識別出塑造人類歷史的不可阻擋和無意識的力量。

在開始的時候，男人和女人生活在原始平等的條件下，但後來有一個沉淪，出現了不同的階層。剝削已成為常態，富人和窮人之間的鬥爭是不間斷的貪婪和攫取的無情故事。現在，在擁有資本者沾滿鮮血的統治下，在卡內基這樣的財閥時代，剝削變得前所未有的殘酷，工人淪為機器。六十年前，馬克思預言了一切：資本主義的叫囂、錘擊所揭示的情景。「所有固體在空氣中融化，所有神聖的都被褻瀆，人類最終不得不清醒地面對真實的生活狀況，以及他與同類的關係。」[46]從文明的黎明開始，在巨大的階級鬥爭的變化震盪中已經決定了歷史的進程，也只有一個可能的結果。像安德魯．卡內基這樣的資本家是社會階級的挖墓者。資本主義本身就是無階級社會的孕育者。

既然馬克思成功地為歷史進程提供了科學依據，就不需要上帝了。相信神，對任何人來說，都處於一種屈辱的依賴狀態。宗教就像鴉片一樣，哄騙癮君子陷入一種催眠似的被動境地，以天佑（providence）和來世的幻想使他們麻木。它一如既往地只是剝削階級的密碼。馬克思是拉比的孫子，也是路德派皈依者的兒子，他把猶太教和基督宗教都斥為「人類心智發展的階段——歷史拋棄了不同的蛇皮，人就像拋棄它們的蛇」[47]。他流亡萊茵蘭，因嘲弄腓特烈．威廉四世的宗教而被逐出歐洲首都。他來到倫敦時，親身體驗了專制的君主可以如何利用宗教。不但沒有強調受苦者的聲音，還成了壓迫的工具，用來壓制抗議。基督宗教所宣稱的改變世界的雄心，只是妄想。

馬克思將宗教稱為「附屬現象」（epiphenomena）：僅僅是生產和交換的巨大水流在事物的起伏表面上拋出的泡沫。基督宗教的理想、教導和願景，都無法獨立於產生這些理想、教導和願景的物質力量。想像他們可能以任何方式影響歷史進程，就猶如在鴉片窩裡沉睡。既然馬克思已經發出了警鐘，就沒有理由繼續沉迷於這種令人痛恨的麻醉品。長期困擾基督徒的道德和正義問題要被取代，科學使它們變得多餘（馬克思曾將資本主義的運作視為一個不受道德偏見影響的人）。他的作品沒有像是香氣的暗示那種附屬現象的意味。他所有的評價、所有的預測都源於可觀察到的法則。「從以每個人的能力為依據，到以每個人的需要為依據。」[48]這是一個以科學公式的明晰性所表達的口號。

當然，除非沒有這樣的東西。任何熟悉〈使徒行傳〉的人都很清楚這個口號的源由：「並且賣了田產，家業，照各人所需用的分給各人。」⑦這在整個基督宗教歷史中不斷地出現。初期教會所實行的共產主義一再為激進分子提供靈感。馬克思將道德和正義問題斥為表皮，用行話來掩蓋他反抗資本主義的真正萌芽。他曾經開玩笑說，鬍子是「先知沒有了就無法成功」[49]的東西。以濃密毛髮著名的他，也許說出了比他自己所知道的更為真實的東西。

儘管他努力保持一種冷淡的語氣，他還是發現這是很難維持的。他顯然對被房東驅逐到街上挨餓的工匠們的苦痛感到厭惡，對年長的孩子在工廠日夜辛勤勞作、對工人在遙遠的殖民地工作至死才使得資產階級的茶中可以含糖這些事情感到厭惡，這些都使得他那嘲諷的主張充滿道德判斷的意味。馬克思對世界的解釋所表達出的確定性，似乎並不是源自於他的經濟學模型。相反地，他們源自更深的深處。一次又一次，他那憤慨的岩漿有力地突破那聽起來像是平淡的科學文體的表殼。他自詡為物質主義者，但又奇特地和教宗們有一樣的傾向，將世界視為善與惡的宇宙力量互相爭鬥的戰場。

共產主義是一個「幽靈」：一種可怕而強大的靈。就像魔鬼曾經騷擾著俄利根一樣，資本主義的運作也騷擾著馬克思。資本是已死的勞動，像吸血鬼一樣，只能靠吸吮活的勞動來活下去，活得越多，所吸吮的勞動就越多。[50]這不是一個已經從附屬現象中解放出來的人會使用的語言。馬克思用來構建階級鬥爭模式的詞語，例如「剝削」、「奴役」、「貪婪」，與其說是經濟學家的冷淡說法，不如說是更古老的東西，猶如聖經中的先知那種受到神聖靈感的宣稱。如果像他所堅持的，讓他的追隨者從基督宗教中解放，那麼他所提出的似乎是基督宗教的奇異復刻。

列寧和他的代表們於西元一九〇五年春天在倫敦開會，他們當然會蔑視這種觀念。如果無產階級的勝利得到適當的保障，宗教這種人民的鴉片就需要徹底根除。任何形式的壓迫都必須消除。為達目的，不擇手段。列寧對這些原則的承諾是絕對的。他的絕對堅持已經在馬克思追隨者的隊伍中引發了分裂。在倫敦舉行的大會是專門為那些自稱為布爾什維克（*Bolsheviks*）[⑧]，也就是「多數派」的人舉行的。那些與列寧對立的共產黨員堅持與自由派合作，表達對暴力的疑慮，擔心列寧對一個組織嚴密、紀律嚴明的政黨的野心會帶來獨裁的威脅。他們認為這樣根本不是真正的共產主義，而只是一個教派。

與多納圖斯派一樣，布爾什維克黨員嚴厲地駁斥任何與世界妥協的建議。和塔博里派一樣，他們急切地渴望看到世界末日的到來，渴望看到在地球上建立的天堂。和激烈的掘土派一樣，他們夢想著一個曾經被貴族和國王佔據的土地成為人民的財產，一個共

⑦ 譯註：〈使徒行傳〉第2章第45節。
⑧ 譯註：俄國社會民主工黨中的一個派別，其領袖人物是列寧。

同擁有的國庫。列寧以欽佩明斯特和奧利佛・克倫威爾的重浸派教徒而著名，他並不完全蔑視過去。在那裡有豐富的、即將來臨的證據。歷史就像一支箭，正沿著它堅決的道路前進。資本主義註定要崩潰，人性在一開始所失落的天堂要重新恢復。那些懷疑它的人只需要閱讀他們偉大老師的教導和預言，就能消除疑慮、得到保證的安慰。

救贖的時刻就在眼前了。

第19章

陰影

西元1916年，索姆河

最糟糕的不是前線，而是通往前線的旅程。戰爭爆發的兩年後，德國的一位畫家奧托・迪克斯（Otto Dix）看到了這一切，他說：「我告訴你，人們嚇得屁滾尿流。」[1]西元一九一四年，他毫不猶豫地報名參加了野戰炮兵，當時德國是歐洲最大的軍事強國，人們以為勝利會很快到來。在腓特烈・威廉四世統治後的幾十年裡，普魯士成為了巨大的德意志帝國的核心，就如鄂圖一世的作風一般——自視為凱撒大帝，一個「凱撒」，普魯士的國王腓特烈・威廉四世當時也是如此統治著這個帝國。

很自然地，這種偉大引起了嫉妒。在帝國東部邊境的俄羅斯，以及西邊令人憂心忡忡的法國，都曾試圖粉碎德國。而擁有令人畏懼的海上霸權的英國也和法國結盟作戰。匆匆地幾個星期以來，當德國軍隊首先橫掃中立的比利時，接著攻入法國北部時，巴黎似乎註定要垮臺了。但經過法國人的團結抵抗，法國的首都對德國軍隊來說仍然是遙不可及。在西方戰線的戰場上，協約國在這一連串巨大的戰壕中已經開始扳回一城，戰爭雙方都無法取得決定性的突破。然而現在，在索姆河（Somme river）①上方的山坡上，英國和法國軍隊正集中力量，在混亂的德國防線中打出一個洞。

整個夏天，戰鬥一直激烈進行著。奧托・迪克斯在接近索姆河的時候，被驚人的炮火聲震得震耳欲聾，他看到西方的地平線彷彿被閃電照亮著。到處都是廢墟、泥漿、被轟炸的樹木和瓦礫。在夢裡，迪克斯總是爬過搖搖欲墜、門口難以進入的房子，然而一旦他到達崗位，他的恐懼就離開了他。他帶著沉重的機槍和彈藥，內心交雜著興奮和平靜的感受。他甚至還可以抽出時間畫畫。

回到德勒斯登（Dresden），薩克森州著名的美麗城市，在那裡身為一名藝術系的學生，迪克斯已經試驗了一系列的風格。戰爭爆發時他只有二十三歲，迫於貧窮的生長背景，決心致力成為一名成功的畫家。在索姆河戰役的泥濘和屠殺慘烈景象中，他見證了上一代的藝術家們無法想像的光景。到了晚上，當迪克斯蜷縮在碳合金燈下，拿著油或筆作畫時，在兩國交界處的無人地帶上空的照明彈，會照亮那些鐵絲網上扭曲了的屍體。然後，每天早上，黎明都會照亮一片彷彿隕石坑般的死亡景象。

七月一日，戰爭開始的那天，近兩萬名英國士兵因為試圖攻佔敵方戰壕時遭到殲滅，另有四萬名士兵受傷。兩週後，德國防線的每一碼都被六百六十磅重的炮彈攻擊。新的殺戮方式正在不斷開發中。九月十五日，英國所發明、被稱為「坦克」的可怕機器首次在戰地上轟隆隆地登場。到了月底，軍機就經常往地面的戰壕投下炸彈。直到十一

① 譯註：法國北部皮卡第的一條河流，西元一九一六年第一次世界大戰時發生了索姆河戰役。

月下旬，戰爭才最終停止，傷亡人數高達一百萬名。對蹲伏在機關槍後面看盡這一切的迪克斯來說，似乎整個世界都變了，於是他寫道：「人性已經以惡魔般的方式發生了變化。」[2]

然而，有很多人認為自己是屬於天使的那一方。回到薩克森州，在戰爭爆發的前三年，德國為了紀念在那個特別血腥的戰役②中戰勝拿破崙一百週年，建了一座宏偉的紀念碑。碑體的中心是一座巨大的天使長聖米迦勒的雕像。雕像有著翅膀，手持一把火熱的劍，德國與敵人的戰鬥反映了天使對抗惡魔的終極戰爭的這種信念在此達到巔峰。隨著戰爭的不斷進行，以及對德國的海上封鎖開始生效，威廉四世越來越相信英國人與魔鬼結盟。而自戰爭開始以來，對愛國的英國人這一方來說，他們對德國人的看法也是如此。主教們和報紙編輯們一起形塑這樣的訊息並帶回英國，認為德國人已經屈服於「殘酷無情的軍事異教」[3]，他們退回到了對奧丁戰神的崇拜，這種異教在一千多年前曾經得到聖波尼法爵費力的救贖。《泰晤士報》在報導中寫道：「在德國，基督宗教開始被視為一種過時的信條。」[4]

或許，紙上談兵的戰士們比實際在前線作戰的士兵們更容易相信這一點。在阿爾伯特小鎮索姆河戰役的英國戰線後面矗立著一座大教堂，頂端設立了一尊金色的聖母和聖嬰的雕像。一年前，尖頂被炮彈擊中，彷彿是神顯現了奇蹟，雕像仍岌岌可危地懸吊在上方。謠言開始在德國和英國的戰壕裡傳播著，說是無論哪一方擊落雕像，都註定會輸掉戰爭。然而，當抬頭仰望聖母像時，許多人受到了啟發，戰爭不是駐足在勝利和失敗的演算上，而是停留在雙方的痛苦上。一位英國士兵寫道：「這座雕像曾經在大教堂的高塔上昂揚地佇立著，現在它被悲痛擊得彎下身來。」[5]畢竟，聖母明白哀悼兒子是什麼樣的痛苦。

在戰爭成為整個歐洲共同經歷的悲痛和苦難中，基督在十字架上受磨難而死的形象，為許多人帶來了新的力量。可以預見的是，雙方都試圖將這一點轉化為自己的優勢。在德國，牧師們把英國皇家海軍實施的封鎖，比作把基督釘在十字架上的釘子；在英國，德國士兵將一名加拿大囚犯釘在十字架上的故事，長期以來一直是宣傳的主要內容。即便如此，在戰壕裡，士兵們——如果他們沒有發現自己被困在鐵絲網上，或者被機關槍炮擊中，或者被爆炸的炮彈拆散——日復一日地生活在死亡的陰影裡，十字架仍然引起了陰魂不散的共鳴。基督成為他們的患難之友。在索姆河戰役的戰場上，士兵們

②譯註：指西元一八一三年的萊比錫戰役。

會驚奇地注意到路邊佈滿彈孔、但仍然殘存的十字架。即使是新教徒，甚至無神論者也會被感動。士兵們在戰壕裡開玩笑地分享著，說他們在痛苦和軟弱中是如何想像著基督站在他們的身旁。「我們毫不懷疑，我們知道祢與我們同在。」[6]

奧托．迪克斯待在戰壕內的時候，基督的痛苦不停盤旋在他的腦海裡。在新教路德派的家庭背景之下，迪克斯帶了一本聖經到法國。在前線服役的過程中，由於看到無數猛烈無情的炮火攻擊，其悲慘足以使他認定戰場即是人們的髑髏地。透過藝術家的眼睛，當他看到一個士兵被炮彈的碎片刺穿身體的時候，想起耶穌基督被釘在十字架上的景象。然而在某種程度上，迪克斯證實了英國的宣傳中，對德國人的性格最黑暗的懷疑——拒絕認為基督的痛苦帶有任何目的，他們認為，如果以這樣的方式想像基督的受難，就是執著於奴隸的價值。犧牲受難的報酬，就是「被釘在十字架上，經歷人生最痛苦的深淵」。

迪克斯在西元一九一四年志願上戰場，這樣做是出於對生命和死亡最終極經歷的渴望：去體驗把刺刀插進敵人的臟腑並扭轉刀刃是什麼樣的感覺；去體驗眼睜睜看著被一顆子彈貫穿額心的戰友突然倒下是什麼感覺；去體驗「飢餓，跳蚤，泥巴」[7]。只有陶醉於這樣的經歷，人才能夠不僅僅是一個人，而是一個「超人」（*Ubermensch*）③。要擁有自由，就是要成為偉大的人；而成為偉大的人，就是要成為令人畏懼的人。教導迪克斯有如此信念的不是聖經。他決心摒棄奴隸的心態，沉浸於為主人而造就的所有特質。迪克斯有意識地否定了基督宗教道德：關心弱者、窮人和被壓迫者。在迪克斯看來，這場歷史上最可怕的戰爭，正是觀察西元一九〇〇年以來秩序崩毀的一個有利位置。

除了他的聖經，他還有第二本書。西元一九一二年，他在德勒斯登還是一名藝術系的學生時，受到哲學的激勵而創作了一座真人大小的石膏半身像。這不僅是他的第一個雕塑，也是他第一次被畫廊買走的作品。挑剔的批評家們在檢視了這座雕像下垂的小鬍子、它那盛氣凌人的頸部線條，以及它那籠罩在濃密眉毛暗影之下的凝視之後，聲稱它正是弗里德里希·尼采（Friedrich Nietzsche）的形象。

「我們聽不到埋葬上帝的挖墓者的噪音嗎？我們是不是聞不到神聖的腐敗——即使是上帝的腐敗？上帝已死，上帝仍然是死的，我們殺了祂。」[8]在索姆河畔讀到尼采寫的這些文字，在滿布泥濘和燒成灰燼的風景中，在屍橫遍野的戰場中，在犧牲殆盡後仍然可

③譯註：超人說是哲學家尼采的著名理論，是其著作《查拉圖斯特拉如是說》中查拉圖斯特拉一角對人類設下的理想典範。

能得不到任何救贖的絕望中，我們只能感到戰慄。尼采早在西元一八八二年就寫下了這些書：一個瘋子的寓言，在明亮的早晨點燃燈籠，跑到市集，他的聽眾中沒有人會相信他關於上帝已經被殺死了的消息。

尼采的成長似乎很少預示這種褻瀆。尼采有來自於虔誠的地方主義的背景：作為路德會牧師的兒子，以弗里德里希．威廉四世的名字命名。早熟和聰明的尼采在獲得教授的職位時年僅二十四歲，但僅僅十年後，他就辭職了，成為一個衣衫襤褸的文人流浪漢。最後，似乎像是證實他在事業上的徒勞無功，尼采患了嚴重的精神崩潰，在他生命的最後十一年裡，他輾轉地被關進一家家的精神病院。當他最終在西元一九〇〇年去世時，很少有人讀過這些在他陷入瘋狂之前寫的書，然而在尼采死後，這些書在生產狂潮中不斷地升級，他的名聲以驚人的速度增長。到了西元一九一四年，當迪克斯在背包裡帶著尼采的著作出戰時，尼采的名字已經浮出水面，成為歐洲最具爭議的人之一，許多人譴責他是有史以來最危險的思想家，其他人則高舉他是先知，而許多人則認為他兩者兼而有之。

當然，尼采並不是第一個成為無神論代名詞的人。然而，從來沒有人——不是斯賓諾莎，不是達爾文，不是馬克思——曾經如此無畏地注視著上帝被謀殺對文明而言意味著什麼。尼采對那些和他抱持相反想法之人的厭惡是強烈的，因此他說：「當一個人放棄基督宗教信仰時，這個人就已經從腳下拉出基督宗教道德的權利了。」[9]尼采蔑視哲學家，稱他們為祕密牧師。社會主義者、共產主義者、民主主義者，所有人都同樣地被迷惑了。

尼采輕蔑地看待那些啟蒙運動的狂熱者，以及那些想像男人和女人擁有與生俱來的權利、自封的理性主義者，因此他說：「所謂的天真，就是以為當制裁道德的上帝失蹤時，道德還可以生存一樣！」[10]他們的人類尊嚴學說並非源於理性，而是源於他們自負地相信自己已經放逐的信念。人權宣言只不過是基督宗教的潮流退去後，留下的廢料和沖到岸上的垃圾而已，是已經褪色和擱淺的遺物。上帝已經死了——但在曾經成為基督宗教的大巢穴裡，祂仍然投下了一道巨大而可怕的陰影，也許還會盤桓好幾個世紀。基督宗教已經統治了兩千年，它是不容易被驅逐的，它的神話將會長存。他們把自己塑造成世俗的，這當然同樣是神話。「諸如人類的尊嚴、勞動的尊嚴之類的幻影」[11]都是徹頭徹尾的基督宗教思維。

尼采並非在恭維。他鄙視那些固守基督宗教道德的人（即使他們的刀子沾滿了上帝的鮮血），不只是因為他們是騙子，他也討厭他們的信仰。對卑微和苦難的關注，遠非為正義事業服務，而是一種毒藥。尼采比許多神學家看得更徹底，已經令人震驚地滲透到基督宗教信仰的核心，他寫道：「（他們）設計出某種東西，其力量甚至可以接近『聖十字架』那充滿誘惑、令人陶醉、麻痺與腐蝕的力量，讓『被釘死在十字架上的神』這種不可思議、極端殘酷和自我折磨的可怕悖論，成為拯救人類而受難的奧祕？」[12]和使徒保羅一樣，尼采知道這是一種恥辱；而和保羅不一樣的是，尼采發現這令人厭惡。

基督被折磨致死的景象一直是強權拋出來的誘餌，這個景象說服了人們，強壯與健康的、美麗與勇敢的，以及有權勢與有自信的——這些都是人們天生的劣性，而饑渴和謙卑的人才理應繼承地球。「幫助和照顧他人，為他人所用，不斷地激發出一種力量。」[13]在基督宗教的世界裡，慈善已成為一種統治的手段。然而，基督宗教通過站在一切不健全的、軟弱無力的那一邊，使得全人類都生病了。它在上帝面前的慈悲和平等的理想不是由愛孕育的，而是在仇恨中孕育的：對最深刻和最崇高秩序的仇恨，一種改變道德品格的仇恨，一種在地球上從未見過的仇恨。這是聖徒保羅——尼采口中的「那個癡迷於仇恨的假幣製造者」[14]——發動的革命。弱者征服了強者，奴隸已經打敗了他們的主人。

尼采懷著一位學者的激情，將畢生精力投入到研究人類的文明，在悼念那些古代的獵物時，他寫道：「被狡猾的、幽暗的、無形的、嗜血的吸血鬼毀了！沒有被征服，只是被吸乾殆盡！……暗地裡的報復心和猥瑣的嫉妒心掌控了一切！」[15]他欽佩希臘人，因為他們的殘忍。他對於古希臘是一個陽光明媚的理性主義之地的這些概念都不屑一顧，以至於在他擔任教授的任期結束時，許多學生都震驚地放棄了他的課程。

正如薩德所做的那樣，尼采珍視古人為製造苦難時所帶來的快樂，知道懲罰可能是歡樂的；為了證明這一點，他寫道：「在人類為自己的殘酷而感到羞愧的年代之前，在悲觀主義者存在之前，地球上的生活比現在更快樂。」[16]尼采本人有弱視的疾病，容易出現猛烈的偏頭痛，但這絲毫沒有妨礙他對古代貴族的欽佩，以及他們對病人和弱者的無動於衷。他認為一個關注弱者的社會是一個自弱的社會，正是因為這樣，使得基督徒變成如此惡毒的吸血者。如果說尼采主要悲歎的是對羅馬人的馴服，那麼他也悲歎他們如何損害其它國家而自肥。

尼采本人對德國人的蔑視甚於他對英國人的蔑視，他幾乎沒有民族主義的情懷，以至於在二十四歲時就放棄了普魯士國籍，死去的時候是沒有國籍的。儘管如此，他總是哀歎他的祖先的命運。曾經，在史稱「日耳曼使徒」的聖波尼法爵到來之前，森林庇護了撒克遜人，他們兇猛地渴望生活中最豐富、最強烈的一切事物，他們一直是掠食者，一頭不亞於獅子的「金髮猛獸」。但接著傳教士的到來，金髮碧眼的野獸被誘惑進了修道院。「現在，他躺在那裡，生著病、可憐又淒慘，對自己充滿惡意，充滿了對生命力的仇恨，充滿了對所有仍然強大與快樂的事物的懷疑。簡言之，他成了一個『基督徒』。」[17]不需要成為奧丁戰神的崇拜者，迪克斯在忍受了西方戰線的極端痛苦之後，覺得自己終於自由了。

他在筆記本上記錄著：「即使是戰爭，也必須被視為一個自然的事件。」[18]這是一個深淵，當穿過深淵的時候，一個人可能像繩子一樣被吊起來，固定在野獸和「超人」之間——這是一種迪克斯覺得沒有理由在索姆河戰役中放棄的哲學。然而，對於戰爭的一切來說，這似乎是一個荒涼的哲學。戰壕裡的士兵們很少願意與尼采一起思考，世上可能沒有真理、沒有價值，本身就沒有意義——只有承認這一點，一個人才會不再是奴隸。這個使得歐洲白人淌血的空前大規模的暴力，並沒有讓大多數的歐洲人民震驚到成為無神論者。相反地，這場戰爭有助於他們確認信仰，否則要如何理解這所有的恐怖？和以前一樣，當基督徒發現自己被苦難和屠殺困住的時候，籠罩在人間和天堂之間的面紗在許多人看來可能非常地薄。

隨著戰爭的進行，西元一九一六年過後，來到西元一九一七年，戰爭結束的時間似乎越來越近了。在葡萄牙的法蒂瑪，聖母多次顯現，直到最後，在擁擠的人群面前，太陽跳起舞來，彷彿在實現〈啟示錄〉中記載的預言：天上出現了一個又大又神祕的景象，「有一個女人身披太陽。」[19]在巴勒斯坦，英國人在世界末日取得了壓倒性的勝利，並從土耳其人手中接過耶路撒冷。在倫敦，英國的外交大臣發表了一項聲明，支援在聖地建立一個猶太人的家園——許多基督徒認為，這一發展必將預示著基督的回歸。

然而，基督沒有回來，世界也沒有結束。西元一九一八年，當德國最高司令部發動大規模行動，企圖一勞永逸地粉碎對手時，他們將行動代號稱為「米迦勒行動」，以紀念天使長。攻勢在達到頂峰後破敗並滅亡，八個月後，戰爭結束了，德國被起訴，凱撒退位了。骯髒的和平被帶到已經支離破碎的大陸。奧托·迪克斯從戰場回到德勒斯登後，他的畫作裡滿是殘廢的軍官、營養不良的嬰兒和憔悴的賣淫女人。到處都能看到乞丐。在街角有煽動的群眾，有些是共產主義者，有些是民族主義者。有些人赤腳徘徊在街頭，預言著世界末日並呼籲人類重生。迪克斯完全無視他們。當被要求加入一個政黨時，他會回答他寧願去妓院。他繼續讀尼采。「在經歷了一場可怕的地震之後，一次巨大的反思提出了新的問題。」[20]

與此同時，在揉雜著啤酒和汗水陳腐味道的地下室裡，那些聲音刺耳的男人們在談論著猶太人。

意志的勝利

難搞的房客是每個女房東生活裡的災難。在柏林的日子是艱難的，身為一名寡婦，伊莉莎白．薩爾姆需要以某種方法賺錢——但方法也是有限制的。她那年輕的男房客總是惹上麻煩。一開始，他與他的女朋友，一個叫做埃爾娜．賈尼琴的前賣淫者分享他的房間，任何可敬的寡婦都不會想要那樣的女人出現在她的房子裡。接著一群男人開始來到，敲著薩爾姆女士的門，推擠過她身旁，進屋後整夜大聲地談論政治。最後，在西元一九三〇年一月十四日那一天，她的耐心崩潰了，她命令賈尼琴搬離她的房子。賈尼琴拒絕離開，於是薩爾姆女士報警了，警方叫她自己解決這件事情。

帶著絕望的心情，她去到當地的一家酒吧，在那裡她知道她已故丈夫的朋友們會在那裡。果然他們都在，躲藏在後屋的密室裡。他們聽見了她的求助，卻拒絕幫忙。他們為什麼要伸出援手？他們之間是有嫌隙的。薩爾姆女士的丈夫是一個信仰深厚的人，但他的寡婦並沒有按照他的朋友所提供的建議，給他他想要的葬禮，而是轉向當地的牧師求助。現在，她站在貝爾酒館裡，被她所褻瀆的事物包圍著：血色的標誌縫合在旗幟上、翻舊了的神聖文本、牆上的聖像，以及角落裡滿是鮮花和列寧畫像的聖壇。

布爾什維克黨員們自從參觀了倫敦的自然歷史博物館以來，已經取得了長足的發展。早在一九〇五年，該黨出席大會的代表不到四十人，現在它則統治著一個龐大而古老的帝國。俄羅斯是如此地龐大，以至於它幾乎佔了世界基督徒的四分之一。蔑視西羅馬帝國的自命不凡，這個君主制度聲稱自己乃是拜占庭帝國的後裔，它的教會④擁有「正統」的稱號。然而，革命來到了他們自封的第三羅馬⑤。西元一九一七年，俄羅斯君主制被推翻，布爾什維克在列寧的領導下奪取了政權。馬克思所揀選的人，工業無產階級，被帶到了應許之地：一個共產主義的俄羅斯。那些不值得生活在這樣一個天堂的人——無論是王室成員還是擁有幾頭奶牛的農民——都已經被消滅了，教會也是如此。儘管列寧本人曾擔心冒犯信徒可能會適得其反，但革命邏輯的要求已被證明是無情的。「不亞於理論上，在實踐上，共產主義與宗教信仰是不相容的。」[21]

神職人員一定得離開。西元一九一八年，俄羅斯的教會被國有化，主教們被槍殺、倒釘在十字架上或被監禁。接著，在西元一九二六年，一個特別古老的修道院被改造成

④ 譯註：東正教會。
⑤ 譯註：莫斯科，第三羅馬是一個神學和政治概念，斷言莫斯科是羅馬帝國的繼承者。

勞改營，這正是一石二鳥。然而，許多共產黨員似乎覺得除掉群眾的鴉片的過程還是太慢，因此在西元一九二九年，一個組織被賦予了處理宗教事務的責任，該組織的作風正如實地表現在它的名稱上——戰鬥無神論者同盟。他們宣稱的目標是一勞永逸地消滅宗教。他們相信，費時五年即可完成這項任務。他們有組織地開始工作並積極投入任務的執行，整列火車都開動了。在西伯利亞這個把薩滿⑥扔出飛機、叫薩滿飛起來的偏遠地區，基督宗教只是零星地被傳播著。但是，再怎麼遙遠的宗教堡壘都一樣會被拆除，宗教的領導人會被清算，迷信的黑暗在理性的光芒下會被驅逐。宗教這種混雜了未經證實的斷言、牽強的預言和荒謬的一廂情願的東西，註定要消失。正如馬克思所證明的，這是科學事實。

俄羅斯帝國已經強大到眾所周知，許多遠在蘇聯邊界之外的人也同意。這就是為什麼在柏林那個一月的下午，薩爾姆女士發現她丈夫的戰友們對她的求助充耳不聞。他們非常憤慨地指出尼采幾十年前就注意到的諷刺意味。堅持在教堂舉行葬禮可能是一種褻瀆，與其說這是對基督宗教的否定，不如說是無意間承認基督與基督宗教的血緣關係。到西元一九三〇年，越來越多的基督徒願意考慮一種令人迷惑的可能性：布爾什維克黨員，一個在其主張中具有普遍性、但在其原則上毫不妥協的事業的擁護者，實際上可能是「反教會」[22]的衝擊力量。像教宗額我略七世的時代一樣，他們把皇帝的自命不凡踐踏到冬天的雪地裡；像教宗英諾森三世的時代一樣，他們用火力和審訊來打擊反抗的力量；像馬丁路德的時代一樣，他們嘲笑神職人員迷信的驅魔；像溫斯坦利的時代一樣，他們宣布土地為人民共同的資產，並對任何反對者制定了嚴厲的懲罰。

一千年來，拉丁基督宗教的雄心壯志是看到整個世界重生：在改革之水中為它施洗。這種野心一再地給歐洲帶來了革命，一再地為這片以各種非常不同的思維習慣塑造而成的土地帶來了革命，最終帶來了毀滅。列寧在一位德國經濟學家的教導下，一直是俄羅斯東正教的禍患，規模大於科爾特斯之於阿茲特克眾神的禍患。曾經的基督宗教傳教的熱情傳統，現在可能使基督宗教本身走向倒退，這種可能性對於大多數基督徒來說太殘酷了，一般人是無法想像的。然而，他們之中最精明的人對此卻瞭然於心。蘇聯的無神與其說是對教會的否定，不如說是對教會的黑暗致命的模仿。「布爾什維克無神論是一種新的宗教信仰表達。」[23]

⑥編註：薩滿信仰分佈於北亞、中亞、西藏、北歐和美洲，相信天地間均有神靈存在，通過靈媒「薩滿」所施行的巫術、儀式，便能與這些神靈直接溝通。

新秩序的夢想根植於舊時代的遺蹟，根植於千年以來聖人們的統治，根植於審判日從不公義中揀選出來的正義，而不公不義之人死後將被扔進火湖裡受罪，從教會的早期開始，這種地獄火湖的意象便一直縈繞在信徒們的想像裡。基督宗教當局對這種渴望可能引向何方感到緊張，一直試圖對他們進行監管，但是，這些人們渴望的天啟的構成要素依舊是相互聯結而模糊不清的，它們一直持續地呈現新的樣貌。

但現在，在德國各地，新的社會秩序正在擴散。在柏林並非所有的準軍事人員都是共產主義者，街頭的競爭非常激烈。當薩爾姆女士最後一次絕望地求助時，她只需要講出她房客的名字，就讓酒吧後屋的每個人都突然坐直了。一轉眼情勢就變了。有些男人站了起來。他們跟著薩爾姆女士走出酒吧，回到她的公寓。就在幾天前，一家共產黨日報刊登了一條毫無歉意的口號。那天晚上，三個準軍事組織的人員站在薩爾姆女士家中的廚房裡，等著她搖響牛鈴，那是她在宣布來訪者時的習慣做法，他們已經準備好對著薩爾姆女士的房客喊出報紙的戰鬥口號：「無論你在哪裡找到他們，打倒法西斯分子！」24

「法西斯」這個名詞源自古羅馬的繁榮時代，在拉丁文中意為「捆綁」，一束鞭條，曾作為地方法官的護衛隊的權威象徵。然而，並不是羅馬時代的歷史上每一位地方法官都必然擁有這個權威，危機時期尸勢必要採取特殊的措施。凱撒在擊敗龐貝後被任命為獨裁者——這個職位允許他完全地掌控國家，他的每個衛兵都肩荷著一把用一束鞭條捆綁起來的斧頭。尼采曾經預言一場巨大的動盪即將來臨，人們將會否定平等和同情這些懦弱的基督宗教教義，也預言了那些領導革命的人將「成為他們標誌的設計者和仇恨的幽靈。」[25]時間證明尼采是對的，法西斯已經成為一個重大成功運動的勳章。

到了西元一九三〇年，就像兩千年前一樣，義大利落入一個獨裁者的手中。貝尼托．墨索里尼（Benito Mussolini），一個前社會主義者，在閱讀了尼采的著作之後，在第一次世界大戰結束時，他夢想著成為一個全新的人，一個無愧於法西斯國家的精英，把自己塑造成凱撒大帝，擁有一張閃閃發光的未來的臉。墨索里尼以狂熱的天分領導著國家，他融合了古代和現代的經驗，形塑出一個全新的義大利。無論是用羅馬式敬禮來問候他來自各個階層的大批群眾，還是駕駛飛機，墨索里尼的姿勢都是自覺地試圖抹去整個基督宗教的歷史。雖然在一個像義大利這樣與天主教有深厚淵源的國家，他別無選擇，只能將一定程度的自治權讓給教會，但他的最終目標是使教會完全從屬於他，讓它成為法西斯國家的使女。墨索里尼的追隨者們尖聲喧囂著，毫無保留地、歡欣鼓舞地往這個目標前進。「是的，我們正是極權主義者！從白天到晚上，我們想成為心無旁騖的極權主義者。」[26]

在柏林也有這樣的人。一個同時相信種族主義和將所有個人利益從屬於共同利益的運動的衝鋒隊，他們稱自己為「國家社會主義者」。對手嘲弄他們的自命不凡，稱他們為納粹分子。但這只暴露了恐懼。國家社會主義者博取敵人的仇恨，他們認為敵人的厭惡是值得歡迎的，這是鍛造新德國時所需要的鐵砧。「拯救生命的不是同情，而是勇氣和韌性，因為戰爭是生命的永恆性格。」[27]

與義大利一樣，在德國，法西斯主義努力將古代與現代世界的魅力和暴力結合起來。在對未來的憧憬中，基督宗教這種貓叫聲般的虛弱是沒有立足之地的。金毛野獸要從修道院裡解放出來，一個新的時代已經到來。納粹領導人阿道夫·希特勒並不像墨索里尼所宣稱的那樣是知識分子，但他不需要是。少年時期生活在窘迫困頓的環境中，在索姆河戰役時受傷，以及因發動政變失敗而被捕入獄，他開始覺得自己就是那個被神祕旨意召喚來改變世界的人。他也許零零散散地讀了為數不多的哲學和科學的書籍，但有一件事他是打從心底確定的：命運是寫在一個民族的血液裡。沒有普世的道德，俄國人不是德國人，每個國家都是不同的，一個拒絕聽從靈魂指令的民族是註定要被滅絕的民族。希特勒警告說：「世界上所有不好種族的人都是糠秕。」[28]

曾經，在他們早期的快樂日子裡，德國人民與他們居住其中的森林是合而為一的。它們曾經作為一棵樹存在：不僅作為樹幹、樹枝和樹葉的總和，而是作為一個活生生的有機的整體存在著。但隨著北歐種族的湧現，讓土壤汙染了整座森林。樹汁滲入毒液，樹枝也被斬除，現在只有手術才能挽救他們。希特勒的政策雖然根植於原始又古老的種族意識，但也植根於進化論的臨床配方。古代編年史和達爾文主義教科書同樣地制定了恢復德國人民血統純正的措施，消滅那些阻礙執行這個計劃的人不是犯罪，而是一種責任。希特勒毫不猶豫地得出了合乎邏輯的結論：「猿類會對所有社群裡的邊緣異類展開屠殺，對猴子有效的東西肯定對人類更有效。」[29]人類與任何其他物種一樣，受制於為生命展開奮鬥，也受制於保持其種族純正的需要。將這一點付諸實踐並不殘忍，這只不過是世界運行的方式。

霍斯特．威塞爾（Horst Wessel）這個與薩爾姆女士一起生活了三個月的年輕房客，不僅被這份宣言說服，還大大地被激勵了。身為一名牧師的兒子，他從小就成為「阿道夫．希特勒的熱心門徒」[30]。他把原本可能致力於教會的精力都奉獻給國家社會主義了，光是在西元一九二九年，他就在將近六十場會議中講道。就像他父親曾經做過的那樣，他召集了一群音樂家，把讚美詩帶到街上，和他們一起穿過共產主義的據點。他為樂隊寫的最有名的一首歌中，描繪出殉難的同志們行進過活人的身邊。難怪薩爾姆女士光提到他的名字就足以讓她的聽眾坐直了。

任何一個自重的共產主義黨團都可能有興趣打壓威塞爾，這就是為什麼在一月十四日的晚上，三名共產黨員站在她家門外，等待薩爾姆女士按她的牛鈴。對於他們的意圖後來會出現分歧的說法，也許，正如這三名共產黨員聲稱的，他們只打算給他一頓毆打，也許他臉上的槍擊是個意外。不管真相如何，威塞爾確實是受了重傷，被送往醫院的五週後他死了。使事情更加複雜的是兇手的身分——一個曾經為埃爾娜・賈尼琴拉皮條的人。警方越是調查此案，細節就越混亂。在這整個骯髒的事件中，只有一件事是肯定的：威塞爾的葬禮是一個街頭鬥士在爭吵中喪生的葬禮。只是這根本不是威塞爾在柏林的上級所認為的。

約瑟夫・戈培爾（Joseph Goebbels）和希特勒一樣，從小就是個天主教徒，儘管他可能蔑視基督宗教。他不僅警覺到基督宗教仍然超越了許多德國人的想像，而且意識到這一點可以怎樣發揮他自身的優勢。身為天才宣傳員，當戈培爾看到一名烈士時一定會認出來。在威塞爾的葬禮上致詞時，他以帶著戲劇性感染力的語氣，宣稱死者會再回來。人群皆感到一陣不寒而慄。一位哀悼者後來回憶說：「就如同上帝，祂做出了一個決定，在敞開的墳墓和旗幟上送上他的神聖氣息，祝福死者和所有屬於他的人。」[31]

一個月後，戈培爾明確地將威塞爾比作基督。在往後的幾年裡，隨著國家社會主義者從街頭戰鬥發展到統治整個國家時，這位被謀殺的突擊隊領袖繼續充當聖人的化身：殉難者的領袖。在意識到譴責納粹褻瀆媚俗可能是有風險的事之後，大多數的教會領袖都選擇了沉默。然而，有些人卻積極地提供他們的認可。西元一九三三年，希特勒被任命為總理的那一年，德國各地的新教教堂一年一度的宗教改革慶典上，都唱著威塞爾的戰鬥聖歌。在柏林大教堂，一位牧師無恥地模仿戈培爾，他在講道時說：「威塞爾就如同耶穌，已經死了。」接著，為了確保訊息傳達無誤，他補充說希特勒是「上帝派來的人」[32]。

如果基督徒認為這樣做可以影響、進而討好納粹領導人，那就是在自欺欺人了。模仿基督宗教不是對它表示尊重，而是要拆除它。在樹林裡，年輕熱心的國家社會主義者會在大火中焚燒聖經的副本，然後「為了證明我們如何鄙視世界上除了希特勒思想以外的所有邪教」[33]，他們接著唱起《霍斯特．威塞爾之歌》。在萊茵河上，在曾經是羅馬城市的露天劇場裡，女孩們可能會在夜晚聚集在一起，用舞蹈來慶祝威塞爾的生日，為他的精神祈禱，「讓她們成為孩子們的好使者」[34]。威塞爾這名牧師的兒子，不只是成為聖人，也成了神。

一千二百年前，橫渡萊茵河的聖波尼法爵也目睹了類似的事情。對被認為是基督宗教土地上異教徒習俗的景象感到沮喪，導致他把一生的大部分時間都用在打擊異教徒上。然而，現在他的繼承人面臨著更嚴重的威脅。八世紀時前往德國的傳教士們在工作中依靠法蘭西君主制的支援，納粹則沒有提供這種支援。希特勒曾在西元一九二八年大聲宣稱他的運動是基督徒的運動，現在他卻開始以積極的敵意看待基督宗教。基督宗教的道德以及對弱者的關注，一直被希特勒視為是懦弱和可恥的，現在他掌權了，他在教會的主張中承認一個不同於國家的領域——額我略改革⑦的可敬遺產——是對國家社會主義的極權使命的直接挑戰。

雖然像墨索里尼一樣，希特勒起初也願意謹慎行事，甚至在西元一九三三年與教宗簽署一份協約，但是他並不打算堅持很久。基督宗教道德導致了許多怪誕之物：酗酒者渾噩度日，而正直的國家同志們則奮力地為家人準備食物；精神病患者享受乾淨的床單，而健康的孩子不得不三、四個人擠在一張床上睡；應該用在健康之人身上的錢和注意力卻揮霍浪費在殘廢之人身上，諸如此類的愚昧正是國家社會主義存在要終結的。教會的榮景已經過了，新秩序如果要持續一千年，將會需要新人類，需要超人。

到了西元一九三七年，希特勒開始設想一勞永逸地消滅基督宗教。教會領袖們反對國家對智障者和殘廢者持續地進行絕育，這激怒了他。他自己偏好對智障者和殘廢者全面實施安樂死，並打算發動戰爭以付諸行動。這一政策既受到古代例子的認可，也受到最先進的科學思想的認可，是德國人民迫切需要接受的。顯然地，在他們仍然充滿同情心時，是不可能實現自己的種族命運的。

作為執行希特勒意志最有效的工具，「親衛隊」這個由黨魁直轄、精英組成的準軍事部隊，將基督宗教的毀滅視為一種特殊的志業。社民黨的指揮官海因里希・希姆萊（Heinrich Himmler）策劃了一個五十年的計劃，他相信這個計劃將徹底抹去宗教，否則基督宗教可能會被再次證明成為不利於「金髮猛獸」的禍害。德國人瘋狂地堅持這個對自身種族健康顯然至關重要的政策，他們說：「基督徒喋喋不休地說，上帝為了憐憫弱者、病人和罪人而死在十字架上，然後要求以違背自然的憐憫教義和誤解人類觀念的名義，讓基因病患者活著。他們也要求因為一種與自然背道而馳的憐憫教義以及被曲解的人性觀念的名義，讓患有遺傳疾病的人存活下來。」[35]正如科學已經最終證明的那樣，強者既有責任、也有義務消滅弱者。

然而，如果基督宗教像希特勒相信的那樣，是「人類有史以來遭受的最沉重打擊」[36]

⑦譯註：是教宗額我略七世和羅馬教廷於十一世紀下半葉推動的一系列天主教會改革，內容主要涉及教職人員的道德水準和獨立性，使天主教會奪回了敘任權，禁止買賣聖職並貫徹教士獨身。

，那麼僅僅從根部剷除它是不夠的。一個成功摧毀了羅馬帝國並催生出布爾什維克主義的有害宗教，幾乎不可能憑空出現。什麼樣的感染源會滋生這樣的瘟疫？顯然地，對國家社會主義者而言，沒有比這更迫切的問題需要尋找答案了。如果德國人民的未來要建立在穩定的基礎上，並足以延續至千秋萬世的話，無論是什麼病菌，它都需要被快速地識別出來並加以摧毀，正如戈培爾在沉思的心情中會說的：「面對這種事情，人們絕不能感情用事。」[37]

在黑暗中將他們束縛

英國與納粹德國的戰爭曾經延續了四年多，在那段時間裡，牛津幾乎沒有遭到轟炸機的破壞。即便如此，也不可能有絲毫的鬆懈，這就是為什麼在西元一九四四年一月十七日的晚上，在牛津大學的彭布羅克學院擔任盎格魯撒克遜語教授的托爾金（John Ronald Reuel Tolkien）向位於牛津北部的地區總部提出報告。自西元一九四一年以來他一直擔任防空隊員，他的任務不是特別繁重。那天晚上，他熬夜和一位同仁聊天。和托爾金一樣任教於牛津大學的塞西爾．羅斯（Cecil Roth）是一名猶太歷史學家，在他的眾多著作中，包括一本關於瑪拿西・本・以色列的傳記。

羅斯和托爾金兩人相談甚歡，一直暢談到午夜過後才回到宿舍。羅斯知道托爾金是一個虔誠的天主教徒，並注意到他沒有手錶，堅持借給他自己的手錶，這樣他的同伴就不會錯過清晨的彌撒。然後，就在七點前，他還去敲了托爾金的門，確認他是否起床了。托爾金已經醒了，一直躺在床上想知道自己是否有時間去教堂。「但是這個溫柔的猶太人破門而入，他陰鬱地瞥了一眼我床邊的《玫瑰經》，我就知道該怎麼做了。」當所有其它的燈都熄滅時，作為黑暗中的一道光，羅斯的善良照亮了托爾金。他是如此地感動，以至於在其中他辨認出這是屬於伊甸園的事物。他在同一天寫道：「這似乎就像是一個未墮落的世界的短暫一瞥。」[38]

托爾金打這個比方，並不是文章的修辭手法。他相信每一個故事最終都是關於墮落的。不亞於聖奧斯定所做的，他把所有的歷史都解釋為人類罪過的記錄。在他深愛的盎格魯撒克遜語的著作中被命名為「中土」的這個世界，仍然是以前的樣子：善與惡之間的偉大戰場。西元一九三七年，在戰爭爆發的前兩年，托爾金開始寫小說，試圖映照出基督宗教這個永恒的主題。《魔戒》（*Lord of Rings*）深深根植於他畢生致力於學術的文化中——中世紀早期的基督宗教。

可以肯定的是，他想像中的中土，並不是使徒彼得或聖波尼法爵會認得的。歷史和地理熟為人知的輪廓消失了，基督宗教不見了，上帝也不見了。雖然有人類，但也有其他的種族。托爾金的小說裡充滿了精靈和矮人、巫師和會走路的樹木，也有一種半人類叫做哈比人，有著毛茸茸的大腳和滑稽的名字，這些描繪看起來像是托爾金從一些幼兒故事汲取的靈感，而這確實是這些角色的起源。

然而，托爾金無法滿足於寫一本兒童讀物。他擁有史詩般的雄心壯志。聖奧斯定寫道：「上帝之城將被苦難重重包圍，受到巨大的壓迫並遭到封鎖，但是它不會放棄戰鬥。」[39]這種願景，即不惜一切代價也要反抗邪惡的鬥爭，早在基督宗教的早期，就是國王和聖人們一直堅持的願景；托爾金深深地被這樣的願景感動。他編組基督宗教的語言，借鑒基督宗教的文獻，融合基督宗教歷史中的情節，這樣一來，他們可以開始一起描繪一個夢想的輪廓，這個夢想的目標是創作一個幻想——從某種意義上說，上帝也能接受的幻想——最終令這個幻想成為現實。他希望當人們閱讀《魔戒》這本小說的時候，也會從中發現真理。

當然，作為一個天主教徒，托爾金相信整個歷史見證了基督，因此，他覺得沒有必要為了像他那樣掩飾這種自知之明，以及掩飾他所知的對生活的批評而道歉，他寫道：

「在神話和傳說的覆蓋之下。」[40]但托爾金的小說並非完全僅由古老的傳說塑造而成。當他定睛凝視自己的時代黑暗的核心時，他知道那意味著什麼。年輕的時候，他曾在索姆河戰役面對奧托・迪克斯和阿道夫・希特勒也共同經歷過的泥濘。直到西元一九四四年，大屠殺的記憶仍然困擾著他。「雙手從沼澤中奮力地掙扎著伸出來，脫困後他哭喊著逃了回來。」他驚恐地說：「水裡有死去的東西，死人的臉，死人的臉孔！。」[41]

身為一個從戰壕內目睹了激烈空戰以及坦克車壓輾過無人地帶的慘象的人，當托爾金在書內寫到邪惡的一方騎著巨大的無羽鳥或發動致命的戰爭機械時，他心中浮現的是屍體淹沒在戰場的泥潭中並永遠地漂浮著、交錯著機械化時代與被詛咒的中世紀景象的恐怖，這種種關於戰爭的可怕回憶。黑暗之王索倫以黑暗的野心威脅著整個中土大陸，統治著魔多的領地——一個巨大的工業化軍事的綜合體，黑色的熔爐、彈藥工廠和成堆的礦渣，如同教宗額我略一世可能已經立刻認出的地獄景象。就像在第一次世界大戰時如同傷疤似地貫穿整個法國和比利時一樣，被摧毀的樹木和花朵，這個意象始終貫穿整部《魔戒》，成為黑暗之王索倫統治魔多的標誌。

如今，當托爾金繼續寫著他的小說時，世界被置於新的悲慘和恐怖的陰影之中。那段歷史見證了永恆的光明與黑暗之爭，他們要求那些站在善的這一邊的人在對抗邪惡時要保持無限的警惕，這是托爾金與納粹黨共同的信念。無可否認地，在闡明國家社會主義的使命時，其領導人往往不會用這樣的措辭來界定它。他們更喜歡以達爾文主義的語言來表達：「一個基於最精闢的科學知識及其理論說明而冷靜地闡明的現實。」[42]

因此，在入侵波蘭並席捲歐洲使其陷入第二次可怕內戰的前一年，希特勒定義了國家社會主義。他的戰爭機器贏得了勝利，這些勝利證明了他的人民有資格成為精英種族，也為他提供了一些更寶貴的東西：保護他的人民免受獨特的危險的機會。希特勒的科學家們在為國家社會主義定義種族的等級制度時，毫不猶豫地拒絕將猶太人定義為一個種族。他們認為猶太人是「種族的對立」（counter-race），是病毒和細菌，所以根除他們只不過是和醫生對抗傷寒的流行病一樣，並不是犯罪。一九三八年十一月九日，由奧本海姆家族資助的位於科隆的魯恩斯特拉猶太教會堂被摧毀，這是德國境內眾多同樣被付之一炬的猶太建築之一。

然而，僅僅燒毀害蟲的巢穴是不夠的，害蟲本身必須被消滅殆盡。害蟲可能以男人、婦女和兒童的形式出現，這並沒有使淘汰他們的任務變得不那麼緊迫，只有被基督宗教有害的人文主義——不用說，就是一個「由猶太人創造和傳播」[43]的邪教——所感染的人，才可能不這麼認為。即使希特勒主張反對猶太人的運動是一個關乎公共健康的問題，但他也經常會把它同化為另一種說法、一個深刻的基督宗教的說法：要拯救世界，就必須先淨化世界。受到滅亡威脅的人們需要被救贖，站在天使這一邊的人需要從地獄使者的害蟲之中被保存下來。希特勒說：「兩個世界彼此對峙——上帝的人和撒但的人！猶太人是反人類的，是另一個神創造的生物。」[44]

征服使希特勒的仇恨傾向遠遠超出了德國的極限，甚至在戰爭之前，他們就已經暗暗地潛進了托爾金的書本研究。西元一九三八年，一位希望出版他的書的德國編輯寫信問他是不是猶太人，托爾金回答說：「真是遺憾，我似乎沒有那種天才祖先。」[45]納粹的種族主義缺乏任何科學依據，托爾金認為這點是理所當然的，但是他對納粹的種族主義最大的反對，乃是基於他是一個基督徒。儘管他沉浸在中世紀的文學中，他仍然深知自己的教會在對待猶太人的成見和迫害中所扮演的角色。在他的想像中，他並不把他們視為飽受中世紀誹謗的鷹鉤鼻吸血鬼，而是「英勇和神聖的種族、以色列的人民，以及上帝合法的子民」[46]。

這些來自一首穿越紅海而來的盎格魯撒克遜語的詩的文字，對托爾金來說很珍貴，因為正是他自己翻譯了這些詩文，當中有著與啟發彼得寫〈出埃及記〉時相同的認同感。摩西在詩中代表的是一位強大的國王，「一位有遊行隊伍伴隨著的人民的王子。」[47]正當納粹將他們的帝國從大西洋擴展到俄羅斯時，托爾金自由地從這些詩歌中汲取靈感，創作了《魔戒》這部史詩。故事情節的核心是人類國王的回歸：一個長期被遺棄的王位的繼承人，名字叫做亞拉岡。如果魔多的軍隊就像法老一樣地邪惡，那麼擺脫流亡的命運、將人民從奴役中拯救出來的亞拉岡，我們豈不是可以在他身上看見摩西的影子？就像在彼得的修道院裡一樣，我們在托爾金的研究中也能發現，一個英雄也可以同時被想像成是基督徒和猶太人。

這不是什麼遙遠的、光怪陸離的現象，在整個歐洲，基督徒願意認同猶太人，這已成為他們面對猶太歷史上最大災難時做出回應的衡量標準。教宗沒有做到的事，曾經是虔誠天主教徒的托爾金也沒有做到。西元一九三八年九月，生病的教宗庇護十一世（Pius XI）宣稱自己在精神上是猶太人。一年後，隨著波蘭被德國軍隊擊敗後遭受難以形容的殘酷佔領，庇護十一世的繼任者向信徒們發出了第一封公開信——教宗庇護十二世悲歎著這片血淋淋的生靈塗炭的景象，尖銳地引用了聖保羅的話：「既沒有猶太人，也沒有希臘人。」從教會的早期開始，這句話就特別有助於區分基督宗教和猶太教。在基督徒之間，他們慶祝教會是所有國家的母親，而在猶太人之間，他們對任何將他們的獨特性消失在人類巨大群體中的前景感到震驚，這種差異長期以來一直是十分鮮明的，但對納粹而言，似乎並非如此。

當教宗庇護十二世引用〈創世紀〉來譴責那些忘記人類有著共同起源、忘記全世界各國人民都有責任慈善相待的人時，納粹的理論家們以侮辱性的謾罵來回應。在他們看來，普遍道德顯然是猶太人的欺詐行為。「我們還能容忍我們的孩子被迫學習猶太人和黑人就像德國人或羅馬人一樣，都是亞當和夏娃的後裔，僅僅是因為猶太神話這麼說嗎？」基督宗教所有的教義不僅是有害的，這種人人在基督裡合而為一的教義，更是對科學基本原理的侮辱。幾個世紀以來，北歐的種族一直被它影響，結果是殘害了本應被正確留下來的完整性，彷彿接受了思想上的割禮。「猶太人保羅必須被視為這一切的父親，因為他以一種非常重要的方式，確立了摧毀基於血緣的世界觀原則。」

當基督徒在面對一個政權致力於否認其信仰中最基本的信條，即人類的合一性、照顧弱者和受苦者的義務時，必須做出選擇，正如一位名叫迪特里希．潘霍華（Dietrich Bonhoeffer）的牧師早在西元一九三三年就說的，教會是否對任何社會秩序的受害者有「無條件的義務，即使這些受害者不屬於基督宗教社區？」[48]還是沒有這個義務呢？潘霍華自己對這個問題的回答是，他密謀刺殺希特勒，最終在集中營裡被絞刑處決。還有很多其他的基督徒通過了考驗，有些人公開發言，另一些人更盡其所能祕密地在地窖和閣樓裡庇護他們的猶太鄰居，他們充分地意識到這樣做是冒著生命危險的。教會領袖們一邊用預言的聲音呼籲信徒們抵抗幾乎超出他們理解範圍的罪行，一邊害怕這樣做可能會危及基督宗教的未來，他們就像是在高空走鋼索般地搖擺，感到左右為難。

西元一九四二年十二月，教宗庇護十二世在私底下哀歎說：「教會對教宗沉默的事實感到沉痛，但是教宗不能說話，如果他開口說話，情況會變得更糟。」[49]也許正如他的批評者後來所指責的，教宗無論如何都應該發言表態，但是庇護十二世的權力是有限的，他明白自己如果把事情逼得太緊，他可能就無法實行他能夠採取的措施了。猶太人自己也非常瞭解這一點，在教宗的夏季住所，有五百人得到了庇護。在匈牙利，牧師們瘋狂地頒發洗禮證書，即使他們知道可能因此而被槍殺。在羅馬尼亞，教宗的外交官們向政府施壓，敦促他們不要驅逐國內的猶太人，而火車也因「惡劣天氣」而正式停運。在親衛隊之間，教宗被嘲笑為拉比。

然而，也有許多基督徒在邪惡的誘惑下，進入陰影的領地。當納粹用「瘟疫、既落後又受過太多教育、有害的、擅於花言巧語的」這些文字來描繪猶太人的時候，他們當然不是空穴來風地編織這些宣傳語，他們借鑒的神話是基督宗教的神話。生物學家們運用科學的合理配方來識別猶太人是一種病毒，他們也借鑒了最終可追溯到四部福音書內記載的成見：「他的血歸到我們和我們的子孫身上！」[50]猶太人心甘情願地接受把基督釘死在十字架上的責任，這是一個教義，在基督宗教的歷史上，他們一再地被譴責為魔鬼的代理人。

基督宗教誹謗猶太人，說他們習慣將受洗兒童的血液混入他們的儀式麵包中。八百年後，在一位教宗首次譴責這種誹謗之後，在波蘭仍然有主教還在猶豫要不要駁斥這種誹謗。在斯洛伐克，猶太人首先被逐出首都，然後完全被驅逐出國境，德國人建立的傀儡政權交由一名牧師領導。在其它地方，從法國到巴爾幹半島，以及在梵蒂岡本地，天主教徒常常被他們對共產主義的仇恨誘導，認為納粹是這兩種罪惡中較輕的一種，甚至有時候也會請一位主教來談論消滅花言巧語的猶太人的運動。在克羅埃西亞，當薩格勒布大主教寫信給內政部長抗議政府驅逐猶太人時，他隨意地承認的確存在一個「猶太人的問題」，猶太人本身確實犯下了「罪行」[51]，儘管以某種未指明的方式。最終在克羅埃西亞有超過三萬名猶太人被謀殺，占該國所有猶太人人口的四分之三。

然而，沒有任何地方比德國更恐怖地籠罩著陰影。不出所料，在德國，教會為那位發誓將教會毀滅的敵手建立了破壞性的基礎。中世紀的基督宗教不僅為納粹反對猶太人的運動提供了條件，宗教改革也是如此。現在仍有許多人繼承馬丁路德對猶太教的蔑視，他們認為猶太教擁有由虛偽和律法主義所定義的信條。這些被國家社會主義的狂妄所迷惑的人，很可能發現相比之下自己的信仰是了無生氣的。遊行場地上熱烈地展示著飄揚的旗幟和鷹的標誌，似乎提供了一種教堂那些佈滿塵埃的長椅再也無法提供的「神聖的」[9]交融感。也許正如希特勒自己所相信的，耶穌根本不是猶太人，而是北歐種族，金髮碧眼的人。這一論點為德國許多新教徒開闢了一個誘人的前景：打造一個新的、國家社會主義形式的基督宗教。

西元一九三九年，在路德完成新約偉大翻譯的瓦爾特堡，傑出的學者們相聚一堂，復興馬吉安（Marcion）[10]的異端邪說。那場會議的主講人承諾與會者將會進行第二次宗教改革，新教徒已被敦促要徹底洗淨基督宗教的每一個汙點——猶太人。當時世界正處於戰爭的邊緣，風向似乎很清楚，國家社會主義的信徒們勝利在握，對於那些出手協助的人來說，回報將是豐厚的。基督徒可以等待時機，把想法留在心中，痛惜必要之惡，只為了要實現終極崇高的目標，無論如何，這就是思想。一個種族主義和幽靈般的血腥教會，會是希特勒確實有理由免於毀滅的教會。一個在國家社會主義奴役之下的基督教會，會為希特勒提供一個既有力又可怕的僕人，那些屬於教會的人會制定數百萬人的清算計劃、負責安排牛車的調度，即使燃燒屍體的氣味從窗戶飄進來，他們也會舉杯慶祝努力的成果，因為他們知道這是在為基督的最高目標服務。

「與惡龍纏鬥過久，自身亦成為惡龍；凝視深淵過久，深淵回以凝視。」[52]尼采這個放棄公民權、鄙視民族主義的人，他稱讚猶太人是歷史上最傑出的人，他曾警告過伴隨著上帝的死必然會發生什麼混亂。善與惡只會變成是相對的，道德準則會毫無選擇地漂移，社會將犯下大規模和可怕的暴力罪行。即使是堅定的尼采信徒，在發現實踐這些意味著什麼之前，也可能退縮。奧托·迪克斯遠不欣賞納粹顛覆世界的作為，遭到了他們的反叛，納粹反過來把他斥為敗類。他從德勒斯登的教學職位上被解僱，他的畫作也被禁止展出，迪克斯轉向聖經作為他最可靠的靈感來源。西元一九三九年，他畫了索多瑪城的毀滅，畫中被火吞沒的城市無疑地就是德勒斯登。

這幅圖像已經證明是預言性的，隨著戰爭的浪潮轉向對抗德國，英國和美國的戰機開始將德國的城市炸成廢墟。西元一九四三年七月，在一次代號為「蛾摩拉」的行動中，一場大火吞沒了漢堡的大部分地區。而在英國，潘霍華的密友，一位名叫喬治·貝爾（George Bell）的主教公開抗議並大聲疾呼：「如果允許讓居民受苦來驅使人們渴望和平，為什麼不承認掠奪、焚燒、酷刑、謀殺和侵犯呢？」[53]他的抗議被漠視了，這位主教被嚴厲地告知，

⑨ 譯註：numinous，來自拉丁語中的「numen」一詞，意即「精神或宗教情緒的激發」、「神秘而令人敬畏」。

⑩ 譯註：馬吉安（85-160）是早期基督宗教神學家，第一位新約聖經的編輯，自立馬吉安派，也是第一個被教廷判為異端的派別。

在對抗希特勒這個如此可怕的敵人時，是沒有人道主義或情感顧忌的餘地的。西元一九四五年二月，輪到德勒斯登被燒毀，德國這個最美麗的城市化為灰燼，還有許多其它的城市也是如此，到了西元一九四五年五月德國終於無條件投降時，大部分的城市都已經成了廢墟。納粹死亡集中營的解放，以及人們開始意識到希特勒的野心是種族滅絕的暴行，確定了在英國只有少數人感到嚴重的疑慮。良善戰勝了邪惡，結果已經合理化了手段。

然而對有些人來說，這場勝利幾乎就像是一場失敗。西元一九四八年，希特勒去世三年後，托爾金終於完成了《魔戒》，故事的高潮在描述索倫如何被推翻。在小說的過程中，索倫和他的僕人們一直在尋找一種可怕的武器，一枚擁有毀滅力量的指環，如果能找到它，就能統治整個中土世界。索倫知道他的敵人們已經找到指環，他恐懼他們會利用指環的力量群起反抗他，但是他們沒有，相反地，他們摧毀了戒指。真正的力量不是表現在權力的行使上，而是表現在放棄權力的意願上，作為一個基督徒，托爾金是這麼相信的。這就是為什麼在對希特勒的戰爭的最後一年，他哀歎這是一個終極邪惡的工作。「因為我們正試圖征服索倫與戒指。我們（似乎）會成功。但是，正如你所知，隨之而來的懲罰是培育出新的魔王索倫。」[54]

儘管托爾金粗聲地駁斥了他是以自己所處世代發生的事件為藍本，來形塑《魔戒》樣貌的說法，但是托爾金肯定有透過自己作品的稜鏡來看待這些事件。集中營和原子彈的世界刻有一個更遙遠時代的圖案，一個天使翅膀在戰場上方飛舞著、奇蹟顯現在中土世界的時代。小說中很少關於深刻的基督宗教特徵的明顯描繪，但當被提起的時候，這些特徵就顯得很重要。托爾金指出，魔多的滅亡發生在三月二十五日，至少從第三世紀開始，這個日期就被相信是基督在聖母馬利亞的子宮裡降生成人之後，被釘在十字架上的那一天。

《魔戒》第一部於西元一九五四年經過長時間的編輯後出版了，大多數的評論不是對它感到困惑就是鄙視它。這本書根源於遙遠的過去，它對善與惡確實存在這個想法的堅持，以及它對超自然的熱情著墨，都很容易讓人把老練的知識分子當作幼稚的人來抨擊。其中就有一人嗤之以鼻地說：「這不是一部會讓許多成年人不止一次地拿來讀的作品。」[55]但這位評論家錯了，這本書受歡迎的程度與日俱增，在短短幾年內，《魔戒》就造成了轟動出版界的奇觀，在戰爭期間，遠沒有其他小說能與它的銷量相提並論。這樣的成功對托爾金而言非常美好，他寫《魔戒》的目的不僅僅是為了賺錢，他懷抱著和聖依勒內、俄利根以及彼得一樣的雄心壯志：和那些可能不欣賞基督宗教的美麗及真理的人交流，而他的小說的暢銷表明自己已經成功了。《魔戒》最終將成為二十世紀被閱讀得最廣泛的小說作品，而托爾金則成為被閱讀得最廣泛的基督宗教作家。

雖然這件事可能證明了基督宗教對想像力的執著，但也同時證明了其它的事情。正如許多批評家所抱怨的，《魔戒》是一個結局快樂的故事。索倫被打敗了，魔多的力量被推翻了，但是善的勝利並非沒有代價，損失、衰退以及曾經美麗和強壯的事物的消逝都隨之而來。人類的王國可以承受這些代價，但是中土世界裡其他的種族做不到。「這麼多年以來，我們在這個世界一起奮戰的是長期以來的失敗。」[56]精靈女王所表達的這種情緒，正是托爾金自己感到的陰影，他曾說：「我是一個基督徒，事實上是一個羅馬天主教徒，所以我不期望『歷史』只是一場『長期的失敗』——儘管它包含了（在傳說中可能包含地更清晰、更感人的）最終勝利的一些標準或是吉光片羽。」

托爾金希望《魔戒》的成功見證了基督宗教的「最後勝利」，《魔戒》的成功同時也見證了基督宗教的衰落。小說間接地向讀者傳達了托爾金的宗教，而且，如果不是這樣的話，這部小說永遠不會享有如此空前的成功。世界正在改變，托爾金所相信的對邪惡的信念，以及基督徒長期以來對邪惡的信念——相信邪惡是一種字面上的撒但的力量——正在逐漸削弱。在二十世紀上半葉之後，很少有人懷疑地獄的存在，但已經很難想像它不是一個泥濘的汙水池，周圍是帶刺的鐵絲網，火葬場的剪影刻在冷冽的空中，由來自曾經是基督宗教世界中心地帶的人們所建造。

第20章

愛

西元1967年，艾比路

六月二十五日，星期日，在倫敦最富裕的街區之一聖約翰伍德，信徒們出發參加晚頌①。那時的披頭四樂團還不是世界上最有名的樂隊，但他們即將開始他們有史以來最大的一場演出。這是第一次有節目以不同國家的現場轉播為特色，將同時在世界各地播出，而在英國廣播公司這一方，則推出了約翰·藍儂、保羅·麥卡尼、喬治·哈里森和林哥·史達他們這個四人樂團。

在過去的五年裡，披頭四樂團在位於艾比路（Abbey road）上的錄音室內錄製了那些改變流行音樂樂壇的歌曲，這些歌曲使他們成為全世界最受崇拜的年輕人。現在，在三·五億的觀眾面前，他們在現場錄製了樂團最新的單曲。這首歌曲有任何人都可以琅琅上口合唱的副歌，成了一首愉悅的、幾乎全國人人都會唱的歌。歌裡想傳達的訊息以各種語言寫在紙板標語牌上，目的是希望讓全世界都能夠輕易地看懂。鮮花、彩帶和氣球都增添了派對的感覺。約翰·藍儂一邊嚼著口香糖一邊唱歌，向全世界的觀眾們開出了一個阿奎那、聖奧斯定和使徒保羅都不會不同意的藥方：「你所需要的就是愛。」

畢竟，上帝就是愛，這是聖經所說的。兩千年來，男人和女人們一直在思考這個啟示。愛，然後做你想做的任何事！幾個世紀以來，許多基督徒一直試圖將聖奧斯定的這一箴言付諸實踐。[1]因為那時，正如一位胡斯派②的傳教士所言：「天堂將向我們開放，仁慈將成倍地增加，完美的愛將豐盛滿溢。」[2]但如果狼出現了呢？那羔羊又該怎麼辦？披頭四樂團的成員們成長於一個飽受戰爭摧殘的世界裡，他們家鄉利物浦的大片地區被德國的炸彈夷為平地；他們在樂團實習時期曾在漢堡的俱樂部裡駐唱，那個地方僱用的是殘肢斷臂的前納粹分子。現在，即使他們唱著讚頌和平的歌，世界仍再次籠罩在衝突的陰影下。

就在艾比路的節目播出前三週，聖地爆發了戰爭，埃及和敘利亞戰機的焦黑殘骸散落在那片聖經裡的族長們曾經跋涉的土地上。以色列這個英國在西元一九一七年承諾的猶太家園，最終建立於西元一九四八年，在短短的六天之內就戰勝了那些誓言要消滅他們的鄰國，取得了驚人的勝利。耶路撒冷、大衛之城，自凱撒時代以來第一次在猶太人的統治之下。

然而，在這片曾經是巴勒斯坦的土地上，流離失所的人們的絕望和苦難並沒有被解除。恰恰相反，在世界各地，就像越南叢林中的凝固汽油彈一樣，仇恨之火失控般地

① 譯註：晚頌（evensong）原來是宗教活動的晚禱之意。
② 譯註：捷克的新教基督宗教運動，始於波西米亞王國，並迅速擴展到包括摩拉維亞和西利西亞在內的其它地區。天主教會在西元一四一五年康士坦斯大公會議中宣判這個教派為異端。

熊熊燃起。其中最可怕的是世界兩大超級強權——蘇聯和美國——之間的緊張關係。對希特勒的戰勝使得俄羅斯軍隊進入歐洲的心臟地帶，共產黨政府已經駐紮在古老的基督宗教首都：波蘭的華沙、匈牙利的布達佩斯，以及捷克的布拉格，鐵幕已經橫跨整個大陸。由於美俄雙方都擁有核彈頭導彈如此致命的武器，它們帶來了可能消滅地球上所有生命的世界末日危機。人類傲慢地以為自己擁有自古以來一直被視為神才擁有的特權——結束世界的力量。

所以，怎麼可能有愛就足夠了呢？儘管傳播愛的訊息被嚴厲地嘲笑，披頭四樂團卻不是唯一相信有愛可能就足夠的人。十年前，遠在美國的南方，一位名叫馬丁·路德·金恩（Martin Luther King）③的浸信會牧師，他深思著基督宗教教導其追隨者去愛他們的敵人意味著什麼。不像披頭四樂團在《你所需要的只是愛》歌中聲稱的那般，金恩認為這並不是容易的事。他以黑人的身分，對一群生活在一個被制度化壓迫所摧殘的陳舊社會裡的黑人同胞們講話，他曾說：「這遠非來自一位烏托邦夢想家虔誠的命令，它絕對是我們文明賴以存續的必要誡律。是的，是愛將拯救我們的世界和文明，甚至是愛你的敵人。」[3]

內戰雖然終結了奴隸制度，但並沒有結束種族主義和種族隔離，制定法律的人與施行私刑的暴徒們聯手起來確保這一點。數千人報名參加3K黨④——一個唱著讚美詩、焚燒著巨大的十字架、踐踏著美國黑人的準軍事組織。白人牧師要不是積極地擔任3K黨的領袖，就是沉默地對這些暴行袖手旁觀。面對這些神職人員和他們的會眾，金恩試圖將他們從道德的沉睡中喚醒。作為一名天才演說家，他無比嫻熟地掌握了聖經的要義，在組織和平示威方面也擁有罕見的天賦。金恩一次又一次地部署這些罷工、抵制行動和示威遊行，迫使政府廢除歧視性的立法。

然而，這些成功雖然使他成為一個全國性的人物，也為他招來了仇恨。他的房子被火燒，他也一再地被捕入獄，但是金恩從來沒有以仇恨作為回報，他知道一個人要見證上帝的話是需要付出代價的。西元一九六三年的春天，他在監獄裡寫到，他反思了使徒保羅當年是如何不計風險地把自由的福音帶到最需要的地方。金恩鼓吹白人神職人員打破沉默，大聲疾呼反對黑人遭受不公正的待遇，他援引了阿奎那以及和自己同名的馬

③編註：美國牧師、社會運動者、人權主義者，也是一九六四年諾貝爾和平獎得主。出生時名為麥可．金恩（Michael King），他的父親為了紀念宗教改革領袖馬丁路德而將他改名為馬丁．路德．金恩。

④譯註：美國歷史上三個不同時期奉行白人至上主義運動和基督宗教恐怖主義的民間團體，也是美國種族主義的代表性組織。

丁路德的權威。最重要的是，他訴諸於他的救世主的榜樣，對極端主義的指控進行了回應；他宣稱，對一個接一個的種族進行仇恨和迫害制裁的法律，也是基督自己會破除的法律。金恩曾說：「耶穌不就是愛的極端擁護者嗎？」[4]

民權運動使得基督宗教在美國政治中佔據了一個顯明的中心地位，這是自內戰前幾十年以來所沒有的境況。金恩透過激起白人基督徒沉睡的良知，成功地使他的國家走上一條轉化的新道路。將愛稱為一個比預言、知識或信仰更偉大的東西，像使徒保羅那樣地談論愛，再次成為一種具有革命性的行動。上帝的榮耀將為所有人類揭示，群眾都將一同見證。

金恩的夢想觸動了美國全國上下的人民，激發了他們對上帝榮耀的熱切嚮往。正義流淌在西海岸的咖啡店裡，就如同在阿拉巴馬的教堂裡一樣；正義顯現在青翠的校園裡，就如同在示威人群的前哨上；正義透過清道夫而展現，就如同由律法師來展現一樣；因為正義就像大河一樣川流不息，而公理就像一條永不枯竭的潺潺溪流。這正是十八世紀激勵貴格會和福音派為廢除奴隸制而行動的進步願景。如今到了二十世紀的六〇年代，點燃這份火花、使其重新煥發光采的，則是非裔美國人的信仰。抗議的聲音在黑人教堂中響起，在金恩響徹雲霄的佈道中，以及在全國各地收音機播放的音樂中，都可以聽見這樣的聲音。在二十世紀五〇年代，在抗議遊行和警戒線旁，黑人示威群眾唱著被奴役的黑暗時期的歌曲，歌曲中描述著摩西將他的人民從奴役中解放出來，以及約書亞帶領人們推倒耶利哥城牆的故事。

二十世紀六〇年代，在福音合唱團中淬鍊的聲音似乎足以改變世界，變革即將到來。當詹姆斯・布朗（James Brown）這位從貧困中崛起的黑人巨星，以他最富創意和勇氣的精神為放克音樂開闢出一條道路時，他的風格可以說是來自那段在一個著名的華麗福音派教堂裡度過的年輕唱詩班學員的時期。布朗是一個善變的人，在唱資本主義的讚歌和大聲說他為自己身為黑人感到驕傲之間搖擺不定，他永遠不會忘記他對建立在使徒信仰磐石上的全體人民聯合祈禱會的債務：「成聖的人要被更多的火焰焚燒。」[5]

然而，就像燃起一柱香時所散發的香味，民權運動的理想和口號也可能被那些從未見過黑人教堂內部的人所吸聞。披頭四樂團同意金恩提倡的關於愛的重要性，並設立原則，拒絕為實行種族隔離的觀眾演奏。但這並不意味著他們（如詹姆斯・布朗所說的）是「神聖的」。儘管藍儂和麥卡尼的第一次相遇是在教堂裡，但他們四個人早已放棄了童年時所信仰的基督宗教。用麥卡尼的話說，基督宗教也許是一件「好事情」[6]。好吧，也許對一個臉上戴著一張放在門邊罐子裡的面具的孤獨女人來說是件好事，但對一個征服世界的樂團來說可不是這樣。教堂是沉悶的、過時的、無聊的——所有披頭四樂團不具備的一切元素。在英國，連非主流的主教也開始暗示傳統基督宗教對上帝的理解已經過時了，現今唯一的規則就是愛。

西元一九六六年，藍儂接受報紙的採訪，當他聲稱披頭四樂團「比耶穌更受歡迎」[7]的時候，眉毛幾乎都沒有揚一下。僅僅四個月後，他的評論被轉載到一家美國雜誌上，引起了強烈的反彈。長期以來，美國各地的牧師一直對披頭四樂團抱持懷疑的態度，在人稱「聖經帶」的南方尤其如此。那裡的傳道者擔心對披頭四瘋狂喜愛的熱潮已經成為一種偶像崇拜的形式，這樣的擔憂無意間支持了藍儂的論點，一些傳道者甚至擔心這一切都是共產主義的陰謀。許多白人福音派教徒對金恩發出的悔改召喚感到羞愧，對這種源於教堂以外的道德熱情感到迷惑不解；看見自己的女兒們對著四個長相怪異的英國人尖叫、激動流淚時，他們的確被這種景象嚇壞了。對這些教徒來說，有機會扔棄披頭四樂團的唱片是一種被祝福的解脫。

同時，對不受民權運動的正義阻撓的種族主義者來說，這番景象提供了一個集結成軍的機會，3K黨抓住機會把自己塑造成新教價值觀的捍衛者。他們不滿足於燒毀披頭四樂團的唱片，他們還開始燒毀披頭四造型的假髮。披頭四樂團的獨特髮型——像拖把似的一頭蓬亂亂長髮——似乎對3K黨徒而言本身就是一種褻瀆，他們其中一人咆哮道：「我很難看清拖把頭，不管他們是黑人甚至是白人。」[8]

這些都沒有改變藍儂對基督宗教的看法。披頭四樂團並沒有像馬丁・路德・金恩那樣，從對經文的近距離閱讀中獲得他們對愛的理解，即愛是激勵宇宙的力量。相反地，他們認為愛是理所當然的。脫離了神學的支撐，基督宗教對愛的獨特理解為民權運動提供了如此多的活力，開始在一個越來越迷幻的風景中自由地浮現。

西元一九六七年夏天，「變得古怪」（turning funny）[9]的披頭四樂團並不孤單，編髮珠子和大麻煙隨處可見。福音派教徒們感到震驚，在他們看來，長髮上別著鮮花的怪胎的出現似乎證實了世界正在被撒但邪惡的力量改變。關於和平與愛的興高采烈的宣言是有害的口號：它們其實只是毒品和性的幌子。兩千年來企圖對猛烈激情的控制似乎正在逆轉，這是真的，當然這並沒有讓基督徒顯得不那麼正直。人們透過舊金山四處的大麻煙霧所看到的傳教士們顯得偏狹而固執，在這些短髮男人的猛烈攻擊中，愛在哪裡？在「愛的夏天」[⑤]中一直伴隨著緊張、顫動、無法跨越的鴻溝，以及這場文化戰爭中不可消

⑤譯註：一九六七年夏天，當時多達十萬多人聚集在舊金山，其中大多數是穿著嬉皮時尚的年輕人。這個現象涵蓋了美國西海岸的嬉皮音樂、致幻藥物、反戰和自由戀愛，影響遠至紐約市。

弭的對立感。

接著，在次年的四月，馬丁．路德．金恩被槍殺。整個時代的人們似乎都與他同在：自由派和保守派、黑人進步人士和白人福音派人士都被一種共同的目標感連結起來，無論這看起來多麼地不恰當。隨著金恩遇刺的消息傳遍美國各地，芝加哥、華盛頓、巴爾的摩這些城市開始發生暴動。在金恩被謀殺之前，黑人好戰分子們就對他採用和平主義和愛的態度來和敵人對話感到不耐煩，金恩遇刺後他們更積極推動與白人政權進行暴力對抗。許多人公開嘲笑基督宗教是奴隸宗教。在金恩反對種族主義運動領導的那些地方，其他的運動人士要求糾正他們認為同樣嚴重的罪過。如果黑人受到歧視是錯誤的，那為什麼歧視婦女或同性戀者就不是錯誤呢？

但是，像金恩已經做的那樣，問這個問題並不是要去刺痛福音派的良知，而是要提醒他們想起他們已經持有的價值觀。相反地，福音派教徒認為這是在攻擊他們信仰的根本。他們相信婦女的歸屬本來就是家庭、憎惡同性戀是一種正統的觀念，所以牧師們大聲疾呼這些信仰得到了聖經本身永恆的制裁。漸漸地，面對被那個時代的道德漩渦迷惑的美國人，福音派承諾要為他們打下堅實的道德基礎。然而，一個避難所可能也同時成為一個被圍困的地方。對許多福音派教徒來說，女權主義和同性戀權利運動是對基督宗教本身的攻擊；同樣地，對許多女權主義者和同性戀運動家來說，基督宗教似乎是他們與之鬥爭的一切的代名詞——不公正、偏執和迫害。福音派教徒告訴他們，上帝討厭同性戀。

然而，真的是這樣嗎？當這些背後有著兩千年基督宗教傳統的保守派教徒在指責對手違反聖經的誡命時，同樣地，自由主義者在要求性別平等或同性戀權利的時候，也認為基督徒們正在違背聖經的教誨。畢竟，他們現下的榜樣和靈感是來自一位浸信會傳教士。金恩在遇刺前一年曾經寫道：「人的核心價值是無法測度和分級的，造物主在每一個人的人格中刻下了不可磨滅的印記，每一個男人都必須受到尊重，因為上帝愛他。」[10] 女權主義者應該會補充說，每一個女人也應當如此。金恩的話見證了基督宗教內部父權體制的本能壓力，同時也證明了為什麼在整個西方世界，這似乎是個問題。每個人都享有平等的尊嚴，這並非不言而喻的真理，羅馬人會嘲笑它。然而，對抗基於性別或性取向的歧視的運動，將取決於大部分人分享一個共同的假設：每一個人都擁有與生俱來的價值。

正如尼采輕蔑地指出的那樣，這個道理的起源不在於法國大革命，不在於《獨立宣言》，也不在於啟蒙運動，而是來自聖經。一九七〇年代困擾西方社會的矛盾心理在保羅書信中一直表現得淋漓盡致。使徒保羅寫信給哥林多信徒，宣告男人是女人的頭；在寫給加拉太人的書信中，他興高采烈地說在基督裡沒有男人或女人之分。在他對同性關係的嚴厲譴責的另一頭，是他對愛的狂喜讚美。身為一個法利賽人，在生活中學習摩西律法，保羅向大眾宣告良心至上。關於什麼是公正社會的知識，不是用墨水寫下來的，而是用聖靈的精神來傳達的；不是刻在石板上的，而是用人心刻畫的。盡你所願地去愛和實踐，正如整個基督宗教歷史如此生動展示地那樣，這是一個革命的公式。

「風隨意吹動。」[11]他們成為帶來時代改變的人，這是聽從基督的教導的訊息。基督徒一再地發現自己被神的聖靈所感動；一次又一次地，他們發現自己被聖靈帶進光明裡。然而現在，聖靈已經呈現出新的樣貌，不再只是被基督徒獨有，聖靈已經成為一種時代氛圍。不順服於聖靈就是被困在歷史錯誤的一邊。沒有從神學淵源的桎梏中解放出來，進步的概念已經開始讓基督宗教落後。

教會面臨的選擇——一個令人痛苦又困難的選擇——是坐在塵土中，在無能為力的憤怒中向世間揮舞拳頭，還是奮而起身，拚命地迎頭趕上時代的腳步。應該允許婦女成為牧師嗎？同性戀者的行為，應該被譴責為非自然性行為還是被稱讚為愛的表現？基督宗教自古以來對性欲求的壓制和束縛，應該維持還是解放？這些問題都不容易回答。對那些認真看待這些問題的人來說，他們確定是要進入無休止的痛苦辯論了。對於那些沒有面對問題的人來說，他們提供了進一步的證據（如果需要證據的話）證明基督宗教正在消失。約翰・藍儂是對的，他曾經說過：「它會消失和沒落。我不需要爭論這個問題，我知道我是對的，我會被證明是對的。」[12]

無神論者同樣面臨著自己的挑戰。基督徒並不是唯一必須努力面對傳統和進步相爭的人。藍儂在結束與麥卡尼合作寫歌的關係之後，用一首列出耶穌的歌曲來慶祝他的解放，與披頭四樂團一起成為他不再相信的偶像。接著在西元一九七一年十月，他發行了一首新單曲《想像》。這首歌為藍儂的全球和平開了藥方。他唱道：想像一下沒有天堂、沒有地獄的世界。然而，歌詞從頭到尾都充滿宗教性。夢想一個更美好的世界，人類之間的友愛情誼，本就是藍儂生長故鄉的可敬傳統。他在披頭四樂團鼎盛時期的家——聖喬治山，在三百年前也是掘土派人士生活的地方。但藍儂沒有仿效傑拉德・溫斯坦利，而是躲在一個封閉的社區內，裡面有一部勞斯萊斯汽車和一座游泳池。

西元一九六六年，一位牧師沉思著說：「人們不禁要想，披頭四團員們用所有賺來的金錢在做什麼。」[13]藍儂購買的七十二英畝的伯克希爾莊園提供了答案，他最近才在偌大的莊園內到處滑翔，為《想像》這首歌拍攝音樂影片。藍儂的虛偽不亞於他對普世和平的夢想，他的無神論顯然擁有基督宗教的骨髓。然而，一個好的傳教士總是能夠將群眾帶在身邊，而藍儂只是坐擁一座巨大的豪宅，在裡面想像著一個沒有財產的美好世界，但這樣的景象並無法阻止他的崇拜者。當尼采在墳墓裡瘋狂地旋轉時，《想像》成了無神論者的國歌。十年後，當藍儂被一個瘋狂的歌迷槍殺時，人們哀悼他，不僅僅因為他作為二十世紀最偉大歌曲的協同創作者，而且還是一個殉道者。

但不是每個人都信服這個說法。「自從藍儂死後，他就成了馬丁・路德・藍儂。」[14] 保羅・麥卡尼太瞭解藍儂，從來不會把他誤認為是聖人，不過他開的這個玩笑也是對金恩的致敬——一個從幽暗夜晚飛入光明的人。儘管麥卡尼脫離了「好事情」，但是他並沒有忘記做出這樣的呼籲：「生命裡最持續和最緊迫的問題是，你在為他人做些什麼？」[15] 西元一九八五年，當被請求透過參加世界上最大音樂會來幫助衣索比亞可怕的大饑荒時，麥卡尼欣然同意。拯救生命音樂節同時在倫敦和兄弟之愛的費城現場演出，並轉播給數十億的觀眾。這些音樂人的職業生涯以各種方式度過：將狂熱的追星迷妹們帶進房間、用鼻孔從侏儒頭頂著的托盤上掃吸毒品，他們也以一連串的演出幫助了飢餓的人們。

當夜幕降臨倫敦，溫布利球場上的音樂會節目達到最高潮時，舞台上的聚光燈瞄準了坐在鋼琴前方的麥卡尼。他唱著〈Let It Be〉，這是披頭四樂團還在一起的時候發行的最後一首單曲。「當我發現自己在困難的時候，瑪麗媽媽出現在我身旁……」瑪麗是誰？

也許正如麥卡尼自己聲稱的，瑪麗是他的母親，但也許正如藍儂暗暗懷疑的，還有許多天主教徒已經開始相信的，瑪麗是聖母馬利亞。不管真相如何，那個晚上沒有人能夠聽到麥卡尼說話，他的麥克風電源被切斷了。這是一場完全符合時代悖論的表演。

通往自由的漫長路程

在拯救生命音樂節的七個月前，活動召集人已經招募了許多英國和愛爾蘭最頂尖的音樂家們組成一個超級團體「Band Aid」（意為「OK繃」）。他們為衣索比亞大饑荒而創作的慈善捐款勸募歌曲〈他們知道今天是聖誕節嗎？〉（Do They Know It's Christmas?）成功地募進了巨額的金錢，最終成為英國排行榜歷史上最暢銷的單曲。⑥對於所有的藥物、所有的變裝、所有一袋袋走私運進錄音室的海洛因來說，這場活動都是基督宗教過去的產物。英國廣播公司的一名記者在報導衣索比亞遭受苦難的嚴重程度時，將他所目睹的場景描述為「符合聖經」的。Band Aid的召集人開始採取行動，這種慈善行動應該

⑥這個記錄直到一九九七年，艾爾頓強向威爾士王妃戴安娜致敬而創作的「風中的蠟燭」面市時才被打破。

獻給有需要的人，而異國的陌生人不亞於鄰居的兄弟或姊妹，這些原則受到使徒保羅和天主教聖師巴西略的啟發，一直是基督宗教信仰企圖傳達的基礎訊息。

對這群身在遠方，遭受饑荒、地震、洪水災難的受害者們，在曾經是基督宗教世界的許多地方，人們的關注不成比例地強烈。國際援助機構壓倒性集中在這些地區，並非是個巧合，Band Aid也不是第一個問非洲人是否知道今天是聖誕節的人。在十九世紀，同樣的焦慮也沉重地壓在福音派身上。傳教士們在未知的叢林中適時地開闢了自己的道路，發起反對奴隸貿易的運動，並竭盡全力將黑暗大陸帶入基督的光明。「一個開拓性的慈善事業就是基督宗教本身。它需要永久的傳播來證明其真實性。」[16]這就是那個時代最著名的探險家大衛．李文斯頓（David Livingstone）的使命宣言。Band Aid在他們做善事的雄心壯志中，如果不是因為使用染髮劑的話，就會是他的公認繼承人。

然而，這並不是他們單曲的行銷方式。到了西元一九八〇年代，任何讓白人告訴非洲人該做什麼的事情都變成了一種尷尬。即使是對李文斯頓這樣的傳教士的敬佩之情也已大打折扣，他反抗阿拉伯奴隸貿易的英勇行動變得失色。他繪製非洲大陸地圖的努力遠非像他所相信的那樣，可以為非洲人的利益服務，反而促使了非洲大陸內部的爭戰和剝削。西元一八七三年，在他死於瘧疾十年後，英國的冒險家已經開始深入非洲的心臟地帶。其它歐洲列強也開始了類似的掠奪。法國併吞了北非的大部分地區，比利時併吞了剛果，德國併吞了納米比亞。到了第一次世界大戰爆發時，幾乎整個非洲大陸都在外國的統治之下。只有衣索比亞人成功地維持了他們的獨立。

傳教士們持續地為偉大的皈依教化辛勤工作，卻發現努力的成果因為歐洲勢力的野蠻本質而陷入困境。當那些崇拜上帝的白人奪取了他們的土地，掠奪他們的鑽石、象牙和橡膠時，非洲人怎麼相信這位關心窮人和被壓迫者的上帝呢？在殖民等級制度中，黑人被視為低人一等，這似乎是對傳教士堅持認為基督為全人類而死的一種奇特而痛苦的嘲弄。到了一九五〇年代，當帝國主義在非洲的浪潮開始像起初一樣迅速消退時，基督宗教似乎也註定要泯滅，教堂被飢餓的白蟻啃蝕後搖搖欲墜，聖經融化成發黴的紙漿。

但在這個事件中，情況完全不是這樣。當Band Aid衝到英國音樂排行榜的榜首時，非洲人知道今天是聖誕節嗎？也許不是全部人，許多人是異教徒，更多的人是穆斯林。然而到了西元一九八四年，其中大約有二．五億人是基督徒，而西元一九〇〇年時的總數只有一千萬。增長率非但沒有隨著殖民統治的結束而下降，反而爆炸式地增長。自從中世紀早期基督宗教世界的擴張以來，人們從未見過類似的情況。就像當時一樣，現在也是如此，對基督的崇拜已經從一個消失的帝國秩序的束縛中驚人地解放了。

即使在二十世紀初，當歐洲帝國似乎無敵時，非洲人在外國的統治下，也在聖經中找到了救贖的應許。正如愛爾蘭隱士和盎格魯撒克遜傳教士曾經聲稱的，有一個至高權威從天上降生，灌輸了他們勇氣去譴責統治當局，所以當地的非洲裔傳教士們一再地與殖民官員對峙。他們當中有些人領導了武裝起義，並被擊斃；有些人聽從天使的命令，他們只需要進入村莊，村民們崇拜的偶像就會在火焰中燒毀；有些人治癒了病人，使死者復活，最終被焦急的警察局長關進大牢。對許多白人傳教士來說，這些先知帶著他們對聖靈和黑暗力量的瘋狂談論，似乎呈現出野蠻的本質：歇斯底裡的人冒著用原始迷信汙染基督宗教純淨水域的風險。

這一直是歐洲人的緊張，他們無法想像自己的信仰會穿上除了他們自己以外的任何服裝。非洲基督徒非但沒有與祖先的異教妥協，反而比任何外國傳教士都更害怕它，因為他們可以像聖波尼法爵曾經做過的那樣，從中認識到對惡魔的崇拜。殖民統治結束幾十年後，非洲各地的神職人員繼續對歐洲向他們展示的居高臨下感到絕望。因此，天主教盧薩卡總教區總主教伊曼紐爾・米林戈（Emmanuel Milingo）於西元一九七七年說：「我們謝謝她對我們所做的一切，我們感激她對我們的擔憂和焦慮。但我們相信，就好像我們的祖母一樣，她現在應該更擔心她的老年問題，而不是我們的問題。」[17]

米林戈相信邪靈的真實性，並堅信在上帝的祝福下，他們會從他們所折磨的人當中被驅逐出去。在整個一九七〇年代，他在贊比亞各地進行了令人歎為觀止的驅魔壯舉。西元一九八二年，抱持猜疑態度的梵蒂岡將他傳喚到羅馬，米林戈便迅速地在義大利建立了一個同樣成功的醫治事工團。歐洲的教會領袖似乎已經不再相信有惡魔的這個事實，這是他們的問題而不是米林戈的問題。畢竟，擺脫惡魔的病不是罪。米林戈沒有為基督自己一再做過的事而道歉，而是指責歐洲的主教們因為自己的信仰變得了無生氣，無法接受聖經中揭示的神蹟和恐怖的現實。

身為非洲人並不妨礙他理解基督宗教的訊息，相反地，這是一個正面的優勢。「如果上帝犯了一個錯誤，把我創造成一個非洲人，那還不夠明顯。」[18]這種蔑視中隱含著一種信念，遠非像對白人傳教士的啟示那般，基督之光原本就一直是照亮著非洲的。任何認為衣索比亞人可能從未聽說過聖誕節的想法都比犯錯更糟糕——這太荒謬了。〈詩篇〉本身已經預言衣索比亞將順服於上帝，事實也證明了這一點。[19]自君士坦丁時代以來，基督宗教就一直是衣索比亞的國教。西元一七〇〇年來，它一直在基督宗教的統治之下存在著。哪一個歐洲國家能夠也如此聲稱的？

因此，衣索比亞人當然知道聖誕節是什麼。長期以來，他們作為基督宗教的榜樣一直激勵著整個非洲。事實上，沒有哪個地方比非洲大陸的遠端——南非——更富有成效地珍惜它。西元一八九二年，一位黑人牧師對白人基督徒對待他和他的非洲同胞的專制作風感到不滿，他創立了名為埃塞俄比亞（*Ibandla laseTiyopiya*）教堂的衣索比亞教會。九十年以來，南非已經普遍被認為是一塊閃耀著聖潔氣息的土地。衣索比亞不僅被比作教會，新的耶路撒冷也遍布南非全國。第二座摩利亞山矗立在川斯瓦省的北部地區。從開普敦到祖魯蘭，人們都感受到了聖靈的氣息。即使身在由歐洲人帶到南非的教堂裡，黑人基督徒也能為非洲人一直以來與神靈之間的獨特關係而歡欣鼓舞。「它證明了一個大家心照不宣的高傲假設——非洲的宗教歷史起始於白人出現在非洲大陸的那一刻——並非事實。」[20]

即使戴斯蒙・屠圖（Desmond Tutu）⑦提出了這一點，他也從未懷疑過自己是全球共同體（communion）的一部分。作為一名英國聖公會主教，他屬於一個可以追溯到十六世紀英國國王統治時期的教會。作為一個天生的演說者，他很高興將坎特伯雷的傳統與南非索韋托（Soweto）的傳統融為一體。西元一九八六年，當他成為開普敦第一個被選為大主教的黑人時，他能夠將自己當作一個活生生的象徵，即在耶穌基督裡沒有黑人也沒有白人。

然而，這不僅僅是為了發表神學聲明。在南非，關於上帝旨意的問題已經帶來許多騷動與具有爆炸性的政治效應。黑人並不是唯一一個將這個國家視為新以色列（new Israel）的人，許多白人也是如此。十七世紀開始定居在開普敦的荷蘭加爾文教派——他們後來被稱為阿非利卡人（Afrikaners）——並不認為自己是殖民者，而是被揀選到應許之地的人民。正如以色列人從土生土長的異教徒手中奪回迦南地一樣，阿非利卡人也反抗「赤裸裸的黑人部落」[21]的憤怒，企圖開闢自己的家園。融入大英帝國並沒有削弱他們作為一個受上帝盟約約束的民族的意識。

西元一九四八年，當一個由南非白人主導的政府執政時，它已經著手將這個信念固化為完整的政治綱領。隔離政策正式執行，種族隔離已經成為整個國家活生生的原則。無論是買房子還是談戀愛，接受教育還是選擇坐在公園裡的哪一張長椅上，在南非幾乎沒有任何生活的面向是政府不打算監管的。白色統治被奉為上帝旨意的展現。阿非利卡教士錯誤地將某些民族比其他人更有可能得救的教義歸因於加爾文，而使得種族隔離的

⑦譯註：南非聖公會首位非裔大主教，被譽為人權神學的先鋒，也是一九八四年諾貝爾和平獎得主，他自一九八〇年代開始致力於廢除南非種族隔離政策，並在一九九五年開始領導「真相與和解委員會」促成南非的轉型正義而聞名於世。

支援者能夠完全地將其視為基督徒。對南非的支持者來說，這不是種族主義的表現，而是愛的表現：承諾為南非的不同種族提供「獨立的發展」，這是他們所有人歸向上帝時所需要的。最終維持種族隔離的不是監獄，也不是槍支、直升機和警犬，而是神學。

「這完完全全不是基督宗教，這是邪惡和異端邪說。」[22]這個由戴斯蒙．屠圖提出、由聖公會通過的對種族隔離的譴責，很容易被南非政府的支援者摒棄，並將其視為絞盡腦汁的胡言亂語。然而事實上，這是一種更具威脅性的預兆：一聲號角響起，推倒了耶利哥的城牆。如果種族隔離制度是作為一種神學建構而建立的，那麼它就需要作為一種神學建構而被拆除。一個不公正的政權在上帝寶座前受到譴責。加爾文自己寫道：「這不是合法的主權，而是篡奪主權。」[23]當黑人和白人的神職人員引用南非白人最敬佩的神學家的話，就能夠用嚴謹和法庭的細節證明，在其著作中找不到任何可能支持種族隔離的內容。相反地，在加爾文的著作中可以找到他對於實施種族隔離的政權進行嚴厲和毫不妥協的譴責。這樣的抨擊，與武裝起事者能夠傳達的任何訊息一樣具有決定性的意義。

納爾遜．曼德拉（Nelson Mandela）非常瞭解這個教訓，他是南非所有革命者中最著名和最令人敬畏的，自從西元一九六四年因破壞罪被定罪以來，他一直被關在大牢裡。在監獄裡，他睡在潮濕的混凝土上，被迫苦役，視力因採石場的眩光而嚴重受損。

但是，在漫長的數十年監禁中，他開始認識到，寬恕可能是最具建設性、最有效、最具破壞性的策略。身為一位謹慎但堅定的循道宗教徒，曼德拉有足夠的時間在他的牢房裡讀聖經並思考基督的教導。「你聽過有人說，『愛你的鄰居，恨你的敵人。』但我告訴你們：愛你們的敵人，為那些迫害你們的人祈禱，叫你們可能成為你們天父的兒子。」[24]

到了西元一九八九年，隨著南非白人對種族隔離作為上帝計劃的信心的崩潰，新總統德克拉克（de **Klerk**）極欲理解神聖的目的，曼德拉準備在他漫長的反思中採取行動。西元一九九〇年二月十一日，他終於獲釋。回到這個世界後，他決心擺脫他所有的痛苦和仇恨，得到真正的自由。他堅信寬恕的救贖力量，與那些將他囚禁了二十七年並長期壓迫他的同胞會面。

種族隔離制度的結束以及一九九四年曼德拉當選為南非第一位黑人總統，是基督宗教歷史上最偉大的戲劇之一——一部與福音書呼應交織而成的戲劇。沒有長期熟悉劇本的主角，就不可能成功。「當敵人懺悔時，我們這些受委屈的人必須說：『我們原諒你。』」[25]如果德克拉克不知道屠圖註定會說出這樣的話，那麼他也許永遠不敢相信他的人民的命運，也不敢相信南非黑人願意赦免他們的罪孽。從長遠來看，激勵南非白人將自己想像成被選中的民族的信仰，註定了他們至高無上的地位。這種模式是熟悉的。一而再地，無論是沿著特諾奇提特蘭的運河墜毀，或是在麻薩諸塞州的河口定居，還是深入南非的川斯瓦省，歐洲人相信自己優於那些遭受他們迫害而流離失所的人的信心都來自基督宗教。

在努力追究這種傲慢的責任的過程中，我們發現，也是基督宗教一再地為被殖民者和被奴役者提供了最確切的聲音。這裡存在著深刻的矛盾：沒有其他的征服者在開闢殖民帝國時，讓奴僕在殖民官員的命令下被折磨致死；沒有其他的征服者在蔑視並銷毀其他民族的神靈之後，又將一個如此矛盾的權力象徵灌輸給這些被奴役的人，以至於權力的概念變得充滿問題；沒有其他的征服者在對其殖民地輸出他們自己特有的對於神聖的理解時，如此成功地說服了世界各地的人民，最終讓這個信仰傳播至全世界。在就任總統的前一個月，曼德拉前往川斯瓦省的莫里亞鎮慶祝復活節的時候，他向基督這位為了全世界而死的救世主致敬：「復活節是人類團結的節日，因為它慶祝好消息的實現！我們復活的彌賽亞所傳揚的好消息，祂選擇的不是一個種族，不是一個國家，不是一種語言，不是一個部落，而是選擇了全人類！」[26]

具有諷刺意味的是，即使曼德拉將復活節譽為全世界的節日，基督宗教世界舊據點的精英們對這種語言的使用卻越來越緊張。這並不是因為他們已經不再相信其價值觀的普遍性，恰恰相反，種族隔離的崩潰僅僅是一場更劇烈的餘震。西元一九八九年，就在德克拉克決心釋放曼德拉的時候，蘇聯帝國已經瓦解了。波蘭、捷克斯洛伐克和匈牙利都擺脫了外國統治的枷鎖。東德這個第二次世界大戰後被蘇聯佔領的國家，也已經被併入統一的、徹底資本主義的德國。蘇聯本身已經不復存在。共產主義在歷史的天平上權衡之後被發現充滿缺失。對德克拉克這個虔誠的加爾文教徒而言，所有這一切都是上帝對世界事務明白顯現的神諭。

然而，美國和歐洲的政治決策者並不是這樣看待這個問題。他們吸取了不同的教訓。馬克思預言的人間天堂反而更接近地獄，而且凸顯了真正的進步是在別處所實現的這個事實。隨著共產主義垮台，在勝利的西方，許多人似乎認為正是他們自己的政治和社會秩序構成了最終的、無懈可擊的政府形式：世俗主義、自由民主、人權的概念，這些都是普世擁抱的價值。啟蒙運動的遺產屬於每一個人，是全人類的財產。它由西方所推動，並不是因為它是西方的，而是因為它是普遍的。全世界都可以享用它的果實。不再有基督徒、印度教徒、儒家信徒或穆斯林。既沒有亞洲人，也沒有歐洲人。人類已經走上一條共同的道路。

歷史的終結已經到來。

管理「野蠻」

「他們為什麼恨我們？」

美國總統在國會聯席會議上發表談話時知道，當他問這個問題時，他是在代表全國各地的美國人發聲。九天前，就在九月十一日，伊斯蘭的蓋達組織對紐約和華盛頓的目標發動了一系列毀滅性的攻擊。幾架飛機被劫持，然後墜毀在世貿中心和五角大廈，造成數以千計的人喪生。總統喬治布希（George W. Bush）在回答他自己的問題時，毫不懷疑恐怖分子的動機。他們憎恨美國的自由權利——宗教自由和言論自由。然而這些並不完全是屬於美國人的權利，相反地，它們是普世的權利。它們既是穆斯林的遺產，也是基督徒的遺產；是阿富汗人的遺產，也是美國人的遺產。這就是為什麼伊斯蘭世界的大部分地區對於布希及其國家的仇恨是基於誤解。「和大多數美國人一樣，我簡直不敢相信這件事，因為我知道我們有多好。」[27]

如果美國的價值觀是普世的、是全球人類共有的，那麼，無論信仰或文化如何，穆斯林也分享這些價值觀是合理的。布希對襲擊他國家的恐怖分子作出審判，譴責他們劫持的不僅僅是飛機，而是伊斯蘭教本身。「我們尊重信仰，我們尊重它的傳統。我們的敵人則沒有。」[28]本著這種精神，即使命令美國的戰爭機器對蓋達組織進行可怕的報復，布希總統也認為自己的用意是為穆斯林世界帶來自由，他相信穆斯林對自由的虔誠不亞於西方人。先是在阿富汗，然後是在伊拉克，凶殘的暴君被推翻。西元二〇〇三年四月，美軍抵達巴格達，拆除了被廢黜的獨裁者的雕像。當他們在等待感激的人民給予糖果和鮮花的獎勵時，他們也等待著伊拉克交付一年前布希描述的完全適用於整個伊斯蘭世界的自由會費。「當涉及男性與女性的共同權利和需要時，不存在文明的衝突。」[29]

在伊拉克的街頭並沒有引人注目的糖果和鮮花，相反地，美國人受到迫擊炮、汽車炸彈和簡易爆炸裝置的猛烈襲擊。這個國家開始陷入無政府狀態。在歐洲，反對美國入侵伊拉克的聲音高漲，人們常常以不加掩飾的滿足感來看待暴動，甚至在九一一事件之前就有許多人認為「美國活該」[30]。到了西元二〇〇三年，隨著美軍佔領兩個穆斯林國家，關於阿富汗和伊拉克是赤裸裸的帝國主義受害者的指控變得越來越顯著。如果不是煙幕，總統關於自由的所有精彩言論是什麼？至於它背後可能隱藏了什麼企圖，則有多重的可能性：石油、地緣政治和以色列的利益。

布希雖然是一個講求實際的商人，但他不是只在乎利益的，他從未想過要隱藏自己最真實的靈感，在他還是總統候選人的時候，被問到自己最喜愛的思想家，他毫不猶豫地回答說：「是基督，因為祂改變了我的心。」[31]毫無疑問地，布希是一個福音派信徒。他認為人權的概念是一個普遍的概念，這是非常真誠的。正如為廢除奴隸貿易而抗爭的福音派信徒所做的那樣，通過聖靈在心中向他證實，布希理所當然地認為他自己的價值觀是適合全世界的價值觀。布希不像英國的外交大臣，早在皇家海軍反對奴隸制運動的鼎盛時期，其目標就是要使奧斯曼帝國皈依。布希並沒有打算將伊拉克帶入基督宗教，相反地，他的雄心壯志是喚醒穆斯林認識他們自己宗教中的價值觀，使他們能夠看到他們與美國所有的共同點。「正如絕大多數人所信奉的那樣，伊斯蘭教是一種和平的宗教，一種尊重他人的宗教。」[32]布希被要求描述他自己的信仰，他很可能會用類似的措辭來表達它。那麼，他還能對穆斯林給予什麼更大的讚美呢？

但伊拉克人並沒有敞開心扉，也沒有認識到伊斯蘭教與美國價值觀的相似性。他們的國家繼續燃燒。在布希的批評者看來，他關於向邪惡開戰的言論似乎被荒謬地誤用了。如果有人做了惡事，那肯定是世界上最強大軍事力量的領導人，一個利用他指揮的所有令人震驚的資源來造成無權無勢者的死亡和混亂的人。光是在西元二〇〇四年，駐伊拉克的美軍就轟炸了一場婚禮派對，夷平了整個城市，並被拍到了折磨囚犯的照片。

在許多人看來，暴力似乎一直是西方的本質。因此，來自法屬加勒比地區的精神病學家法蘭茨・法農（Frantz Fanon）曾寫道：「歐洲的福祉和進步，是建立在黑人、阿拉伯人、印度人和亞洲人的汗水和屍體之上的。」[33]他於西元一九五四年參加了阿爾及利亞反抗法國的革命，畢生致力於喚醒被殖民者起身反抗入侵者。面對那些對於談論和平與和解感到不耐煩的叛亂分子，法農堅定地認為，只有通過武裝起義才能真正擺脫他們的束縛，這為馬丁・路德・金恩的和平主義提供了有力的解藥。

然而，他的信息不僅傳達到殖民地，在西方許多自認為是進步先鋒的人看來，法農是個先知。在對布希提出更激進的批評時，他對帝國主義的分析獨具慧眼又有先見之明，他說：「這是赤裸裸的暴力，只有在面對更大的暴力時才會屈服。」[34]佔領伊拉克是西方犯罪史上又一個沾滿鮮血的篇章。伊拉克用汽車炸彈或綁架來打擊佔領軍，就是為自由而戰。沒有武裝抵抗，要如何掙脫帝國主義的枷鎖、如何解放地球上悲慘的人們呢？認識到這一點，就是承認英國反戰組織「停止戰爭聯盟」在二〇〇四年秋天所說的：「伊拉克人以他們認為必要的任何手段，為了確保達到這些目標而進行的抗爭，是具有合法性的。」[35]

將這種言論置於其陰影之下是一種熟悉的諷刺。人們憑什麼認為帝國是邪惡的？在伊拉克、在所有國家中，帝國主義永恆的證據無所不在。波斯人、羅馬人、阿拉伯人、土耳其人，他們都認為自己理所當然地享有統治的權利。反戰人士準備譴責西方殖民主義的冒險行為，這種冒險不是來自殖民地國家的遺產，而是來自殖民者的遺產。這在法農本人的職業生涯中已經足夠明顯了。雖然他是在馬丁尼克島（Martinique）出生和長大的，但他的教育是無可挑剔的法國血統。

羅伯斯比非常熟悉他將恐怖視為淨化世界、驅除壓迫、扶貧和打垮富人的手段；但法農這個難得誠實的知識分子已經認識到了這一革命傳統的最終來源。雖然只有那些在印有伏爾泰名字的圖書館裡度過學生時代的人才能蔑視宗教，但他從小就是天主教徒。他讀過聖經，在解釋「去殖民化」的含義時，他轉向了耶穌的話，他說：「如果我們想準確地描述它的定義，可以用眾所周知的話來概括：『那在後的將要在前。』（馬太福音第20章第16節）」[36]

因此試想一下，伊拉克的暴動是一場去殖民化的運動，就像法農所理解的那樣，那麼人們就會明白，這是戴著和布希幾乎一樣的基督宗教眼鏡來看待穆斯林世界。與美國人作戰的暴動分子往往不反對帝國本身，只是反對那些不是合法伊斯蘭的帝國。穆斯林和基督徒一樣，也有自己的天啟之夢。但是在伊拉克的殺戮場中，這些往往助長了征服全球的幻想，而不是社會革命的幻想。就像曾經發生過的一樣，世界將再次如此。與美國人的戰鬥，是伊斯蘭人在幾個世紀前與羅馬人和十字軍的戰鬥的一面鏡子，並且預示著尚未發生的事情。

「在伊拉克，火花已經點燃，它的熱量將持續加劇——在真主的許可下——直到它燒毀達比克（Dabiq）的十字軍。」[37]這個自吹自擂的預言，來自一個名叫阿布・穆薩布・扎卡維（Abu Musab al-Zarqawi）的暴動分子，表達了一個可敬的嚮往：讓全世界都順服於伊斯蘭。兩週前，他和他的軍事夥伴們得到反戰聯盟（Stop the War）的支持。達比克是敘利亞的一個小鎮，根據被認為來自穆罕默德的一句話，基督教軍隊註定要在最後的慘敗中被消滅。然後，伊斯蘭的帝國將跨越整個世界。末日將到來，神的計劃最終會實現。

扎卡維聲稱，他在夢中看到一把劍從天而降。現實更加骯髒。作為一名暴徒和強姦犯，他的殘暴如此可怕，甚至連蓋達組織最終都會譴責他。但他的轟炸和斬首都是有條理的。雖然他幾乎不識字，但他從所有穆斯林激進分子中最有影響力的人那裡接受了可怕的教育。西元一九九四年，扎卡維因為在約旦策劃恐怖主義罪行而被捕，他與一位名叫阿布・穆罕默德・馬奎迪西（Abu Muhammad al-Maqdisi）的巴勒斯坦學者一起受審。在服刑五年的時間裡，他在伊斯蘭面臨的危機中接受了馬奎迪西的輔導。馬奎迪西警告說：「儘管真主賜予他們完美和永恆的律法，穆斯林卻被引誘去遵守由人制定的法律。他們已經變得像基督徒一樣，異教徒將立法者視為他們的領主，而不是上帝。」[38]

穆斯林世界的政府通過了直接與《聖行》（穆斯林以此來描述伊斯蘭教先知穆罕默德的言行習性）相抵觸的憲法。更糟糕的是，他們已與國際機構簽約，儘管這些機構聲稱中立，但他們卻向穆斯林強加了外國的法典。最具有威脅性的是聯合國，成立於第二次世界大戰之後，其代表們主張《世界人權宣言》。然而，成為一個穆斯林，就是要知道人類沒有權利。伊斯蘭教中沒有自然法，只有真主制定的律法。穆斯林國家通過加入聯合國而簽署了一系列承諾，這些承諾不是來自《古蘭經》或《聖行》，而是來自基督教國家制定的法律守則：男女之間應平等、穆斯林和非穆斯林之間應平等、禁止奴隸制、禁止攻擊性的戰爭。

馬奎迪西對這些教條做出堅定的裁決：它們在伊斯蘭沒有立足之地，接受它們就是成為叛教者。扎卡維於西元一九九九年出獄，他並沒有忘記馬奎迪西的警告。西元二〇〇三年，在伊拉克發起競選活動時，他選擇了一個溫和而有說服力的目標——八月十九日，一枚汽車炸彈炸毀了聯合國駐伊拉克總部。聯合國特別代表在他的辦公室被壓死，另有二十二人被炸死，一百多人重傷殘廢。不久之後，聯合國撤出了伊拉克。

「我們的戰爭不是針對宗教，不是針對穆斯林的信仰。」[39]布希總統在入侵伊拉克之前作出的保證，並不是在遠方的扎卡維願意接受的。西方大多數人對伊斯蘭的認識，和像馬奎迪西這樣的學者對伊斯蘭的認識根本不是同一回事。在布希看來，它與西方價值觀相容的標誌對馬奎迪西而言是一種快速轉移的癌症。一個半世紀以來，自從第一批穆斯林統治者被說服廢除奴隸制以來，伊斯蘭教一直走在一條越來越像新教的道路上。這種精神勝過了法律條文，已得到全球穆斯林的廣泛接受。正是由於這一點，改革者能夠爭辯說任何深植於伊斯蘭法理中、但冒犯聯合國的做法，實際上可能根本不是伊斯蘭的。

對馬奎迪西來說，穆斯林政府立法維護男女平等，或維護伊斯蘭教與其他宗教之間平等的做法，是一種可怕的褻瀆。整個世界的未來岌岌可危，神的最後啟示以及人類從詛咒中救贖自己的最後機會，將直接受到威脅。唯一的辦法是回歸經文：把伊斯蘭所有的蕁麻和荊棘都剷除，幾個世紀以來，這些蕁麻和荊棘已經扼殺了第一批穆斯林——「先祖」或先輩（*Salaf*）——所熟知的純粹啟示。它需要的是改革（*reformatio*）。然而，薩拉菲信徒（Salafists）[8]即使在試圖清除伊斯蘭教的外國影響時，也忍不

⑧譯註：薩拉菲運動是遜尼派穆斯林中的一種以薩拉菲主義學說為基礎的極端保守正統運動。該學說可以概括為伊斯蘭信仰中的原教旨主義和伊斯蘭復古主義，效法先知穆罕默德和他早期的追隨者「虔誠的祖先」，拒絕宗教上的創新或「異端」，支持實施「伊斯蘭教法」。

住為他們作證。正如美國學者凱西亞・阿里（Kecia Ali）所說：「現代伊斯蘭教（modern Islam）是一種極度的新教傳統。」[40] 一千年來，穆斯林一直理所當然地認為，他們的教義（*deen*）是由學者對《古蘭經》和《聖行》之意義的共識所決定的。因此幾個世紀以來，伊斯蘭的教義積累了大量的評論和解釋。薩拉菲派教徒懷著恢復伊斯蘭教原始教旨的雄心壯志，決心將這層層包覆解開。扎卡維手持炸彈和刀具，被伊拉克人稱為屠殺者酋長。對於他打算實現其目標的野蠻行徑來說，這無疑是非比尋常的。儘管他在穆斯林世界受到廣泛譴責，還是有些人欽佩他的榜樣。在西元二〇〇六年，美國噴射戰機襲擊並焚毀扎卡維，但並沒有起到根絕禍害的作用。到西元二〇一一年，雖然伊拉克看起來已經平靜下來，但它仍潛伏著、盤旋著，等待時機成熟。

同年，機會來了，長期統治敘利亞的獨裁政權開始下滑，國家崩潰，扎卡維的追隨者抓住了機會。到西元二〇一四年，他們開始掌管一個橫跨敘利亞大部分地區和伊拉克北部大片地區的帝國。他們以一絲不苟的冷血態度，試圖沖刷掉每一絲來自外國的影響、洗淨每一條來自異端的法理髒汙，建立一個伊斯蘭國。只有薩拉菲的模範是重要的。當扎卡維的追隨者砸碎異教的神像時，他們是在仿效穆罕默德；當他們宣稱自己是一個未來全球帝國的突擊隊時，他們是在仿效那些連希拉克略（羅馬皇帝）都會相形見紕的勇猛戰士；當他們斬首敵方的戰鬥人員、重新引入納貢丁稅、逼迫戰敗對手的婦女成為奴隸時，他們沒有做任何穆斯林先祖不會感到光榮的事情。

通往未受汙染的未來的唯一道路，是通往未受破壞的過去的道路。那些福音派教徒帶著炮艦和他們關於危害人類罪的言論衝進穆斯林世界後所留下的東西，將不復存在。只有經文是重要的。然而，伊斯蘭國家力圖重振阿拉伯帝國已逝輝煌的字面意義，正是使它如此不真實的原因。伊斯蘭文明中一向的標誌——美麗、微妙和精緻——已經渺無踪影。他們崇拜的神不是穆斯林哲學家和詩人所信仰的至仁至慈、充滿悲憫情懷的神，而是屠夫。他們野蠻行徑所獲得的許可不是來自伊斯蘭學術無與倫比的繼承，而是來自原教旨主義的非正宗傳統，這種傳統本質上是新教。伊斯蘭國可能是伊斯蘭的；但它也傳承自再洗禮派的明斯特叛亂。這也許是整個新教史上最令人毛骨悚然的諷刺。

像尼采一樣，伊斯蘭國從西方文明的虔誠中看到了可怕和病態的力量來源——對苦難的關注，以及對人權的空談。像薩德一樣，他們明白，要對付這種虔誠最可靠和有力的打擊，就是展現興高采烈和毫無歉意的殘酷。基督宗教必須贖回他們的十字架。在《古蘭經》中，十字架就像在凱撒統治下一樣，是作為正義制裁的象徵。「對那些向真主和其使者發動戰爭，以及努力煽動世間腐敗的人的懲罰，就是把他們殺害或釘死在十字架上。」[41]教徒會被鞭打，鳥群聚集在十字架上，屍體被曝曬在陽光底下任其漸漸腐爛。

然而一些囚犯經歷了更公開的酷刑。西元二〇一四年八月十九日，一段影片出現在網路上，影片中一位名叫詹姆斯・佛利（James Foley）的美國記者跪在一名身穿黑衣的蒙面男子面前，男子的手中揮舞著一把刀。這名男子帶著英國口音，宣讀了美國的罪行之後，在鏡頭外砍掉了佛利的頭。在隨後的幾週裡，更多同樣的殺戮事件上傳到網路上。第二年，這名劊子手的身分被揭露了，是一個名叫穆罕默德・埃姆瓦齊（Mohammed Emwazi）的倫敦人，被他關押的受害者稱他為「約翰」。他的三名警衛同伴全都像埃姆瓦齊一樣，蒙面並操著英語口音，他們被暱稱為「保羅」、「喬治」和「林哥」。總的來說，他們是「披頭四樂團」。

在佛利遇害的幾天內，尚未匿名的埃姆瓦齊成為全球頭條新聞中的「聖戰約翰」。這是一個很貼切的綽號。在佛利去世的報導中，幾乎沒有提到他成長於天主教家庭，以及在他被關押為人質的時候，他的祈禱如何使他感到自己正在「透過宇宙某種廣大無邊的力量」[42]與他的母親交流：「聖母馬利亞顯現給我。」對外界來說，對佛利命運的褻瀆，不是針對基督徒所相信的，那位被羞辱之後再公開被處以死刑的上帝，而是針對一些更模糊的東西：一種信念，即相信愛是所有人都需要的，世間應該給和平一個機會。因此，憤怒的披頭四團員林哥・史達抗議說：「這真是胡說八道！他們在那裡的所作所為，與披頭四樂團所代表的一切是相反的。」[43]

被封為林哥這個名字的那位伊斯蘭國歹徒也同意這一點，被逮捕之後，接受採訪的「林哥」在被問及他們被冠上「披頭四樂團」這個綽號時的回應，是用沉悶又單調的語氣回答：「我不聽音樂，所以我不談論搖滾樂團。」但接著，在長時間的沉默之後，他突然皺起了眉頭，像麻雀一樣飛快地瞥了一眼麥克風說：「約翰・藍儂不太喜歡這樣。」[44]

但當然，這正是重點所在。

第21章

喚醒

西元2015年，羅斯托克

「政治有時是很艱難的。」安格拉·梅克爾（Angela Merkel）在學校體育館對一群青少年講話時，知道自己在說什麼。在共產主義統治下長大的她，已經升任統一後的德國的總理，而德國是歐洲最大和最重要的經濟體。十年的任期教會了她決策很少是不用付出成本的。現在，當梅克爾通過電視直播和一個十四歲的女孩面對面地接觸時，她明白她的一項政策可能意味著什麼。

出生於難民營的巴勒斯坦人蕾姆·薩維爾（Reem Sahwil）當年來德國接受腦性麻痹的治療，她的德語流利，在班上名列前茅，足以證明自己是一位模範移民。但是，為什麼她和她的家人要面臨被驅逐出境的情況呢？梅克爾顯然感到不自在，試圖解釋：「你知道，在黎巴嫩的巴勒斯坦難民營裡有成千上萬的人，如果我們說你們都可以來，都可以到這裡來——我們是無法應付的。」她轉向主持人，試圖進一步地說明，但話講到一半便停頓下來。薩維爾哭了起來。梅克爾走向她，尷尬地觸摸她，然後撫摸她的頭髮。「我知道這對你來說很困難。」薩維爾雙眼淚光閃閃，試圖在臉上擠出微笑。梅克爾將手放在女孩的肩膀上，盡可能地安慰她：「妳的現身說法，已經為自己和許多人說出你們所面臨的境況。」[1]

總理明白，在政治中保持領先地位的關鍵是走阻力最小的道路。對移民的敵意是一種長期存在的情緒狀態，統治者從文明開始就豎起了城牆。對和自己看起來、聽起來不同的人施以暴力，在整個歷史中是常見的。幾十年前，羅斯托克（Rostock）①也曾因為持續兩天的反難民的暴亂而動盪不安。在西元一九九二年時，在城市街道上看到那些來自遙遠大陸的人們是一件不尋常的事。歐洲人屬於一個長期以來因文化同質性而與眾不同的文明。幾個世紀以來，除了零星的猶太人社區之外，幾乎每個人都是基督徒。

當鄂圖一世戰勝匈牙利人時，標誌著外來者穿透基督宗教中心地帶的能力出現了決定性的轉捩點。在歐亞大陸，沒有其他地方能如此安全地對抗那些主宰中世紀戰場的弓箭手。只有隨著奧斯曼帝國權力的擴張，兩次將穆斯林軍隊帶到維也納的大門，基督宗教歐洲才面臨了那些不信奉自己信仰的對手的嚴重威脅。即便如此，奧斯曼帝國也以撤退告終。隨著他們的艦隊橫掃遙遠的海洋，他們的旗幟飄揚在遙遠的殖民地，他們的移民定居在世界各地，歐洲人已經能夠理所當然地認為自己的大陸堅不可摧。大規模移民是他們帶到非歐洲人土地上的東西，而不是相反。

然而，自第二次世界大戰結束以來，情況發生了變化。在提高生活水準的吸引下，

①譯註：位於德國北部，是梅克倫堡—西波美尼亞邦最大的城市。

大批來自非歐洲國家的移民來到西歐定居。幾十年來，進入德國的移民速度和規模一直受到嚴格管制。但現在看來，這個管制已經面臨崩潰的危機。在向這個哭泣的少女解釋事實時，梅克爾非常清楚就在她講話的當下，這場危機正在越過德國的邊界。整個夏天，成千上萬來自穆斯林國家的移民和難民一直穿越巴爾幹半島前來。這個場面激起了人們深深的恐懼。在匈牙利，有傳言說奧斯曼帝國將發動新的入侵。即使在西歐，在從未被穆斯林軍隊征服過的土地上，也有許多人感到不安，害怕所有來自東方的人可能都會從遙遠的地方移動過來。「平原上黑壓壓的行進隊伍，只要在眼目所及之處，就像骯髒的真菌那樣蔓延生長；城市被黑色或暗紅色的巨大帳蓬所圍攻。」[2]

西元一九四六年，托爾金已經在《魔戒》裡描述了索倫軍隊對米那斯提力斯的圍困，這是西方自由土地的堡壘。《魔戒》的高潮情節明顯呼應了九五五年的重大事件：對奧格斯堡的襲擊和第二次萊希菲爾德之戰②。一位戰鬥經驗豐富的睿智學者，以超自然力量聖化他的使命，站在一座被攻破的城市的大門上，阻擋了敵人的前進。一群身穿鎧甲的騎兵來到戰場上，就像侵略者掌握了勝利一樣。一個擁有神聖武器的國王，聲稱擁有一個空蕩蕩的帝國寶座。西元二〇〇三年，《魔戒》中亞拉岡戰勝魔多咆哮隊伍的場景，讓數百萬從未聽說過第二次萊希菲爾德之戰的人感到恐懼。在這個二十一世紀被重新打磨與包裝的場景中，鄂圖一世對基督宗教世界的護衛仍然具有幽靈般的魅力。

然而，在西元二〇一四年夏天，這個遺產被多重的諷刺蒙上陰影。鄂圖一世的衣缽不是由德國總理繼任，而是由匈牙利總理擔任。維克多・奧班（Victor Orbán）③直到最近還是一個自封的無神論者，但這並沒有阻止他懷疑——就像鄂圖一世可能做的那樣——未受洗的移民能否真正融入社會。「這是一個重要的問題，因為歐洲和歐洲文化有著基督宗教的根基。」同年九月，奧班命令警方將難民從火車上移走，並在匈牙利南部邊境設置柵欄。他警告說，歐洲的靈魂岌岌可危。

梅克爾在追蹤移民危機問題時也得出了相同的結論。然而，她的回答與奧班的正好相反。儘管她麾下執政聯盟的部長們要求她關閉德國邊境，但是她拒絕了。大批敘利亞人、阿富汗人和伊拉克人開始越境進入巴伐利亞州。很快地，每天有一萬多人湧入。人群聚集在火車站為他們加油，球迷們在比賽中高舉橫幅來表示歡迎他們。總理梅克爾宣稱這些場景「描繪了一幅德國的畫，讓我們為自己的國家感到驕傲」[3]。

---

②譯註：萊希菲爾德位於德國奧格斯堡南部的萊希河沖擊平原。這場戰役被視為反擊匈牙利人對西歐入侵的決定性事件。

③譯註：現任匈牙利總理，自二〇一〇年奧班第二次執政以來，匈牙利經歷了民主倒退，轉向威權主義。

站在人民歷史的陰影下，梅克爾不亞於奧班。她知道被異族淹沒的恐懼會引向何方。前幾代人更天真。托爾金在《魔戒》中借鑒中世紀早期歷史的情節時，從未打算將匈牙利人或撒拉森人等同於魔多所體現的可怕邪惡。他認為移民時代已經久遠到他的讀者幾乎不可能相信這一點。他從未打算妖魔化整個民族，無論是古代或現代。「我非常反對這樣的事情。」[4]索倫的軍隊雖然可能來自東方，但象徵著托爾金在西部戰線上親眼看到的凶殘殺人能力。地獄的影子沒有國界，它的影響範圍是普遍的。

不過，就在托爾金寫到米那斯提力斯遭到圍攻的故事時，魔鬼化身的長期統治正在接近尾聲。邪惡已經戴上一張新面孔。西元一九四六年，在紐倫堡對納粹領導最高階層的倖存戰犯展開了審判。在奧斯威辛集中營解放一年後，相關訴訟的報告向全世界表明納粹主義罪行的全部規模。就像木頭的乾腐病隨著時間不斷地蔓延，納粹的恐怖也汙染了整個德國歷史的結構。希姆萊④對基督宗教的厭惡並沒有阻止他欣賞基督宗教帝國的軍事壯舉，他為鄂圖一世的父親戴上神聖的冠冕，將其視為日爾曼英雄主義的最高典範。有暗地裡的傳言說他自稱是撒克遜國王的轉世。

希特勒雖然私底下蔑視希姆萊的神祕傾向，但他自己卻被「聖矛」⑤迷住了。耶穌基督受難的遺物被化為納粹主義的象徵。希特勒自殺七十年後，在一個仍然致力為他的罪行懺悔的國家，梅克爾從未想過要騎馬去打一場新的「第二次萊希菲爾德之戰」。面對歐洲邊境的苦難洪流，真正唯一的基督宗教情懷，是放棄所有揮之不去的、將歐洲大陸作為基督教國家的意識，並對著地球上那些悲慘國家的人們打開大門。

一直以來，從教會的初期開始，在基督向他的信徒們告誡說應該走向世界、向所有受造人類宣講福音，以及他所說的好撒瑪利亞人的比喻之間，存在著一股拉扯的張力。梅克爾對兩者都很熟悉。她的父親曾是一名牧師，她的母親同樣虔誠。她童年的家曾是收容殘疾人的宿舍，幫助那些很像蕾姆．薩維爾的人們。「每天接收到的訊息是：愛你的鄰居，就像愛你自己一樣。不只是德國人，上帝愛每一個人。」[5] 兩千年來，基督徒一直在盡最大的努力將這些教導付諸實踐。梅克爾為中東戰爭的受害者提供庇護，就和十六個世紀前尼撒的貴格利一樣做著類似的事情。貴格利敦促他的會眾們對難民提供慈善援助，因為他們像動物一般生活的景象還存在著，每個基督徒都應該受到責備。「他們的屋

④譯註：希姆萊（1900-1945）是第二次世界大戰期間納粹德國的內政部長和親衛隊全國領袖，也是納粹大屠殺的主要策劃者。

⑤譯註：又稱作命運之矛，相傳是耶穌基督在被釘在十字架上後，行刑的羅馬士兵為確認耶穌基督是否真的已經因刑而死，因此用一根長矛戳刺耶穌基督的側腹位置，此一長矛即成為命運之矛。它和聖杯、真十字架同是基督宗教著名的聖物。

頂是天空。為了避難，他們躲在門廊、小巷和城鎮荒涼的角落。他們像貓頭鷹一樣躲在牆壁的裂縫裡。」[6]

然而，當梅克爾試圖為開放德國邊境辯護時，一個轉變因為看起來如此不符合她的性格而更加引人注目——她明確拒絕將其當作一種基督宗教慈善的姿態。在告訴一個哭泣女孩德國不可能對整個世界扮演好撒瑪利亞人的六個星期之後，她的新觀點是堅信自己只是在做任何處於她這個位置的人都會做的事。她自己的信仰和這件事是無關的。這種道德戰勝了所有的文化差異，也包括宗教差異。憑藉這個論點，梅克爾試圖反駁奧班的反對意見，即穆斯林湧入歐洲將不可逆轉地改變歐洲大陸的基督宗教特徵。她認為伊斯蘭教的本質與基督宗教沒有什麼不同，兩者都可以在一個自由、世俗的國家內得到同樣的框定。在打倒她的政黨中所有提出相反意見的成員之後，這位總理堅稱：「伊斯蘭教是屬於德國的。」

這個立場與奧班的立場似乎並不完全相反。匈牙利總理對「一個混合的、伊斯蘭化的歐洲」[7]的焦慮中隱含著這樣一種期待，即穆斯林如果願意接受洗禮，那麼他們就可能會在非洲大陸的基督宗教秩序中佔據一席之地。畢竟這是他從自己民族的歷史所學到的教訓。從「第二次萊希菲爾德之戰」之後，以及教宗頒贈給匈牙利國王的「聖矛」複製品以來，已經過了好幾代了。居留簽證很少得到如此神聖的批准。但對梅克爾來說，並不接受「聖矛」所代表的意味。作為一個在活生生的記憶中消滅了六百萬猶太人的國家領導人，她不希望任何可能構成歐洲身分的東西出現定性，這樣的焦慮是可以理解的。

然而歷史是不可反抗的。基於一個社會應如何最好地建構的前提下，德國仍然是一個深刻和獨特的基督宗教社會。與十九世紀猶太人在獲得普魯士公民權時的情況一樣，那些希望融入德國社會的穆斯林別無選擇，只能成為基督宗教思想所認定的「宗教」實踐者。伊斯蘭教——傳統上它表示那些僅僅在活動中順服的人——必須被塑造、扭曲和轉化為截然不同的東西。

當然，這不是一個始於二〇一五年的過程。一個半世紀以來，自從歐洲殖民主義的鼎盛時期以來，這種情況一直在加速發展。其進展可以用全世界那些接受人類所制定法律可能勝過真主法律的穆斯林的數量來衡量，穆罕默德的使命是宗教性的，而不是政治性的；信眾與信仰之間的關係，在本質上是私密的和屬於個人的事情。梅克爾堅持伊斯蘭教和基督宗教一樣屬於德國，只是在顯示公平而已。擁護宗教與世俗社會的相容性絕對不是一種中立的姿態。世俗主義誕生於基督宗教歷史的掃蕩中，不亞於奧班帶刺的鐵絲網。

要讓這一點像其執行者所希望的那樣發揮作用，這是不能被承認的。西方在身為全球霸權的期間內，已經熟練地為非基督宗教的受眾重新包裝基督宗教概念。如果中世紀歐洲的教會律法師的起源可以隱藏起來的話，諸如人權的教義才更有可能被簽署。聯合國各機構堅持「古代和廣泛接受的人權概念」[8]是一個必要的先決條件，因為它們聲稱擁有全球管轄權，而不僅僅是西方的管轄權。

世俗主義以同樣的方式精心掩蓋自己的蹤跡。如果世俗主義要被猶太人、穆斯林或印度教徒所接受，作為他們與其他信仰的人之間的中立者，那它就不能被視為一個在基督宗教背景中才有意義的概念。在歐洲，世俗世界已經被世俗化太久了，以至於人們很容易忘記它的最終起源。在這樣的前提下，世俗主義不可避免地要變得更「基督徒」一點。梅克爾歡迎穆斯林來到德國，就是邀請他們在一個對宗教理解並不中立的大陸上佔有一席之地，而在這塊大陸上，政教分離被認為是適用於穆斯林的。

世俗主義者長期對抗基督宗教的神話，很容易忘記世俗主義也是建立在神話之上。法國諷刺雜誌《查理週刊》（*Charlie Hebdo*）將基督宗教總結為「上帝作為宇宙建築師的神話、童貞馬利亞的神話、基督復活的神話」[9]。在法國（也許比歐洲其它地方都多）有些人講述基督宗教起源的故事時，是與其歷史有出入的，其中更火熱的支援者認為，法國世俗主義的價值，與其說是政教分離，不如說是宗教與那些本來可能被其無稽之談所感染的人的隔離。《查理週刊》自豪地把自己定義為「世俗的、快樂的，以及無神論者」[10]，對教宗和神職人員進行了嚴厲的諷刺。

《查理週刊》聲稱自己兩百多年來一直是法國特有的反教權主義的品牌，但它的根源遠早於法國大革命，當《查理週刊》的漫畫家們嘲笑基督、聖母或聖人時，傾向於使用淫穢的方式，不能說是伏爾泰的功勞。他們真正的繼承路線可以追溯到不受控的偶像破壞者（iconoclasts）。早在宗教改革的第一次熱潮中，狂歡者就為褻瀆偶像而歡欣鼓舞：將聖母雕像當作女巫一般投入河中；將驢的耳朵釘在聖方濟各的圖像上；扛著受難基督的十字架在妓院、澡堂和小酒館中遊行。他們認為對迷信的踐踏就是對光明的主張。「啟蒙」意味著繼承信徒們（即上帝子民）這個地位的宣稱。從這個角度來看，《查理週刊》的記者們是雙重的信徒，他們所堅持的諷刺、褻瀆、詆毀的傳統，不是對基督宗教歷史的否定，而是他們所認為的基督宗教本質。

五百年來，天主教徒一再被迫測試他們的信仰來反對它。現在輪到穆斯林了。西元二〇一一年，《查理週刊》的封面上出現了一幅穆罕默德的漫畫。第二年，他被描繪成四肢著地蜷縮著，露出生殖器。這種嘲弄不會停止，所以《查理週刊》的編輯發誓，直到

「伊斯蘭教被渲染得像天主教一樣平庸」[11]，才算是在世俗社會裡平等地對待穆斯林。

只是他們沒有被平等對待。只有那些相信世俗主義神話的人才可能這樣相信；這些人認為世俗主義是從處女所生，與基督宗教毫無關係，在所有宗教之間是中立的。西元二〇一五年一月，在兩名持槍歹徒強行進入《查理週刊》辦公室並開槍打死十二名員工後，穆斯林的敏感狀態一再被困惑而驚恐的公眾反覆掂量，但徒勞無功。為什麼對幾部漫畫的反應如此地凶殘？為什麼當天主教徒一次又一次地證明自己有能力嚥下針對他們信仰的褻瀆時，穆斯林做不到呢？就像基督宗教所做的那樣，現在不是伊斯蘭教成長和進入現代世界的時候嗎？然而，提出這些問題的人是因為完全相信世俗主義的自負核心：所有的宗教本質上都是一樣的。這是假設所有宗教都被束縛，就像蝴蝶一樣重複著一個相同的生命週期：蛻變，開展，衰亡。最重要的是，它忽視了《查理週刊》所堅持的世俗主義傳統遠非從基督宗教中解放出來，而是其不可磨滅的產物。

槍擊事件發生三天後，當世界各國領導人與數百萬示威者一起遊行穿過巴黎市中心時，標語牌上寫著聲援被謀殺的記者的語句：「我是查理。」作為一個奇觀，它有力地證明了西方的正統觀念，一個在數千年來不斷地發展和進化的正統觀念。早在鄂圖一世時代，異教徒的領袖們如果沒有經過洗禮，就無法在基督宗教的國家定居。現在，在《查理週刊》時代，歐洲有了新的期望、新的身分、新的理想，但沒有一個是中立的，除了基督宗教歷史所結的果實之外，別無其它。反過來想像一下，世俗主義的價值觀可能確實是永恆的，但諷刺的是，最可靠的證據就是他們與基督宗教多麼地相似。

你腹中的胎兒是有福的⑥

參觀比佛利山莊半島飯店，就是參觀一家將賓客奉為神來對待的飯店。坐落在一道藤蔓攀緣的牆內，羅迪歐大道的豪華購物街就在觸手可及的距離之內，這家飯店設有水療中心、游泳池和屢獲殊榮的餐廳，接待了來自全球的獨一無二的顧客。有歌手來這裡錄製專輯，有整形手術後的電影明星來這裡度過術後恢復期，還有電影業巨頭來這裡達成交易。

作為世界上最成功的獨立製片人之一，哈維．溫斯坦（Harvey Weinstein）⑦幾十年

⑥譯註：路加福音第1章第42節。

⑦譯註：美國電影監製和前任電影製片廠的執行董事。二〇一七年他被指控性騷擾和性侵犯，二〇二〇年他被紐約法院判處二十三年的刑期。

來在他到訪洛杉磯時，從未在其它地方住過。入住酒店後，他都會在四樓一間特別豪華的套房裡接待來訪者。受邀上樓討論各種專案的女演員們可能會發現自己被冰桶內的香檳和裝滿龍蝦的盤子包圍著。酒店不惜一切地大力迎合溫斯坦的口味，非常謹慎地為他提供了正確的浴袍尺寸，浴室內配有他喜歡的衛生紙品牌，他的助理也獲配專門特製的文具。接待一個像哈維·溫斯坦如此重要的人物，沒有任何事是太麻煩的。

半島飯店裡的一切都必須完美無缺。當然，這需要一大批工作人員。接待員、美足師、服務員。每天清晨房務員們都換上制服，準備好自己迎接漫長的一天：收拾整理好房務推車、鋪床和打掃廁所。在美國，女傭的每小時平均工資是九·五一美元，而半島飯店的一間套房每晚很可能最起碼要價兩千多美元。在一位享受著量身訂做浴袍的電影大亨和為他整理濕毛巾的女人之間，出現了令人眩暈的權力失衡。也許這是意料之中的。偶爾有些客人，習慣於他每一個異想天開的要求被滿足，應該只把工作人員看成商品。西元二〇一六年，一位房務員抱怨說：「他們對待飯店的工作人員，就像對待自己的財產一樣。」[12]之前曾經兩度有住客提供金錢要求她按摩。同年，她又被另一位住客逼到牆角，並遭到猛烈的騷擾。另一次她則是遭到同事的襲擊。

像這樣的事件，被報導出來的只是冰山一角。西元二〇一六年的一項調查顯示，全國四分之一的女性在職場上可能曾經遭受過性騷擾。在飯店業，這個數字被認為要高得多。對於任何女性來說，尤其是對於從事不穩定、低工資工作的女性來說，她們往往不會說英語，而且可能沒有合法的身分證件，在工作上可能有和不知名男性單獨相處的風險。一個政府委員會得出結論，作為一名房務員，就是「特別容易受到性騷擾和攻擊」[13]。

所以情況一直如此，未曾改變。早在中世紀，阿伯拉德的同代人聖伯爾納鐸（Bernard of Clairvaux），一位強大而神聖的修道院長，最終被封為聖人以及教會聖師，就曾哀歎男性那像暴風雨般猛烈的性需求：「和女人一直在一起而不和她發生性關係，比撫養死者要困難得多了。」[14]像聖伯爾納鐸這樣的教士們所承諾的貞潔的真義在於，這並不容易。他們不得不使用馬銜來駕馭自己的慾望，並成為自制的典範。

當然，並不是每個男人都有如教士般生活的毅力，但即使是那些不能沒有性生活的人，也被期待結婚後能夠承諾終身忠誠。宗教改革對婚姻的聖潔品質（如果有的話）給予了更大的重視，儘管其他黨派人士輕蔑地將貞潔的理想斥為教士的迷信。教會之於基督，就如同一個女人之於她的丈夫。如果一個男人殘忍粗暴地對待或強迫妻子、不理會或輕忽她的快樂，或者把她當作一個賣淫者來對待的話，就是使上帝蒙羞。相互尊重就是一切。已婚夫婦之間的性生活應該是「一種神聖的喜悅和對彼此的慰藉」[15]。

然而，比佛利山莊很少接待清教徒。好萊塢是巴比倫。它並沒有透過出售假正經來賺錢，它透過賣酷而來。早在西元一九九四年，作為《黑色追緝令》（*Pulp Fiction*）的製片人，溫斯坦飽享電影大熱賣的成果，這部片就是在描述洛杉磯的犯罪黑社會，飽含強烈的敗德感，如同煉金術般地，電影把性與暴力化為數百萬的票房。電影劇本中所傳達出的回響，可以追溯至聖伯爾納鐸或朝聖先輩所堅持的價值觀，與電影中當地犯罪頭目的妻子米雅．華萊士定期吸食的海洛因一樣被點燃。《黑色追緝令》所透露出的中世紀氣息是透過歹徒在人們身上做的事來表現：舊約被錯誤地引用，因為歹徒將他們的受害者灌滿了鉛。即使身為殺手也會有靈性覺醒的時刻，他相信上帝已經親自干預以挽救他的死亡，電影裡的其他人都對他一片茫然的不理解。「你讀聖經嗎？」殺手這樣問一個把槍抵著他的頭的英國強盜。絕大多數站上美國娛樂業至高位置的人可能會給出同樣的回答：「不，不怎麼讀。」

毒品、暴力、金錢——《黑色追緝令》從人類對這些事物的慾望而塑造了由腎上腺素驅動的娛樂。對快樂的唯一限制是暴力帶來的威脅，沒有其它自我克制的動力。對於電影的觀眾來說，這正是刺激。《黑色追緝令》所堅持的冷靜的光澤，在很大程度上也是禁忌的光澤。美國是一個被兩千年來一直試圖調節慾望的傳統所塑造的國家，特別在性慾方面，基督徒總是認為它與猜疑和焦慮交織在一起。這就是為什麼從使徒保羅開始，人們就做出如此巨大的努力來確保水流沿著單一路線流動。儘管豎立了水壩和堤防，但漸漸地，慾望如湧泉般源源不絕地漫溢，整個防備都被侵蝕了，其他人似乎已經完全消失在洪水之中。

自我克制成為壓抑，性慾的節制變成是虛偽。在越來越不順從的媒體聚光燈下，教會領袖們一再地被揭發他們犯下了他們警告信徒們要面對的罪孽，這無濟於事。幾十年來，在高層利用職權掩蓋數千名神職人員被指控虐待兒童的事件中，美國天主教會的道德權威一直受到腐蝕。與此同時，在新教徒中，好像每次只要有電視福音佈道者對不端的性行為進行抨擊，他就會在公共場合被發現有外遇或被逮捕。神職人員和牧師未能履行自己的教導，這當然不是什麼新鮮事。所以加爾文承認了：「我們自然都容易變得虛偽。」[16]肉體很軟弱。這種變化以驚人的速度發生，使得人們願意承認基督宗教對性道德的嚴格理想，可能根本不是理想。

色情慾望是自然的，因此是好的——這長期以來一直是一種信念，深受貴族階層的自由思想家的歡迎，而基督宗教的到來就像是一股灰色的氣息。正如薩德侯爵所說的：

「我們的宗教、禮儀和習俗很容易而且確實必須欺騙我們，而我們當然永遠不會被大自然的聲音所誤導。」[17]在一九六〇年代，這已成為千百萬人共同的宣言，「愛的夏天」是身體和精神的慶祝。嬉皮們大聲地呼籲「只要做愛，不要作戰」。

對許多人來說，兩千年的神經症和自我憎恨似乎在髮上編織的花朵裡被驅散了。長期受到控制的男人和女人的自然慾望終於恢復了自由。再一次，在明亮的子宮裡，陽具的移動被譽為珍貴的東西，是「自主和愛的勝利」[18]。一位音樂記者在舊金山市寫到一九六七年秋天，他把美國描繪成一個停滯不前的沼澤，突然被神奇的力量注入而成為一座充滿豐沛光澤的海面。受二十世紀六〇年代反主流文化啟發的眾多雜誌中最成功的《滾石雜誌》，其創始人拉爾夫．格理森（Ralph Gleason）認同性自由精神與古典希臘的精神是一致的，他宣稱社會正「被戴歐尼修斯⑧式的潮流深深地攪動著」[19]。古代的神又回來了。

然而在古代，在喜歡的時候和喜歡的人做愛的自由，往往是一個非常排外的社會階層——有權勢的男人——的特權。宙斯、阿波羅、戴歐尼修斯，他們都是慣常的強姦犯。因此，在使徒保羅帶著令人不安的性禁慾資訊前往羅馬時，他也成了許多家庭的首領。只有基督宗教道德家們的巨大努力，以及一千年以上的勞動，才得以重新校準了這一點。他們堅持婚姻是獲得色慾滿足的唯一合法途徑，這個觀點已經佔了上風。使徒保羅如此要求哥林多人：「你們不知道你們的身體就是聖靈的殿嗎？這聖靈住在你們裡面，是上帝所賜的。你們不屬於自己，而是屬於上帝，」[20]兩千年後，這個教誨繼續在美國各地的講壇上不斷地被宣講，教會警告說，就像在善與惡之間的宇宙爭戰一樣，性慾是一個太有掠奪性、太貪婪之物，應該被永遠地留在自己的身體裡。但是，這同時也說明了，在那些偵測大眾娛樂喜好的男人眼裡，他們對這樣的教誨是輕蔑和無法理解的，因為他們熟知什麼樣的電影才會賺錢，性壓抑是無聊的，而無聊將導致票房的毀滅。

這給了電影大亨多少餘地，表現得像個奧林匹亞的神？西元二〇一七年十月五日，《紐約時報》爆料稱哈維．溫斯坦在半島酒店四樓的套房裡一直在做什麼。一位女演員在那裡與他見面，她以為這只是商務早餐的會面，卻發現製片人只穿著他專屬的浴袍。也許他提議問她可以給他按摩？或者看他洗澡怎麼樣？根據報導，兩名溫斯坦的女性助理在他的套房裡也遇過類似的遭遇。在那之後的幾週和幾個月內，多名女性對他提出進一步的指控：性騷擾、攻擊和強姦。在八十多名公開指控的女性中，有鄔瑪．舒曼（Uma

⑧譯註：古希臘神話中的酒神。

Karuna Thurman）這位在《黑色追緝令》擔綱女主角的演員，飾演米雅．華萊士一角。當名人開闢了這條道路時，與此同時許多其他女性也跟著走。一項敦促婦女根據標籤舉報騷擾或攻擊事件的運動 #MeToo，積極尋求向最邊緣化和最脆弱的群體發出聲音：清潔員、農場採摘水果的農婦、飯店的房務員。

那一年，對偉大的道德覺醒的召喚，呼籲各地的男性們反思和悔改自己的罪孽，這股風氣已經大行其道了。一月二十一日，一百萬名婦女遊行穿過華盛頓特區。世界各地也舉行了類似的示威活動。就在前一天，新總統唐納．川普在美國首都宣誓就職。對婦女遊行的召集人們來說，他正是有毒陽剛之氣的化身：一個曾多次被指控性侵的狂妄大亨，一個曾吹噓自己抓了女性下體的男人，同時也是在最近結束的總統競選活動中，向一位色情明星支付了巨額報酬作為封口費的總統候選人。然而，召集人不是針對川普組織遊行，而是試圖傳達一個更崇高的資訊：大聲疾呼反對在任何地方所發現的不公正、歧視和壓迫。「是的，這是關於女權主義。但這不僅僅是女權主義。這是關於所有人的基本平等。」[21]

這是來自馬丁．路德．金恩的回響。在川普總統任期第一年席捲美國的反對偏見的抗議活動中，人們一再地引用這位偉大的浸信會傳教士的名字和典範。然而，對於「川普國王」來說，基督宗教是他競選時所宣導的一切的源頭，在西元二〇一七年遊行的許多人看來，基督宗教似乎是問題的一部分。福音派人士大量投票支援川普。墮胎、同性婚姻、變性人權利在他們看來，不僅不符合聖經的教誨，還直接與上帝的目的背道而馳。受困於這些問題的福音派人士被牽著鼻子走，支援著一個會對女性下體出手並和色情明星交往，卻毫不臉紅地把自己塑造成基督宗教價值觀旗手的男人。不出所料，在進步人士對他們提出的指控列表上，增加了虛偽的偏執。

在許多女權主義者看來，美國有可能正冒著被一個厭惡女性的神權政權把持的風險。婦女遊行三個月後，一部電視連續劇從這種恐懼中演繹出扣人心弦的戲劇。《使女的故事》（*The Handmaid's Tale*）以一個回歸到十七世紀新英格蘭的噩夢般景象的國家為拍攝背景。改編自加拿大作家瑪格麗特・愛特伍（Margaret Atwood）⑨的反烏托邦小說，為反對川普的女性示威者提供了引人注目的新視覺的抗議語言。白色帽子和紅色斗篷是「使女」穿的制服：在一個因普遍不孕不育而癱瘓的世界裡，擁有生育能力使她們成為被合法強姦的對象。聖經中的一個段落提供了這種做法的許可證。福音派的模仿是黑暗

⑨譯註：加拿大詩人、小說家、文學評論家、作家、教師、環境保護倡議者與發明家。

的，因為它是野蠻的。就像所有偉大的反烏托邦小說一樣，《使女的故事》與其說是預言，不如說是諷刺。這部電視連續劇反映了川普治理下的美國會是一個分裂的社會：保守派和自由派之間、反動派和進步派之間、在擁有黑暗靈魂的電視佈道者和其父權體制的高貴敵人之間。

事實上，《使女的故事》所諷刺的分歧是非常古老的。它們不是來自二十一世紀美國政治的細節，而是來自基督宗教的子宮。「你腹中的胎兒是有福的」這句經文一直都在基督宗教人民的心中。在傳統的要求與進步的主張之間、在對權威與對改革的渴望之間、在法律的字面與精神之間，始終存在著緊張關係。從這個意義上說，二十一世紀與過去沒有根本的決裂。美國文化戰爭中的偉大戰役，是在基督徒和那些從基督宗教中解放自己的人之間展開的，這是雙方都有興趣推動的幻想。這完全是一個神話。實際上，福音派和進步派都被公認是來自同一個子宮培育的產物。

如果說反對墮胎的人們是聖女瑪格蓮娜（St. Macrina the Younger）的繼承人，她曾梭巡卡帕多西亞的垃圾堆尋找並拯救那些被遺棄的嬰兒們，那麼，那些跟反對墮胎的人唱反調的人們同樣借鑒了根深蒂固的基督宗教思維：每個女人都擁有自己身體的自主權，每個男人都應該尊重她。同性婚姻的支援者受到教會對一夫一妻制忠誠的熱情影響，而反對同性婚姻的支援者則受到聖經對與男性上床的男人的譴責影響。設置跨性別廁所似乎確實是對上帝的侮辱，因為上帝創造了男性和女性；但拒絕善待受迫害的人，也是冒犯了基督最基本的教導。在一個像美國這樣充斥著基督宗教思維的國家，即使是那些想像自己沒有這種思維的人，也無法逃避其影響力。美國的文化戰爭與其說是反對基督宗教的戰爭，不如說是基督宗教各派別之間的內戰。

西元一九六三年，當馬丁・路德・金恩在華盛頓向數十萬民權抗議者發表演講時，他把演講的目標對準了首都以外的國家——一個仍然毫無歉意的基督教國家。到西元二〇一七年，情況就不同了。婦女遊行的四位共同主席中有一位是穆斯林。穿過華盛頓遊行的人群中有錫克教徒、佛教徒和猶太人。巨大的群眾根本沒有信心，就連召集人中的基督徒在試圖呼應馬丁・路德・金恩預言的聲音時也退縮了。然而，他們的宣言在神學推定的基礎上不亞於民權運動。#MeToo隱含着對性禁欲的呼喚，這種呼籲在整個教會歷史上都迴盪著。穿著使女的紅色斗篷遊行的抗議者們，正在召喚人們像清教徒一樣控制自己的慾望。被性解放愛好者譽為希臘酒神的性自由，再次被譴責為具掠奪性和暴力的行為。人的身體不是物品，不是富人和有權勢者在高興的時候使用的商品。兩千年的基督宗教性道德教育導致男性和女性都認為這是理所當然的，如果不是這樣，那麼#MeToo

運動就不會有力量了。

尼采曾經抱怨，基督宗教神學的蹤跡使得傷口無處不在。在二十一世紀初，就像他們早年所做的那樣，基督宗教神學往各種縱橫交錯的方向前行並領導著社會。他們走向電視台，電視佈道者在電視裡宣揚男人對女人的領導地位；他們也領導了性別研究部門，而基督宗教因 LGBTQIA+⑩ 的異質邊緣化而受到譴責。尼采已經預言了這一切。上帝可能已經死了，即使他的屍體已經寒冷，但是他的影子巨大而可怕，繼續閃爍著光芒。女權主義學者們對此感到不滿，對基督宗教抨擊的火力不亞於最熱烈的傳教士。上帝是無法僅僅因為拒絕相信祂的存在而逃避的。任何譴責基督宗教是父權制和壓迫性的，都源於一個本身完全基督宗教的價值觀框架。

「衡量一個人對卑小和苦難的同情，是衡量他靈魂高大程度的尺度。」[22] 耶穌在十字架上受難時所帶來的劃時代的教訓，正是尼采最鄙視基督宗教之處。兩千年過去了，基督最早的追隨者們發現，「成為受害者」可能是權力的泉源——可以把數百萬人帶上街頭。在川普的美國，財富和排名並不是唯一的地位指標。這些東西的對立面同樣也是。與配備鍍金電梯大樓的陽剛攻擊力相對，婦女遊行的召集人正試圖喚起社會底層人士的權威。

最後一個成為第一個，而第一個會是最後一個。然而，如何衡量誰排名最後、誰排名第一呢？正如他們曾經做過的那樣，所有權力的多重交集，社會階層化的各個方面，總使得某些人比其他人更邊緣化。那些要求與男人平等的遊行中的女人不得不記住：如果她們是富人，如果她們受過教育，如果她們是白人，那麼在遊行的女性當中，還有許多人所承受的壓迫遠遠多於她們：「黑人婦女、原住民婦女、貧窮婦女、移民婦女、殘疾婦女、穆斯林婦女、女同性戀者、酷兒和跨性別女性。」[23]弱勢族群也可能自豪於自己的階級制度。

統治者的命運就是從他們的王位上被推翻，卑微的人被高舉，這樣的反思總是促使焦慮的基督徒檢查他們的特權。它啟發了聖保利諾放棄他的財富、聖方濟在亞西西主教面前脫光衣服，匈牙利的聖依撒伯爾在自己建立的醫院裡辛勤地從事女傭的工作。同樣地，從朝聖先輩啟航的那一刻起，對詛咒的恐懼、對被召集到選舉人行列中的憧憬、對原罪被洗淨的渴求，都為美國人民的理想提供了最可靠、最肥沃的種子。在他們的歷史

⑩譯註：這串英文字母源自於美國的性別平權運動，每個字母都代表一個性傾向或性別身分，全部加在一起，就是一個性小眾的總稱。L=Lesbian女同性戀者、G=Gay男同性戀者、B=Bisexual雙性戀者、T=Transgender跨性別者，亦即生理性別與心理性別認同不符的人、Q=Queer/Questioning酷兒／疑性戀者，是用來代表還不確定自己的性傾向為何的人、I=Intersex，指的是同時擁有男性和女性性徵的人、A=Asexual，指的是對任何人的性吸引力都無感，或對性愛不感興趣的人、+這個符號，是留給未來可能會出現的身分使用。

進程中，傳教士一再試圖喚醒他們的內疚感，並給予他們救贖。

今日，在二十一世紀，也有類似的覺醒召喚。西元二〇一七年十月，婦女遊行的領導人在底特律組織了一次大會，其中一個小組特別發現自己不得不拒絕代表「面對白人女性身分」為白人女權主義者提供了承認自己的權利、罪孽和獲得赦免的機會，提供富人和受過教育的人睜開眼睛的機會，凝視現實中的不公正而真正地被喚醒。只有通過悔改才能獲得救贖。然而，召集人不僅在會議廳向代表們講話，他們的目光就像美國傳教士的目光一樣，定睛在外面的世界上。他們的召喚是給世界各地的罪人。他們的雄心壯志是建立一座山上的城市。

基督宗教似乎不需要真正的基督徒來假設它仍然蓬勃發展。這究竟是一種幻覺，還是受害者能獲勝、能在孕育它的神話中倖存下來，只有時間能說明一切。因此，基督宗教信仰的倒退似乎並不意味著基督宗教價值觀的必要倒退。恰恰相反。即使在歐洲——一個教堂比美國空盪得多的大陸，基督宗教如此徹底地持續給人們的道德和思維注入了微量元素，以至於許多人甚至無法察覺到它們的存在，就像塵埃的顆粒如此細微以至於肉眼看不見一樣，每個人都同樣地吸入了這些顆粒——信徒、無神論者，以及那些從未停下來思考宗教的人。

如果不是這樣，那麼沒有人會被喚醒。

世上軟弱的⑪

寫這本書時，我常常發現自己在想著我的教母。黛博拉・基林漢於二〇〇九年去世，但由於我非常地愛她，而且她在我的童年時期一直伴我左右，我對她的記憶從未褪色。在一本跨越了幾千年的書裡，這似乎是一個深陷其中的提醒的結束，但如果沒有像我的教母黛博拉這樣的人們，聖經所講述的故事，關於基督宗教如何改變世界的故事，是永遠不會發生的。

作為英國教會的忠實成員，她以最嚴肅的態度履行了作為我的教母的職責。在我的洗禮中發誓，要看著我在基督宗教信仰和生活中被養育長大，她盡了最大的努力來信守諾言。她從來沒有讓我忘記慶祝復活節不只是吃巧克力蛋，節日的真義比她每年慷慨贈

⑪譯註：出自「上帝卻揀選了世上愚拙的，叫有智慧的羞愧；又揀選了世上軟弱的，叫那強壯的羞愧。」（哥林多前書1:27）

予我的巧克力蛋要多得多。她給我買了我的第一本兒童聖經，是經過精心挑選的，因為書裡有埃及法老王和百歲老人的生動插圖，她非常瞭解我，知道這是確保我一定會讀它的最佳方式。最重要的是，通過她一貫的善良，她給了我一個典範，一個堅定的基督徒在信仰的日常實踐實際上可能意味著什麼。當然，當時我沒有這麼想，她只是我的黛博拉阿姨而已。但多年來，當我讀到越來越多的關於基督宗教歷史大掃除，關於十字軍東征、宗教調查、宗教戰爭，關於教宗戴著珠寶的胖手指和清教徒嚴厲凸出的皺眉臉孔，以及基督宗教給世界帶來的所有巨大的衝擊和震撼，我發現自己越來越把她當作這個故事的一部分，這反過來又意味著我也是其中的一部分。

我在寫這本書時力求盡可能地客觀。然而，在處理基督宗教等主題時，這並不是中立的。正如我當然要說的那樣，我試圖公平地評價基督宗教文明的成就和罪行，不是站在其道德框架之外，而是正如尼采會很快指出的那樣，站在它們裡面。在尼采的著名寓言中，那些繼續崇拜上帝影子的人不是只有「上教堂的人」而已，所有受基督宗教道德束縛的人，甚至是那些可能把自己排進謀殺上帝的凶手之中而感到自豪的人，都包括在其中。不可避免的是，試圖追蹤基督宗教對世界的影響，就是要涵蓋帝國的興衰、主教和國王的行動、神學家的論點、革命的進程、在世界各地種植十字架，尤其要關注男人的行為。然而，這很難說明全部情況。我在這本書中寫了很多關於教堂、修道院和大學的文章，但這些從來就不是基督宗教群眾最能夠被影響和形塑的地方。正是在家裡，孩子們才有可能吸收革命的教導，在兩千年的時間裡，這些教導被視為理所當然，幾乎看起來是人性。基督宗教的革命一開始即是在婦女的膝蓋上形成的。

因此，要理解對人類生存最有影響力的框架是如何成功的，總是取決於像我的教母這樣的人：那些人在代代相傳的繼承中看到的東西，不僅僅是整個地球的方式。雖然她沒有自己的孩子，但她是一名教師，一所備受讚譽的學校的校長，並因此受到公開的表揚。她相信自己對那些比她活得更久的下一代人懷抱責任，這個信念為她整個職業生涯提供了基石。

然而作為一個基督徒，她也相信更多的東西。對羅馬人而言，一個百年世紀是活生生的回憶的極限：短暫的、飛快的時間跨度。也許一個嬰兒尚可以被曾祖父母照顧，但生命終究必須塵歸塵、土歸土。沒有天體的維度，所有的東西都是短暫的。所以我的教母是知道的，但是她不相信所有的事情都是短暫的，她有永生的盼望。這是她傳自她母親的一種信念，母親又從她的父母那裡得到這種信念，對於永生的盼望已經被傳遞給下一個世代、下一個百年、下一個千年。只有猶太人才能宣稱自己擁有可與之相比的東西——一種活生生的傳統，可以追溯到羅馬帝國早已消失的文明。而這就是我教母傳給我的傳統。

但這並不是她傳給我的全部。作為一個年幼的孩子，我只有一個真正的癡迷——可不是聖經的故事。身為老師，我的教母是一個善良和慈愛的女人，擁有教育小男孩的長期經驗，也由於明瞭小男孩的癡迷，對於我真正關心的只是史前動物這件事，她並不感到失望。她的房子位於英格蘭南部一個小鎮的郊區，位於探索懸崖的便利位置，西元一八一一年，在那裡發現了第一個完整的翼龍頭骨。當我母親開車送我到那裡時，我坐在車後座上，凝視著鄉間，想像著中生代。我不是第一個這樣做的。在當地一家化石商店的牆上，在菊石、海百合的化石，以及魚龍的牙齒的上方，懸掛著一幅首次圖解史前景觀的的複製畫。繪製於西元一八三〇年，它顯示了這附近地區在侏羅紀可能是什麼樣子。棕櫚樹從原本光禿禿的岩石中發芽；奇怪的生物、半龍、半蝙蝠，遨翔在擁擠的海面上。一隻被魚龍攻擊的長頸怪獸正在排便。這一切看起來都非常險惡、非常驚心動魄。

上帝從旋風中對約伯說話，告訴他用鉤子拉住海怪⑫，並用繩子壓住牠的舌頭。但我發現很難用我對魚龍的瞭解來解決這個問題。慢慢地，就像調光開關被關掉了一樣，我發現自己對上帝的信仰正在消退。基督宗教所宣稱的，兩千年前的一個人的生與死所具有的宇宙性意義似乎太巨大了。為什麼智人應該獲得比鸚鵡螺化石更高的地位？如果上帝存在，為什麼祂允許這麼多物種進化，蓬勃發展，然後完全消失？如果上帝是仁慈和善良的，為什麼祂卻允許小行星撞擊地球的一側，燃起熊熊的火焰使恐龍燒得僅存骸骨、使中生代的海洋沸騰、令黑暗籠罩整個地球？

我沒有把所有的時間都花在擔心這些問題上，但有的時候在深夜裡，我會想這件事。基督宗教的故事所帶來的希望，即人類的存在是有秩序和目的的，感覺就像是永遠在我掌握之外的東西。正如物理學家史蒂文・溫伯格（Steven Weinberg）所言，「宇宙似乎越是可以理解，它就越是顯得毫無意義。」[24]

西元二〇〇九年春天，當我被告知教母被送進醫院時，我去探望她。很明顯地，她快要死了。因為中風，她說話不像以前那樣流利，但她設法向我保證，她肯定一切都會好轉，一切都會變好，所有的事情都會好好的。當我站起來離開她時，我在門口停頓了一下，回頭看了看。她轉身面對牆，像受傷的動物一樣弓著背躺著。我想我不會再見到

⑫譯註：利維坦，又譯巨靈，《聖經現代中文譯本》譯為海怪，是《希伯來聖經》中的一種怪物。這個詞在希伯來語中有著「扭曲」、「漩渦」的含意。

她了。我也不認為我們會在天堂相遇，如同她所希望的那樣。只有構成她自我的原子和能量，以及起源於宇宙本身的原子和能量，才會持續到永遠。每一個我心愛教母的粒子都會保留下來，就像其他所有曾經存在過的生物——人類、恐龍、微生物——一樣，都會繼續存在。也許在這裡存在著一個安慰的來源，但這或許不是真的。開車離開醫院的時候我這麼想，在我看來，這些只是一個安慰。據我的個人經驗所知，這只是一個非常不能承受現實的物種所講述的故事。

「沒有什麼特別的人。他只是這個世界的一部分。」[25]今天在西方，許多人會同意希姆萊的觀點，即人類為自己爭取特殊地位，認為自己在某種程度上優於其他受造者，是一種沒有依據的自負。智人只不過是一種物種而已。堅持其他的看法就是緊緊抓住宗教信仰的破裂碎片。然而，這種觀點的影響仍然讓許多人感到不安，如同納粹聲稱這是他們對種族滅絕的制裁。也正如尼采預言的那樣，當自由思想家們嘲笑上帝是死神、是天仙、是一個假想的朋友時，他們仍是虔誠地堅持來自基督宗教的禁忌和道德。

西元二〇〇二年，世界人文主義大會在阿姆斯特丹申明「個人的價值、尊嚴和自主性，以及每個人享有與他人權利相容的最大自由的權利」[26]。儘管人文主義者宣稱要提供「教條主義宗教的替代方案」[27]，但這如果不是一個信仰的宣稱，那就什麼也不是。無論如何，希姆萊已經明白放棄基督宗教之後所開出的許可證是什麼。無神論和自由主義並存的人文主義假設就只是一個假設。如果沒有聖經中關於上帝以自己形象創造人類的故事，人文主義者對自身物種的崇敬就有可能顯得笨拙和膚淺。除了單純的感傷之外，還有什麼基礎可以證明這一點呢？

也許，正如人文主義宣言所宣稱的，可以通過「科學方法的應用」[28]。然而，這幾乎比創世紀少一個神話。就像達爾文和赫胥黎的時代一樣，在二十一世紀，不可知論者想要將價值觀轉化為「可以用科學理解的事實」[29]，這份雄心壯志是一種幻想。它並非源於這樣一件事的可行性，而是來自中世紀的神學。科學為道德家提供的東西不是真理，而是一面鏡子。種族主義者用種族主義的價值觀來強化它；自由主義者則是用自由的價值觀來映照它。人文主義的主要教條「道德是人性的內在組成部分，是基於對他人的理解和關注」[30]在科學上沒有比納粹的教條更能證實任何不適合生存的人都應該被消滅。人文主義價值觀的產生不在於理性，不在於循證思維，而在於歷史。

作為一個孩子，恐龍已經不復存在一直是我最深切的遺憾。每當看見一頭牛，我就只希望它是一隻三角龍。然而現在，行至中年了，我發現恐龍仍然存在。赫胥黎的論文，即鳥類起源於類似小食肉恐龍的論述，已經得到了驚人的證實。如今，經過一個多世紀以來被古生物學家蔑視，這些證實的資料已經快速累積地越來越厚了。現在很清楚，鳥類的羽毛可能至少和恐龍本身一樣古老。暴龍有叉骨、會產卵，有模糊的絲狀表皮。在一個驚人的突破中，膠原蛋白最近從一個暴龍化石的遺骸中被提取出來，結果發現它的氨基酸序列與雞有著明顯的相似之處。研究的證據越多，鳥類和恐龍之間的分界線就越模糊。

同樣地，比照這種說法，關於不可知論者和基督徒之間的分界線，有學者也提到了。西元二〇一八年七月十六日，世界上最知名的科學家之一理查．道金斯（Richard Dawkins），一個以反對宗教的論戰和演化生物學著作而聞名的人，他坐在教堂裡聽著英國大教堂的鐘聲後，在推特上寫道：「比咄咄逼人的『真主至大』的聲音好聽多了，還是這是我文化教養的問題？」[31]這個問題對於達爾文的崇拜者來說是一個完全合適的問題。毫不奇怪，因為人類就像任何其他生物體一樣，都是演化的產物，其運作應該從他們的思想、信仰和文化中顯現出來。對教堂鐘聲的偏愛，而不是喜歡穆斯林讚美真主的聲音，並不僅僅是通過魔法而出現。道金斯這位不可知論者、世俗主義者以及人文主義者，絕對擁有來自基督宗教文明教養的本能。

今天，隨著西方勢力和影響力的洪流逐漸消退，歐美自由主義者的幻想有可能擱淺。他們試圖塑造的許多普遍性立場，都被暴露在從未有過的地方。不可知論者——正如這個詞的創造者赫胥黎欣然承認的那樣——被說成是「對個人判斷的至高無上的信念（事實上，沒有逃避它的可能），這是新教改革的基礎」[32]。世俗主義的存在，要歸功於中世紀的教宗。人文主義最終也是源於聖經中的說法：人類是以神的形象造成的，既不分猶太人還是希臘人，不分奴隸還是自由身，也不分男人還是女人，神的兒子為每個人平等地死去。

基督宗教像大地震一樣，一再地在世界各地產生了反響。首先是原始的革命——使徒聖保羅鼓吹的革命，接著是餘震——十一世紀的革命使拉丁基督宗教走上了重要的道路，然後是被公認為「宗教改革」的革命——殺死上帝的革命。這些革命都帶著相同的印記：渴望將其他所有看待世界的方式都納入他們的懷抱中，主張一種在文化上非常明確的普遍主義：人類擁有權利、人類生而平等，他們應該得到食物、住所以及免受迫害的庇護。這些從來都不是不言自明的真理。

當然，納粹也知道這個道理——這就是為什麼在今天的惡魔學中，他們仍然扮演著主角。共產主義獨裁者固然可能不亞於法西斯獨裁者的凶殘，但因為共產主義關注的是被壓迫的群眾，在今天看來，他們很少有像法西斯主義者這樣像惡魔般的人。衡量我們在社會中作為一個基督徒的標準是，由種族主義引發的大規模謀殺，往往被視為比以開創無階級天堂的野心而引發的大規模謀殺，更令人憎惡。自由主義者可能不相信地獄，但他們仍然相信邪惡，對邪惡的恐懼使他們陷入陰影之中，其恐懼程度不亞於偉大的教宗額我略一世。就像教宗額我略一世生活在對撒但的恐懼中一樣，我們對希特勒的幽靈也感到恐懼。在準備用「法西斯」作為一種侮辱的背後，潛藏著一種麻木的恐懼：如果它不再被視為一種侮辱，會發生什麼。如果世俗人文主義不是源於理性或科學，而是源於基督宗教進化的獨特歷程（在歐美越來越多的人看來，這個歷程已經讓上帝死去了），那麼它的價值觀又如何比一具屍體的影子更重要呢？如果不是神話的話，那它的道德基礎會是什麼？

然而，神話不是謊言。正如托爾金那個總是爭論不休、虔誠的天主教徒認為的，在最深刻之處，一個神話可以是真實的。做一個基督徒就是相信上帝降生成人，並遭受了和任何凡人一樣可怕的死亡。這就是為什麼十字架這古老的酷刑施行工具，仍然一直是基督宗教革命的合適象徵。正是它的大膽——大膽地在扭曲和被打敗的屍體中發現宇宙創造者的榮耀——比什麼都更肯定地解釋了基督宗教的統粹特異性，以及它所孕育的文明。今天，這種奇特的力量仍然像以前一樣鮮活。這表現在上個世紀襲捲非洲和亞洲的皈依浪潮中：數以千百萬計的人堅信聖靈的氣息就像一把活生生的火焰，仍然吹向世界。在歐洲和北美洲，假設有數以百萬計的人，他們永遠不會認為自己是基督徒，然而所有人都是同一場革命的繼承者——在這場革命被熔融的心中，有著死在十字架上的神的形象。

毫無疑問地，我應該早點明白這一點。事實是，只有在寫這本書的早期階段，當我前往伊拉克拍電影時，我才意識到這一點。辛賈爾是一個小鎮，當我造訪那裡時，它正位於伊斯蘭國的邊界上。就在幾個星期前，它剛剛從他們的戰士手中被佔領。早在西元二〇一四年，當他們佔領辛賈爾時，當地就曾是大批亞茲迪人（Yazidis）的家園，亞茲迪是被伊斯蘭國譴責為魔鬼崇拜者的宗教少數派。他們的命運是嚴峻的，正如同那些抵抗羅馬人的人的命運。男人被釘在十字架上，婦女被奴役。站在辛賈爾的廢墟中，知道兩英里外穿過平坦和開闊的地面，被那些犯下這種暴行的人所圍攻，就是要體會到，在古代，熱氣和屍體的惡臭是如何使征服者成為他擁有的標誌的。釘十字架不僅僅是一種懲罰，這是實現統治地位的一種手段：一種支配地位，令被制伏者感到恐懼。權力的恐怖是權力的指標。一直以來都是這樣，而且永遠都會是這樣。這是世界運作的方式。

然而兩千年來，基督徒一直對此提出異議。在此期間，他們當中的許多人自己也成為了恐怖的代理人。他們把弱者置於陰影之下，他們帶來了痛苦、迫害，奴隸制就在他們的身後。但他們為此受到譴責的標準，本身就是基督宗教的，即使整個西方的教堂繼續空無一人，而這些標準似乎也有可能迅速改變。「上帝揀選了世上軟弱的，叫那強壯的羞愧。」[33]這是西方世界仍然堅持的神話，從這個意義上來說，基督宗教王國仍然是基督宗教王國。

致謝

我非常感謝許多人對本書寫作的幫助和鼓勵。感謝我出色的編輯理查・拜維（Richard Beswick）、萊拉・海默（Lara Heimert）和佐伊・葛蘭（Zoe Gullen）。感謝蘇珊・迪・索森（Susan de Soissons），特別是她的建議和耐心。

致派翠克・沃許（Patrick Walsh），最好的經紀人。致所有在電腦螢幕上讀過這本書部分或整本書稿的人，以及幫助我解決問題的人：理查・比德（Richard Beard）、奈傑・比格（Nigel Biggar）、皮爾斯・布倫登（Piers Brendon）、弗格斯・巴特蓋利（Fergus Butler-Gallie）、保羅・卡利奇（Paul Cartledge）、托尼・克里斯帝（Thony Christie）、卡羅琳・彭諾克（Caroline Dodds-Pennock）、查爾斯・弗尼霍（Charles Fernyhough）、迪米拉・菲米（Dimitra Fimi）、約翰・菲茨帕里（John Fitzpatrick）、彼德・梵科潘（Peter Frankopan）、朱迪思・加德納（Judith Gardiner）、邁可・葛法布（Michael Goldfarb）、詹姆斯・漢納姆（James Hannam）、達米安・霍華（Damian Howard）、拉里・赫塔多（Larry

Hurtado）、克里斯托弗・因索爾（Christopher Insole）、朱莉亞・喬丹（Julia Jordan）、弗蘭克・麥克唐納（Frank McDonough）、安東尼・麥高文（Anthony McGowan）、西恩・奧利迪（Sean Oliver-Dee）、加百列・希雷諾斯（Gabriel Said Reynolds）、艾列克・萊爾（Alec Ryrie）、邁克・史耐普（Michael Snape）、凱・華特（Guy Walters）、基斯・沃德（Keith Ward）、提姆・惠瑪希（Tim Whitmarsh）和湯姆・萊特（Tom Wright）。

感謝鮑伯・摩爾（Bob Moore），他的書籍激發了我對本文所探討主題的興趣，也感謝他的慷慨，以及他的閱讀。感謝傑米・莫爾（Jamie Muir），他一如既往地在我的書稿完成後第一個閱讀，並且是我最堅定的朋友。感謝凱文・西姆（Kevin Sim），他總是縱容我，不厭其煩地聽我說個沒完。

致查理・坎貝爾（Charlie Campbell）和尼古拉斯・霍格（Nicholas Hogg），感謝他們使我復活的偉大壯舉，沒有他們，我寫這本書的這幾年就不會有一半的樂趣了。致莎迪（Sadie），我心愛的妻子，還有我同樣心愛的女兒凱蒂（Katy）和伊莉莎（Eliza），她們的價格遠遠高於紅寶石。

註釋

第11章

1. *The Annals of Colmar* (1301). Quoted by Newman (2005), p. 10.
2. 審判記錄中的目擊者證詞。參見上註，頁12。
3. Tertullian. *On the Apparel of Women* 1.1.
4. Caesarius of Heisterbach. *Dialogue of Miracles* 4.97.
5. A thirteenth-century translation into English of Vincent de Beauvais' *Speculum*. Quoted by G. 3. Owst, *Literature and Pulpit in Medieval England* (Cambridge, 1933), p. 378.
6. Aristotle. *On the Generation of Animals* 2.3.737a. Medieval scholars variously translated *peperomenon*, the adjective used by Aristotle to describe the female, with words that suggested the sense of something lacking.
7. Aquinas. *Summa Theologica*, 1.92.1.
8. Quoted by Bynum (1982), p. 114. 安瑟莫的說法，呼應耶穌本人說過的話。（〈馬太福音〉第23章第37節）
9. Bernard of Clairvaux. Ibid, p. 118.
10. 〈提摩太前書〉第2章第12節。
11. 〈約翰福音〉第20章第18節。
12. 〈路加福音〉第1章第46–48節。
13. Odo of Tournai. Quoted by Miri Rubin, p. 163.
14. Lorenzo Ghiberti. *I Commentari*, ed. O. Morisani (Naples, 1947), p. 56.
15. Agnolo di Tura. Quoted in *The Black Death: The Great Mortality of 1348–1350* by John Aberth, p. 81.
16. Ghiberti, p. 56.
17. Catherine of Siena. Letter T335. In *The Letters of St. Catherine of Siena*, tr. Suzanne Noffke (2 vols) (Birmingham, NY, 1988).
18. Raymond of Capua. *The Life of St Catherine of Siena*, tr. George Lamb (London, 1960), p. 92.
19. Catherine of Siena. Letter T35.

20. Quoted by Brophy, p. 199.
21.〈以弗所書〉第5章第22–23節。
22.〈馬太福音〉第5章第32節。
23. Raymond of Capua, p. 100.
24. Boniface. *Letters* 26.
25. Ibid.
26. Raymond of Capua, p. 168.
27.〈路加福音〉第7章第37節。
28. Catherine of Siena. Letter T276.
29.〈耶利米書〉第23章第14節。
30.〈羅馬書〉第1章第27節。
31.〈利未記〉第18章第22節。
32.〈羅馬書〉第1章第26節。
33. Gregory I. *Morals in the Book of Job* 14.19.23.
34. 額我略七世在成為教宗之前的一位貼身助理Peter Damian，讓這個詞彙被廣泛運用。參見Jordan，頁29–44。scelus sodomiae（雞姦之罪）這個說法，第一次出現在西元九世紀（感謝Charles West為我指出這點）。
35. Venetian State Archives. Quoted by Elisabeth Pavan: 'Police des moeurs, société et politique à Venise à la fin du Moyen Age' (*Revue Historique* 264, no. 536, 1980), p. 275.
36. The praise of a contemporary, cited by Origo, p. 26.
37. Quoted by Rocke, p. 37.
38. Ibid, p. 25.

第12章

1. Acts of the Apostles. 2.45.
2. 〈路加福音〉第9章第29節。
3. 同上，第6章第22–25節。
4. Matthew of Janov. Quoted by Kaminsky, p. 20.
5. Anonymous letter, 1420. Quoted by Kaminsky, p. 312.
6. John of Pr̆ibram. *The Stories of the Priests of Tabor*, quoted by McGinn, p. 265.
7. Lawrence of Br̆ezova. *Chronicle*, quoted by McGinn, p. 268.

8. Aeneas Sylvius Piccolomini. *Historia Bohemia*. Quoted by Thomas A. Fudge: 'Žižka's Drum: The Political Uses of Popular Religion' (*Central European History* 36, 2004), p. 546.
9. Cited by Peder Palladius, a Danish Protestant, in 1555, in his introduction to a Lutheran polemic. Quoted by Cunningham and Grell, p. 45.
10. 〈啟示錄〉第20章第8節。
11. 〈馬可福音〉第16章第15節。
12. Pere Azamar, *Repetición del derecho miltar e armas*. Quoted by Bryan Givens: '"All things to all men": Political messianism in late medieval and early modern Spain', in *Authority and Spectacle in Medieval and Early Modern Europe: Essays in Honor of Teofilo F. Ruiz*, ed. Yuen-Gen Liang and Jarbel Rodriguez (London, 2017), p. 59.
13. From a letter written to Juan de la Torres. Quoted by Watts, p. 73.
14. A Nahuatal poem on Tenochtitlan, quoted by Manuel Aguilar-Moreno in *Handbook to Life in the Aztec World* (Oxford, 2006), p. 403.
15. Quoted by Felipe Fernández-Armesto in *Ferdinand and Isabella* (London, 1974), p. 95.
16. Gerónimo de Mendieta. Quoted by Phelan, p. 29.
17. John Mair. Quoted by Tierney, p. 254.
18. Antonio de Montesinos. Quoted by Hanke, p. 17.
19. Quoted by Tierney, p. 273.
20. 'Commentaria Cardinalis Caietani ST II-II Q.66 a.8' in *Sancti Thomae Aquinatis: Opera Omnia, Iussu Impensaque Leonis XIII*, P.M. Edita, vol. 9 (Rome, 1882), p. 94.
21. Quoted by by Isacio Pérez Fernández in 'La doctrina de Santo Tomás en la mente ye en la acción del Padre Las Casas' (*Stadium* 27, 1987), p. 274.
22. 'The Proceedings of Friar Martin Luther, Augustinian, with the Lord Apostolic Legate at Augsburg', in *Luther's Works* (Minneapolis, 1957–1986), vol. 1, p. 129.
23. Ibid, p. 137.
24. Ibid, p. 147.
25. Quoted by Roper, p. 119.
26. Quoted by David M. Whitford in 'The Papal Antichrist: Martin Luther and the Underappreciated Influence of Lorenzo Valla' (*Renaissance Quarterly* 61, 2008), p. 38.

第13章

1. Quoted by Brecht, p. 424.
2. Quoted by Harline, p. 211.
3. Quoted by Whitford, p. 38.
4. Luther. *A Global Chronology of the Years*: entry for papacy of Gregory VII.
5. *To the Christian Nobility of the German Nation Concerning the Reform of the Christian Estate*, in *Luther's Works*, vol. 44, p. 164.
6. 'The Account and Actions of Doctor Martin Luther the Augustinian at the Diet of Worms' in *Luther's Works* 32, p. 108.
7. Luther. 'Appeal for Prayer Against the Turks' in *Luther's Works* 43, p. 237.
8. Luther. 'On the Freedom of a Christian' in *Luther's Works* 31, p. 344.
9. Luther. *Luther's Works* 34, p. 337.
10. 'The Account and Actions of Doctor Martin Luther the Augustinian at the Diet of Worms' in *Luther's Works* 32, p. 112.
11. Ibid, p. 114, n. 9.
12. Ibid, p. 115.
13. Quoted by Roper, p. 186.
14. 'The Account and Actions of Doctor Martin Luther the Augustinian at the Diet of Worms' in *Luther's Works* 32, p. 114, n. 9.
15. Luther. *Table Talk*, 1877.
16. *The Collected Works of Thomas Müntzer*, tr. Peter Matheson (Edinburgh, 1994), p. 161.
17. Argula von Grumbach. 'Letter to the rector and council of the University of Ingolstadt', in *Reformation Thought: An Anthology of Sources*, ed. Margaret L. King (Indianapolis, 2016), p. 74.
18. From the preamble to the 12 Articles, in Blickle (1981), p. 195.
19. Johann Cochlaeus. Quoted by Mark Edwards in *Printing, Propaganda, and Martin Luther* (Berkeley & Los Angeles, 1994), p. 149.
20. Luther. 'Secular Authority: To What Extent It Should Be Obeyed'.
21. Ibid.
22. Bernhard Rothmann. Quoted by Buc, p. 256.
23. Quoted by Gregory, p. 90.
24. 〈哥林多後書〉第3章第17節。

25. Luther. 'The Sacrament of the Body and Blood of Christ – Against the Fanatics' in *Luther's Works* 36, p. 336.
26. Sir Richard Morrison, quoted by Diarmaid MacCulloch in *Tudor Church Militant: Edward VI and the Protestant Reformation* (London, 1999).
27. Quoted by Ozment, p. 366.
28. Calvin. *Institutes of the Christian Religion* 3.19.14.
29. Ibid. 4.10.5.
30. Ibid. 3.23.7.
31. The figure – 'somewhere in the range of 7 per cent of the population each year' – is quoted by Gordon (2009), p. 295.
32. John Knox. *Works*, ed. David Laing (Edinburgh, 1846–64). Vol. 4, p. 240.
33. 〈哥林多後書〉第9章第6節。
34. 〈箴言〉第31章第30節。這段題詞，被Hugh Owen在《A History of Shrewsbury II》書中引用（倫敦，一八二五年，頁320）。
35. Calvin. *Institutes of the Christian Religion*. 1.11.8.
36. Quoted by Philip Benedict in *Christ's Churches Purely Reformed: A Social History of Calvinism* (New Haven, 2002), p. 153.
37. John Tomkys. Quoted by Owen, p. 320.
38. *An Admonition to the Parliament* (1572). Quoted by Marshall (2017), p. 505.
39. *Earliest Life of Gregory the Great*, 15.
40. Calvin. 'Preface to the New Testament'.
41. Francis Bacon. *The Advancement of Learning*, 1.4.9.

第14章

1. From a Leiden newspaper (1686), quoted in *Privacy and Privateering in the Golden Age of the Netherlands* by Virginia W. Lunsford (Basingstoke, 2005), p. 91.
2. William Bradford, *Bradford's History 'Of Plimouth Plantation'* (Boston, 1898), p. 22.
3. Adriaen Valerius. *Nederlandtsche Gedenck-Clanck*. Quoted by Schama (1987), p. 98.
4. Quoted by Parker, p. 247.

5. Bradford, p. 47.
6. John Winthrop. 'A Model of Christian Charity' in *Founding Documents of America: Documents Decoded*, ed. John R. Vile (Santa Barbara, 2015), p. 20.
7. John Winthrop. In *The Puritans: A Sourcebook of their Writings*, ed. Perry Miller and Thomas H. Johnson (Mineola, 2001), p. 206.
8. Bradford, p. 33.
9. Ibid, p. 339.
10. Juan Ginés de Sépulveda. Quoted in *The Spanish Seaborne Empire* by J. H. Parry (Berkeley & Los Angeles, 1990), p. 147.
11. Bartolomé de las Casas. Quoted by Tierney, p. 273.
12. João Rodrigues. Quoted by Brockey, p. 191.
13.〈哥林多前書〉第9章第22節。
14. Matteo Ricci. Quoted by Fontana, p. 177.
15. *China in the Sixteenth Century: The Journals of Matthew Ricci*, tr. Louis J. Gallagher (New York, 1953), p. 166.
16. Quoted by Brockey, p. 309.
17. Xu Guangqi. Quoted by Nicolas Standaert, 'Xu Guangqi's Conversion', in Jami et al, p. 178.
18. Xu Guangqi. Quoted by Gregory Blue, 'Xu Guangqi in the West', in Jami et al, p. 47.
19. Aquinas. *On the Power of God* 3.17.30.
20. Quoted by D'Elia, p. 40.
21. Quoted by Heilbron, p. 61.
22. Ibid, p. 287.
23. Quoted by D'Elia, p. 40.
24. The pamphlet has not survived. See D'Elia, p. 27 and Lattis, p. 205.
25.〈詩篇〉第93篇第1節。
26. Quoted in *The Galileo Affair: A Documentary History*, ed. and tr. Maurice A. Finocchiaro (Berkeley & Los Angeles, 1989), p. 50.
27. Ibid, p. 146.
28. Ibid, p. 147.
29. Ibid, p. 68.
30. Galileo. *Dialogue Concerning the Two Chief World Systems*, tr. Stillman Drake (Berkeley & Los Angeles, 1967), p. 464.

31. 但Finocchiaro指出這個故事的源起較晚，也缺乏當時後的證據，因此不能將之視為理所當然的真確。
32. Finocchiaro, p. 291.
33. Milton. 'Areopagitica' in *Complete Prose Works*, Volume II: 1643–1648, ed. Ernest Sirluck (New Haven, 1959), p. 538
34. Yang Guangxian, quoted by George Wong, 'China's Opposition to Western Science during Late Ming and Early Ching' (*Isis* 54, 1963), p. 35.

第15章

1. *The Complete Works of Gerrard Winstanley* (2 vols), ed. Thomas N. Corns, Ann Hughes and David Loewenstein (Oxford, 2009), 2, p. 19.
2. Ibid, p. 16.
3. *The Complete Works of Gerrard Winstanley* 1, p. 504.
4. Ibid. 2, p. 144.
5. John Lilburne. 'Londons Liberty in Chains' (1646). Quoted by Foxley, p. 26.
6. *The Complete Works of Gerrard Winstanley* 1, p. 98.
7. Christopher Fowler (1655). Quoted by Worden, p. 64.
8. John Owen.*Vindiciae Evangelicae; Or, The Mystery of the Gospel Vindicated and Socinianism Examined* (Fredonia, 2009) p. 62.
9. Milton. 'A Treatise of Civil Power' in *The Prose Works of John Milton*, ed. J. A. St John (London, 1848), 2, p. 523.
10. *Memoirs of the Court of King Charles the First* (2 vols), by Lucy Aikin (Philadelphia, 1833), 2, p. 317.
11. *Constitutional Documents of the Puritan Revolution*, ed. S. R. Gardiner (Oxford, 1958), p. 416.
12. 'The Soulders Demand', quoted by Norah Carlin in 'The Levellers and the Conquest of Ireland in 1649' (*Historical Journal* 30, 1987), p. 280.
13. 出自結束三十年戰爭所簽訂合約中的第一條，出自Peter H. Wilson《Europe's Tragedy: A History of the Thirty Years War》引文（倫敦，二〇〇九年，頁753）。
14. Henry Robinson. Quoted by Carlin, p. 286.
15. Quoted by Andrew Bradstock in *Radical Religion in Cromwell's England: A*

Concise History from the English Civil War to the End of the Commonwealth (London, 2011), p. 48.

16. Romans. 14.9.
17. Quoted by John Coffey, 'The toleration controversy during the English Revolution', in Durston and Maltby, p. 51.
18. Luther. 'On the Jews and their Lies' in *Luther's Works* 47.
19. Ibid.
20. Thomas Edwards. Quoted by Glaser, p. 95.
21. John Evelyn. Diary entry for 14 December 1655.
22. Robert Turner. Quoted by Moore (2000), p. 124.
23. William Caton. Quoted by Claus Bernet in 'Quaker Missionaries in Holland and North Germany in the Late Seventeenth Century: Ames, Caton, and Furly' (*Quaker History* 95, 2006), p. 4.
24. George Fox. Quoted by Rosemary Moore (2000), p. 54.
25. Almost certainly. See Nadler (1999), pp. 99–100.
26. 出自William Ames，Richard H. Popkin在〈Spinoza's Relations with the Quakers in Amsterdam〉(《Quaker History》第73期，一九八四年)文中引用，頁15。雖然不曾在文中特別提到斯賓諾莎的名字，但後者就是被委託翻譯Fell所寫小冊的那個「猶太人」，卻是無庸置疑的。
27. Pieter Balling. Quoted by Hunter, p. 43.
28. Spinoza. *Theological-Political Treatise*: Prologue, 8.
29. See his Commentary on 1 Peter 2.16.
30. The report of a Danish savant, Olaus Borch, on Spinoza's philosophy. Quoted by Jonathan Israel in *Radical Enlightenment: Philosophy and the Making of Modernity* (Oxford, 2001), p. 170.
31. Spinoza. *Ethics* 1. 17.
32. *Theological-Political Treatise*: 18.6.1.
33. Quoted by Nadler (2011), p. 230.
34. *Theological-Political Treatise*: Preface, 8.
35. Ibid. 5.13.
36. Spinoza. *Letters* 76.
37. *Theological-Political Treatise*: 1.29.
38. Ibid. 2.15.

39. Ibid. 5.20.
40. *Ethics* 4.50.
41. *Theological-Political Treatise*: Prologue 19.
42. *Ethics* 4.68.
43. Johann Franz Buddeus. Quoted by Israel (2001), p. 161.
44. John Bunyan. *Grace Abounding to the Chief of Sinners*, 141.
45. *William Penn and the Founding of Pennsylvania, 1680–1684: A Documentary History* (Philadelphia, 1983), p. 77.
46. Ibid, p. 132.
47. 〈加拉太書〉第5章第1節。
48. Thomas Walduck. Quoted by Rediker, p. 33.
49. Vaux, p. 20.
50. Benjamin Lay. *All Slave-Keepers that keep the Innocent in Bondage* (Philadelphia, 1737), p. 8.
51. 〈歌羅西書〉第3章第22節。
52. Lay, pp. 39–40.
53. Ibid, p. 40.
54. Ibid, p. 91.
55. Ibid, p. 34.
56. Quoted by Drake (1950), p. 10.
57. Acts. 17.26, quoted by William Penn in *The Political Writings of William Penn*, ed. Andrew R. Murphy (Indianapolis, 2002), p. 30.
58. *Political Writings*, p. 30.
59. Vaux, p. 27.
60. 〈約翰福音〉第3章第6節。
61. Vaux, p. 51.

第16章

1. Quoted by Nixon, p. 108.
2. Ibid, p. 133.
3. Voltaire. *Treatise on Tolerance* Chapter 4.
4. Ibid. Chapter 1.

5. Voltaire. *Letters on England* Letter 6.
6. Voltaire. *Philosophical Dictionary* 'Theist'.
7. *Treatise on Tolerance* Chapter 20.
8. 〈加拉太書〉第3章第26節。
9. From the English version of *The Treatise of the Three Imposters*, quoted by Israel (2001), p. 697.
10. Bernard de La Monnoye, a French scholar writing in 1712 to deny that 'the so-called Book of the Three Imposters' existed. Quoted by Minois, p. 138.
11. Voltaire. 'Epistle to the Author of the Book, The Three Imposters', line 22.
12. Voltaire. *Correspondance*. [To the d'Argentals: March 1765].
13. Mme. Du Bourg. Quoted by Bien, p. 171.
14. Quoted by Gay, vol. 2, p. 436.
15. A revolutionary slogan quoted by McManners, p. 93.
16. Jacques-Alexis Thuriot. Quoted in *La Religion Civile de Rousseau à Robespierre* by Michaël Culoma (Paris, 2010), p. 181.
17. Pierre Vergniaud. Quoted by Schama (1989), p. 594.
18. Montesquieu. 'Essay on the Roman Politics of Religion', in *Oeuvres Complètes* (Paris, 1876), vol. 2, p. 369.
19. Léonard Bourdon. Quoted by Kennedy, p. 336.
20. Quoted by John R. Vile in *The Constitutional Convention of 1787: A Comprehensive Encyclopedia of America's Founding* (Santa Barbara & Denver, 2005), vol. 1, p. xliv.
21. Benjamin Franklin. Letter to Richard Price, 9 October 1780.
22. Quoted by Gay, vol. 2, p. 557.
23. Article III of the Declaration of Rights.
24. First Amendment to the United States Constitution.
25. Robespierre. Quoted by Edelstein, p. 190.
26. Quoted by Burleigh (2005), p. 100.
27. 〈馬太福音〉第25章第32節。
28. Quoted by Schama (1989), p. 841.
29. 〈馬太福音〉第25章第41節。
30. Gibbon. *The Decline and Fall of the Roman Empire*, chapter LXIX.
31. Sade. *Juliette*, tr. Austryn Wainhouse (New York, 1968), p. 793.

32. Ibid, p. 177.
33. Ibid, p. 784.
34. Sade. *Justine*, tr. John Phillips (Oxford, 2012), p. 84.
35. *Juliette*, p. 178.
36. *Justine*, p. 142.
37. Quoted by Schaeffer, p. 436.
38. Ibid, p. 431.
39. *Juliette*, pp. 322–3.
40. Ibid, p. 143.
41. Ibid, p. 796.
42. Talleyrand. Quoted in 'The Slave Trade at the Congress of Vienna' by Jerome Reich (*The Journal of Negro History* 53, 1968).
43. *The Case for the Oppressed Africans*. Quoted by Turley, p. 22.
44. Granville Sharp. Quoted by Anstey, p. 185.
45. Declaration relative to the Universal Abolition of the Slave Trade.

第17章

1. Kennedy. 'The Suttee: The Narrative of an Eye-Witness,' in Bentley's *Miscellany* 13 (1843), p. 247.
2. Ibid, p. 252.
3. Charles Goodrich. *Religious Ceremonies and Customs* (London, 1835), p. 16.
4. Kennedy, p. 244.
5. Ibid, p. 241.
6. Colonel 'Hindoo' Stewart. Quoted by David Kopf in *British Orientalism and the Bengal Renaissance: The Dynamics of Indian Modernization, 1773–1835* (Berkeley & Los Angeles, 1969), p. 140.
7. *Journals of the House of Common*s 48 (14 May 1793), p. 778.
8. Grant. Quoted by Weinberger-Thomas, p. 110.
9. The Sanskrit poet Bana, c. ad 625. Quoted by Vida Dehejia in Hawley, p. 53.
10. Quoted by Ghazi, p. 51.
11. Quoted by Hawley, p. 12.
12. S. N. Balagangadhara, in Bloch, Keppens and Hegde, p. 14.

13. Quoted by Barclay, p. 49.
14. *Kölnische Zeitung*, 4 August 1844. Quoted by Magnus, p. 103.
15. Stahl. 'The Christian State and its Relationship to Deism and Judaism', quoted in 'Protestant Anti-Judaism in the German Emancipation Era', by David Charles Smith (*Jewish Social Studies* 36, 1974), p. 215.
16. Quoted by Barclay, p. 183.
17. The Comte de Clermont-Tonnerre. Quoted by Graetz, p. 177.
18. 〈人權和公民權宣言〉第一條。
19. 'Appeal to our German Coreligionists'. Quoted by Koltun-Fromm, p. 91.
20. Samons Raphael Hirsch. Quoted by Batnitzky, p. 41.
21. Henry Rawlinson. 'Notes on some paper casts of cuneiform inscriptions upon the sculptured rock at Behistun exhibited to the Society of Antiquaries' (*Archaeologia* 34, 1852), p. 74.
22. Arthur Conolly. Quoted by Malcolm Yapp in 'The Legend of the Great Game' (*Proceedings of the British Academy* 111, 2000), p. 181.
23. Ibid.
24. Lord Palmerston, in *A Collection of Documents on the Slave Trade of Eastern Africa*, ed. R. W. Beachey (New York, 1976), p. 19.
25. Sir Travers Twiss, writing in 1856. Quoted by Koskenniemi (2001), p. 78.
26. Henry Wheaton. Quoted by Martinez, p. 116.
27. Quoted by Drescher, p. 3.
28. Thornton Stringfellow, a Baptist minister. Quoted by Noll (2002), p. 389.
29. Quoted by Drescher, p. 3.
30. Lord Ponsonby. Quoted by Christophe de Bellaigue in *The Islamic Enlightenment: The Modern Struggle Between Faith and Reason* (London, 2017), p. 190.
31. Husayn Pasha. Quoted by Toledano, p. 277.
32. Edward Eastwick, *Journal of a Diplomat's Three Years' Residence in Persia* (London, 1864), p. 254.
33. Ezekiel. 34.16.

第18章

1. Quoted by Charles H. Sternberg in *The Life of a Fossil Hunter* (New York, 1909), p. 82.
2. 〈詩篇〉第102篇第25–26節。
3. Lectures of Genesis 1–5, in *Luther's Works*, vol. 1, p. 99.
4. Sternberg, p. 75.
5. Augustine. *City of God*, 5.11.
6. Charles Darwin. *The Correspondence of Charles Darwin*, vol. 8 (Cambridge, 1993), p. 224.
7. Ibid.
8. Charles Darwin. *On the Origin of Species* (London, 1859), pp. 243–4.
9. Quoted by Desmond and Moore, p. 218.
10. Quoted by Richard Gawne in 'Fossil Evidence in the Origin of Species' (*BioScience* 65, 2015), p. 1082.
11. Speech to the American Association for the Advancement of Science. Quoted by Wallace, p. 57.
12. Charles Darwin. *The Descent of Man* (London, 1871), Part 1, pp. 133–4.
13. Ibid, p. 134.
14. Edward D. Cope. *The Origin of the Fittest: Essays on Evolution* (New York, 1887), p. 390.
15. *The Descent of Man*, Part 1, p. 134.
16. Quoted by Diane B. Paul in 'Darwin, social Darwinism and eugenics', in Hodge and Radick, p. 225.
17. *The Descent of Man,* Part 1, p. 183.
18. Charles Darwin. *Journal of Researches into the Geology and Natural History of the Various Countries Visited by H.M.S. Beagle* (London, 1839), p. 520.
19. *The Descent of Man*, p. 180.
20. Quoted by Desmond, p. 262.
21. Quoted by Desmond, p. 253.
22. Ibid.
23. Mark Pattison, rector of Lincoln College. Quoted by Harrison (2015), p. 148.
24. Thomas Henry Huxley. *Collected Essays. Volume 5: Science and the Christian Tradition* (London, 1894), p. 246.

25. *The Mechanics' Magazine* (1871). Quoted by Harrison (2015), p. 170.
26. John William Draper, *History of the Conflict between Religion and Science* (London, 1887), p. 33.
27. Voltaire. Quoted by Finocchiaro, *Retrying Galileo*, p. 116.
28. T. S. Baynes. Quoted by Desmond, p. 624.
29. *On the Origin of Species*, p. 490.
30. *The Autobiography of Charles Darwin*, 1809–1882, ed. Nora Barlow (London, 1958), p. 93.
31. Krafft-Ebing. *Psychopathia Sexualis*, tr. F. J. Redman (London, 1899), p. 210.
32. Ibid, p. 213.
33. Ibid, pp. 3–4.
34. Quoted by Robert Beachy in 'The German Invention of Homosexuality' (*Journal of Modern History* 82, 2010), p. 819.
35. Quoted by W. J. T. Mitchell in *The Last Dinosaur Book* (Chicago, 1998).
36. Andrew Carnegie. *Autobiography of Andrew Carnegie* (London, 1920), p. 339.
37. William Graham Sumner. *What Social Classes Owe To Each Other* (New York, 1833), pp. 44–5.
38. Winthrop. 'A Model of Christian Charity', p. 20.
39. Andrew Carnegie. *The Gospel of Wealth, And Other Timely Essays* (New York, 1901), p. 18.
40. Ibid, pp. 14–15.
41. Quoted by Rea, p. 5.
42. Richard Owen. Quoted by Nicolaas Rupke in *Richard Owen: Biology Without Darwin* (Chicago, 2009), p. 252.
43. Lenin. 'Letter to American Workers'. https://www.marxists.org/archive/ lenin/ works/1918/aug/20.htm.
44. Engels. *Marx-Engels Collected Works* (Moscow, 1989), vol. 24, p. 467.
45. Marx. *MECW* (1975), vol. 4, p. 150.
46. Marx and Engels. *Manifesto of the Communist Party* (London, 1888), p. 16.
47. Marx. 'On the Jewish Question.' *Early Writings*, tr. T. B. Bottomore (London, 1963), p. 5.
48. Marx. *Critique of the Gotha Program* (London, 1891), p. 23.
49. Marx. *The Cologne Communist Trial*, tr. R. Livingstone (London, 1971), p. 166.

50. Marx. *Capital* (London, 1976), vol. 1, p. 342.

第19章

1. Otto Dix. Quoted by Karcher, p. 38.
2. Otto Dix. Quoted by Hartley, p. 18.
3. The Bishop of Hereford. Quoted by Jenkins (2014), p. 99.
4. Quoted by Nicholas Martin in '"Fighting a Philosophy": The Figure of Nietzsche in British Propaganda of the First World War' (*The Modern Language Review* 98, 2003), p. 374.
5. Max Plowman. Quoted by Paul Fussell in *The Great War and Modern Memory* (Oxford, 1975), p. 133.
6. Lucy Whitmell. 'Christ in Flanders'.
7. Otto Dix. Quoted by Hartley, p. 73.
8. Friedrich Nietzsche. *The Gay Science*, 125.
9. Ibid. *Twilight of the Idols*, 9.38.
10. Ibid. *Will to Power*, 253.
11. Ibid. 'Preface to an Unwritten Book' in *Early Greek Philosophy and Other Essays*, tr. M. Mügge (London, 1911), p. 4.
12. Ibid. *On the Genealogy of Morals*, 1.8.
13. Ibid. *Will to Power*, 176.
14. Ibid. *The Antichrist*, 42.
15. Ibid, 58.
16. Ibid. *On the Genealogy of Morals*, 2.7.
17. Ibid. *Twilight of the Idols*, 7.2.
18. Otto Dix. Quoted by Hartley, p. 16.
19. 〈啟示錄〉第12章第1節。
20. Nietzsche. *Will to Power*, 133.
21. N. Bukharin and E. Preobrazhensky. *The ABC of Communism* (London, 2007), p. 235.
22. Waldemar Gurian. *Bolshevism: Theory and Practice*, tr. E. I. Watkin (London, 1932), p. 259.
23. Ibid, p. 226.

24. Quoted by Siemens, p. 8.
25. Nietzsche. *Thus Spoke Zarathustra*, 'Of the Tarantulas'.
26. Roberto Davanzati. Quoted by Burleigh (2006), p. 61.
27. 'It's Him or Me', an article in the *SS-Leitheft*. Quoted by Chapoutot, p. 157.
28. Hitler. *My Struggle*, Chapter 11.
29. Hitler. Quoted by Chapoutot, p. 156.
30. Erwin Reitmann. Quoted by Siemens, p. 57.
31. Wilfred Bade. Quoted by Siemens, p. 17.
32. Joachim Hossenfelder. Quoted by Siemens, p. 129.
33. Quoted by Gregor Ziemer. *Education for Death: The Making of the Nazi* (London, 1942), p. 180.
34. Ibid, p. 133.
35. From an SS magazine (1939), quoted by Chapoutot, p. 190.
36. *Hitler's Table Talk 1941–1944: His Private Conversations*, ed. Hugh Trevor-Roper (London, 1953), p. 7.
37. Joseph Goebbels. Diary entry for 27 March 1942.
38. *The Letters of J. R. R. Tolkien*, ed. Humphrey Carpenter (London, 1981), p. 67.
39. Augustine. The *City of God* 20.11.
40. J. R. R. Tolkien. *Letters*, p. 211.
41. J. R. R. Tolkien. *The Lord of the Rings* (London, 2004), p. 820.
42. Adolf Hitler. Quoted by Stone (2010), p. 160.
43. Werner Graul. Quoted by Chapoutot, p. 100.
44. Adolf Hitler. Quoted by Stone (2013), p. 49.
45. J. R. R. Tolkien. *Letters*, p. 37.
46. *The Old English Exodus: Text, Translation, and Commentary* by J. R. R. Tolkien, ed. Joan Turville-Petre (Oxford, 1981), p. 27.
47. Ibid, p. 23.
48. Quoted by Bethge, p. 208.
49. Quoted by Burleigh (2006), p. 252.
50. 〈馬太福音〉第27章第25節。
51. Alojzije Stepinac. Quoted by Stella Alexander in *The Triple Myth: A Life of Archbishop Alojzije Stepinac* (New York, 1987), p. 85.
52. Nietzsche. *Beyond Good and Evil*, Aphorism 146.

53. https://api.parliament.uk/historic-hansard/lords/1944/feb/09/bombing-policy
54. J. R. R. Tolkien. *Letters*, p. 78.
55. Alfred Duggan. Quoted by Shippey, p. 306.
56. *The Lord of the Rings*, p. 464.

第20章

1. Augustine. 7th Homily on the First epistle of John, 7.
2. Martin Huska. Quoted by Kaminsky, p. 406.
3. Martin Luther King. 'Loving Your Enemies'. (Sermon delivered 17 November 1957.)
4. Martin Luther King. 'Letter from Birmingham Jail'.
5. James Brown. Quoted by Stephens, p. 45.
6. Paul McCartney. Quoted by Craig Cross in Beatles-discography.com (New York, 2004), p. 98.
7. Quoted by Norman, p. 446.
8. Robert Shelton. Quoted by Stephens, p. 104.
9. 據傳，這是英國女王伊麗莎白二世，對當時披頭四樂團的唱片公司EMI主席約瑟夫拉克伍德表達的看法。
10. Martin Luther King. *Where do we go from here: Chaos or Community?* (New York, 1967), p. 97.
11. 〈約翰福音〉第3章第8節。
12. Quoted by Norman, p. 446.
13. Norman Vincent Peale. Quoted by Stephens, p. 137.
14. 麥卡尼在一九八一年這一次訪談中，說了這句話。整個訪談內容，出現在四年之後發行的〈Woman〉雜誌。
15. Martin Luther King. *Strength to Love* (New York, 1963), p. 72.
16. David Livingstone. *The Last Journals of David Livingstone*, Volume II, ed. Horace Waller (Frankfurt, 2018), p. 189.
17. Emmanuel Milingo. Quoted by ter Haar, p. 26.
18. Ibid, p. 28.
19. 〈詩篇〉第68篇第31節。
20. Desmond Tutu, quoted by Jonathan Fasholé-Luke in *Christianity in Independent*

Africa (London, 1978), p. 369.

21. J. D. du Toit. Quoted by Ryrie, p. 335.
22. *Declaration of the Church of the Province of South Africa*, November 1982.
23. Quoted by Allan Boesak in an open letter he wrote in 1979.
24. 〈馬太福音〉第5章第43–44節。
25. Desmond Tutu, speaking at a conference of South Africa's churches in December 1989. Quoted by Ryrie, p. 357.
26. Nelson Mandela. Address to the Zionist Christian Church Easter Conference, 3 April 1994.
27. George W. Bush. Press conference, 11 October 2001.
28. Ibid. Comments made on US humanitarian aid to Afghanistan, 11 October 2002.
29. Ibid. Address at West Point, 1 June 2002.
30. Mary Beard. *London Review of Books* 23.19 (4 October 2001), p. 21.
31. Quoted by David Aikman in *A Man of Faith: The Spiritual Journey of George W. Bush* (Nashville, 2004), p. 3.
32. George W. Bush. Press conference, 13 November 2002
33. Frantz Fanon, in *The Wretched of the Earth*, tr. Richard Philcox (New York, 1963), p. 53.
34. Ibid, p. 23.
35. Printed in the *Morning Star* on 11 October 2004.
36. Fanon, p. 2.
37. al-Zarqawi. Quoted by Weiss and Hassan, p. 40.
38. Qur'an. 9.31. The verse is one that al-Maqdisi repeatedly returns to.
39. George W. Bush. Press conference, 20 November 2002.
40. Ali, p. 238.
41. Qur'an. 5.33.
42. https://medium.com/@alyssacccc/phone-call-home-a-letter-from-james-foley-arts-96-to-marquette- 4a9dd1553d83?subaction=showfull&id=1318951203&archive
43. Interview in the *Evening Standard*, 4 September 2014.
44. https://twitter.com/jenanmoussa/status/982935563694215168

第21章

1. Transcript from *Gut leben in Deutschland*, 15 July 2015.
2. J. R. R. Tolkien. *The Return of the King* (London, 1955; repr. 2005), p. 1075.
3. http://www.bbc.co.uk/news/world-europe-34173720
4. Quoted by John Garth in *Tolkien and the Great War: The Threshold of Middle-earth* (London, 2003), p. 219.
5. http://www.spiegel.de/international/germany/why-has-angela-merkel-staked-her-legacy-on-the-refugees-a-1073705.html
6. Gregory of Nyssa. *On the Love of the Poor 1: 'On Good Works'*, tr. Holman, p. 194.
7. Victor Orbán. Speech at the 28th Bálványos Summer Open University and Student Camp, 22 July 2017.
8. From the UNESCO symposium Human Rights: Comments and Interpretations (1949). Quoted by Tierney, p. 2.
9. *Charlie Hebdo*. Editorial, 14 December 2016.
10. Ibid. 13 January 2016.
11. Stéphane Charbonnier. http://arretsurinfo.ch/quand-la-liberte-dexpression-sert-a-propager-la-haine-raciste/
12. https://www.nytimes.com/2017/12/17/us/harvey-weinstein-hotel-sexual-harassment.html
13. https://www.eeoc.gov/eeoc/task_force/harassment/report.cfm
14. Bernard of Clairvaux. Quoted by Bynum (1987), p. 16.
15. William Perkins. *Christian Oeconomie or, a Short Survey of the right Manner of Erecting and Ordering a Familie, According to the Scriptures* (London, 1609), p. 122.
16. Calvin. *Institutes of the Christian Religion*. 1.1.2.
17. Sade. *Juliette*, p. 172.
18. 出自Milton Himmelfarb。他因為看了披頭四主演的電影《黃色潛水艇》而想起這段往事。John Carlevale在《*Dionysus Now: Dionysian Myth-History in the Sixties*》（Arion 13, 2005）引用，頁95。
19. Ralph Gleason. Quoted by Ibid., p. 89.
20. 〈哥林多前書〉第6章第19節。
21. Vanessa Wruble. https://www.vogue.com/article/meet-the-women-of-the-

womens-march-on-washington

22. Nietzsche. The *Will to Power*, 27.
23. https://staging.womensmarchglobal.org/about/unity-principles/
24. Steven Weinberg. *The First Three Minutes* (New York, 1977), p. 154.
25. Heinrich Himmler. Quoted by Chapoutot, p. 27.
26. Amsterdam Declaration, 2002.
27. Ibid.
28. Ibid.
29. Sam Harris. *The Moral Landscape: How Science Can Determine Human Values* (New York, 2010), p. 2.
30. Amsterdam Declaration, 2002.
31. https://twitter.com/RichardDawkins/status/1018933359978909696
32. Thomas Henry Huxley. *Collected Essays. Volume 5: Science and the Christian Tradition* (London, 1894), p. 320.
33. 〈哥林多前書〉第1章第27節。

參考書目

- Osborn, Eric: *The Emergence of Christian Theology* (Cambridge, 1993)
  —— : *Irenaeus of Lyons* (Cambridge, 2001)
- Ostwald, Martin: *Nomos and the Beginnings of the Athenian Democracy* (Oxford, 1969)
- Palmer, James: *The Apocalypse in the Early Middle Ages* (Cambridge, 2014) Paxton, Frederick S.: *Christianizing Death: The Creation of a Ritual Process in Early Medieval Europe* (Ithaca, 1990)
- Peppard, Michael: *The Son of God in the Roman World: Divine Sonship in Its Social and Political Context* (Oxford, 2011)
- Porter, Stanley E. (ed.): *Paul: Jew, Greek, and Roman* (Leiden, 2008)
- Price, S. R. F.: *Rituals and Power: The Roman Imperial Cult in Asia Minor* (Cambridge, 1984)
- Rhee, Helen: *Wealth and Poverty in Early Christianity* (Minneapolis, 2017) Römer, Thomas: *The Invention of God*, tr. Raymond Geuss (Cambridge, Mass., 2015)
- Rubin, Uri: *The Eye of the Beholder: The Life of Muhammad as Viewed by the Early Muslims* (Princeton, 1995)
  —— : *Between Bible and Qur'an: The Children of Israel and the Islamic Self-image* (Princeton, 1999)
- Samuelsson, Gunnar: *Crucifixion in Antiquity: An Inquiry into the Background and Significance of the New Testament Terminology of Crucifixion* (Tübingen, 2013)
- Sanders, E. P.: *Paul: The Apostle's Life, Letters, and Thought* (Minneapolis, 2016) Sandmel, Samuel: *Judaism and Christian Beginnings* (New York, 1978)
- Schultz, Joseph P. & Louis Spatz: *Sinai & Olympus: A Comparative Study* (Lanham, 1995)
- Satlow, Michael L.: *How the Bible Became Holy* (New Haven, 2014)

- Shoemaker, Stephen J.: *The Death of a Prophet: The End of Muhammad's Life and the Beginnings of Islam* (Philadelphia, 2012)

  ——: *Mary in Early Christian Faith and Devotion* (New Haven, 2016)
- Smith, Mark S.: *The Early History of God: Yahweh and the Other Deities in Ancient Israel* (Grand Rapids, 1990)

  ——: *The Origins of Biblical Monotheism: Israel's Polytheistic Background and the Ugaritic Texts* (Oxford, 2001)
- Smith, Rowland: *Julian's Gods: Religion and Philosophy in the Thought and Action of Julian the Apostate* (London, 1995)
- Stark, Rodney: *The Rise of Christianity: A Sociologist Reconsiders History* (Princeton, 1996)

  ——: *Cities of God: The Real Story of How Christianity Became an Urban Movement and Conquered Rome* (New York, 2006)
- Theissen, Gerd: *The Social Setting of Pauline Christianity: Essays on Corinth*, tr. John H. Schütz (Edinburgh, 1982)
- Trigg, Joseph W.: *Origen* (Abingdon, 1998)
- Trout, Dennis E.: *Paulinus of Nola: Life, Letters, and Poems* (Berkeley & Los Angeles, 1999)
- Van Dam, Raymond: *Leadership and Community in Late Antique Gaul* (Berkeley & Los Angeles, 1985)

  ——: *Saints and their Miracles in Late Antique Gaul* (Princeton, 1993)

  ——: *Kingdom of Snow: Roman Rule and Greek Culture in Cappadocia* (Philadelphia, 2002)

  ——: *Families and Friends in Late Roman Cappadocia* (Philadelphia, 2003)

  ——: *Becoming Christian: The Conversion of Roman Cappadocia* (Philadelphia, 2003) Vermes, Geza: *Jesus: Nativity, Passion, Resurrection* (London, 2010)
- Wengst, K.: *Pax Romana and the People of Christ* (London, 1987)
- Whitmarsh, Tim: *Battling the Gods: Atheism in the Ancient World* (London, 2016) Winter, Bruce W.: *Philo and Paul Among the Sophists: Alexandrian and Corinthian Responses to a Julio-Claudian Movement* (Grand Rapids, 2002)

- Wright, N. T.: *Paul and the Faithfulness of God* (London, 2013)
  —— : *Paul and his Recent Interpreters* (London, 2015)
  —— : *Paul: A Biography* (London, 2018)

第二部　基督宗教世界

- Barstow, Anne Llewellyn: *Married Priests and the Reforming Papacy* (New York, 1982)
- Bartlett, Robert: *The Making of Europe: Conquest, Colonization and Cultural Change, 950–1350* (London, 1993)
  —— : *Why Can the Dead Do Such Great Things? Saints and Worshippers form the Martyrs to the Reformation* (Princeton, 2013)
- Berman, Constance Hoffman (ed.): *Medieval Religion: New Approaches* (New York, 2005)
- Berman, Harold J.: *Law and Revolution: The Formation of the Western Legal Tradition* (Cambridge, Mass., 1983)
- Blickle, Peter: *The Revolution of 1525: The German Peasants' War from a New Perspective*, tr. Thomas A. Brady and H. C. Erik Midelfort (Baltimore, 1981)
  —— : *Communal Reformation*, tr. Thomas Dunlap (Atlantic Highlands, 1992)
  —— : *From the Communal Reformation to the Revolution of the Common Man*, tr. Beat Kümin (Leiden, 1998)
- Blumenthal, Uta-Renate: *The Investiture Controversy: Church and Monarchy from the Ninth to the Twelfth Century* (Philadelphia, 1995)
- Bossy, John: *Christianity in the West 1400–1700* (Oxford, 1985)
- Brecht, Martin: *Martin Luther: His Road to Reformation, 1483–1521*, tr. James L. Schaaf (Minneapolis, 1985)
- Brockey, Liam Matthew: *The Visitor: André Palmeiro and the Jesuits in Asia* (Cambridge, Mass., 2014)
- Brophy, Don: *Catherine of Siena: A Passionate Life* (London, 2011)
- Bynum, Caroline Walker: *Jesus as Mother: Studies in the Spirituality of the High*

Middle Ages (Berkeley & Los Angeles, 1982)

——: *Holy Feast and Holy Fast: The Religious Significance of Food to Medieval Women* (Berkeley & Los Angeles, 1987)

- Cameron, Euan: *Waldenses: Rejections of Holy Church in Medieval Europe* (Oxford, 2000)
- Clanchy, M. T.: *Abelard: A Medieval Life* (Oxford, 1997)
- Coffey, John: *Persecution and Toleration in Protestant England 1558–1689* (Harlow, 2000) Cohen, Jeremy (ed.): *From Witness to Witchcraft: Jews and Judaism in Medieval Christian Thought* (Wiesbaden, 1996)
- Cowdrey, H. E. J.: *The Cluniacs and the Gregorian Reform* (Oxford, 1970)

——: *Popes, Monks and Crusaders* (London, 1984)

——: *Pope Gregory VII 1073–1085* (Oxford, 1998)

——: *Popes and Church Reform in the 11th Century* (Aldershot, 2000) Cunningham, Andrew and Ole Peter Grell: *The Four Horsemen of the Apocalypse: Religion, War, Famine and Death in Reformation Europe* (Cambridge, 2000) Cushing, Kathleen G.: *Reform and Papacy in the Eleventh Century: Spirituality and Social Change* (Manchester, 2005)

- Daniel, Norman: *The Arabs and Medieval Europe* (London, 1975)
- D'Elia, Pasquale M.: *Galileo in China*, tr. Rufus Suter and Matthew Sciascia (Cambridge, Mass., 1960)
- Dunne, John: *Generation of Giants: The Story of the Jesuits in China in the Last Decades of the Ming Dynasty* (Notre Dame, 1962)
- Elliott, Dyan: *Fallen Bodies: Pollution, Sexuality, and Demonology in the Middle Ages* (Philadelphia, 1999)
- Emmerson, Richard K. and McGinn, Bernard: *The Apocalypse in the Middle Ages* (Ithaca, 1992)
- Finocchiaro, Maurice A.: *Retrying Galileo, 1633–1992* (Berkeley & Los Angeles, 2005)
- Fletcher, Richard: *The Conversion of Europe: From Paganism to Christianity, 371–*

1386 AD (London, 1997)

- Fontana, Michela: *Matteo Ricci: A Jesuit in the Ming Court* (Lanham, 2011) Frassetto, Michael (ed.): *Medieval Purity and Piety: Essays on Medieval Clerical Celibacy and Religious Reform* (New York, 1998)
- Fulton, Rachel: *From Judgment to Passion: Devotion to Christ and the Virgin Mary, 800–1200* (New York, 2002)
- Fudge, Thomas A.: *Jan Hus: Religious Reform and Social Revolution in Bohemia* (London, 2010)
- Gilbert, Creighton E.: 'Ghiberti on the Destruction of Art' (*I Tatti Studies in the Italian Renaissance* 6, 1995)
- Goody, Jack: *The Development of the Family and Marriage in Europe* (Cambridge, 1983)
- Gordon, Bruce: *The Swiss Reformation* (Manchester, 2008)
  —— : *Calvin* (New Haven, 2009)
- Grell, Ole Peter and Bob Scribner: *Tolerance and Intolerance in the European Reformation* (Cambridge, 1996)
- Grundmann, Herbert: *Religious Movements in the Middle Ages*, tr. Steven Rowan (Notre Dame, 1995)
- Hamilton, Bernard: *Monastic Reform, Catharism and the Crusades, 900–1300* (London, 1979)
- Hancock, Ralph C.: *Calvin and the Foundations of Modern Politics* (Ithaca, 1989) Hanke, Lewis: *The Spanish Struggle for Justice in the Conquest of America* (Dallas, 2002) Hannam, James: *God's Philosophers: How the Medieval World Laid the Foundations of Modern Science* (London, 2009)
- Harline, Craig: *A World Ablaze: The Rise of Martin Luther and the Birth of the Reformation* (Oxford, 2017)
- Hashimoto, Keizo: *Hsü Kuang-Ch'i and Astronomical Reform: The Process of the Chinese Acceptance of Western Astronomy, 1629–1635* (Kansai, 1988)
- Headley, John M.: *Luther's View of Church History* (New Haven, 1963) Heilbron, J.

L.: *Galileo* (Oxford 2010)

- Hendrix, Scott: 'Rerooting the Faith: The Reformation as Re-Christianization' (*Church History* 69, 2000)
- Hsia, R. Po-chia (ed.): *The German People and the Reformation* (Ithaca, 1988)
- Huff, Toby E.: *Intellectual Curiosity and the Scientific Revolution: A Global Perspective* (Cambridge, 2011)

  ——: (3rd edn) *The Rise of Early Modern Science: Islam, China, and the West* (Cambridge, 2017)
- Izbicki, Thomas M.: 'Cajetan on the Acquisition of Stolen Goods in the Old and New Worlds' (*Revista di storia del Cristianesimo* 4, 2007)
- Jami, Catherine, Peter Engelfriet and Gregory Blue: *Statecraft and Intellectual Renewal in Late Ming China: The Cross-Cultural Synthesis of Xu Guangqi (1562– 1633)* (Leiden, 2001)
- Jones, Andrew Willard: *Before Church and State: A Study of Social Order in the Sacramental Kingdom of St. Louis IX* (Steubenville, 2017)
- Jordan, Mark D.: *The Invention of Sodomy in Christian Theology* (Chicago, 1997)

  Kadir, Djelal: *Columbus and the Ends of the Earth: Europe's Prophetic Rhetoric as Conquering Ideology* (Berkeley & Los Angeles, 1992)
- Kaminsky, Howard: *A History of the Hussite Revolution* (Berkeley & Los Angeles, 1967)
- Karras, Ruth Mazo: *Sexuality in Medieval Europe* (New York, 2005)
- Kedar, Benjamin Z.: *Crusade and Mission: European Attitudes Toward the Muslims* (Princeton, 1984)
- Kieckhefer, Richard: *Repression of Heresy in Medieval Germany* (Liverpool, 1979)

  Klaniczay, Gábor: *Holy Rulers and Blessed Princesses: Dynastic Cults in Medieval Central* Europe, tr. Éva Pálmai (Cambridge, 2000)
- Lattis, James M.: *Between Copernicus and Galileo: Christoph Clavius and the Collapse of Ptolemaic Cosmology* (Chicago, 1994)
- MacCulloch, Diarmaid: *Reformation: Europe's House Divided, 1490–1700* (London,

2003)

- Madigan, Kevin: *Medieval Christianity: A New History* (New Haven, 2015)
  Marshall, Peter: *The Reformation* (Oxford, 2009)
  ——: *Heretics and Believers: A History of the English Reformation* (New Haven, 2017) McGinn, Bernard: *Visions of the End: Apocalyptic Traditions in the Middle Ages* (New York, 1979)
- Miller, Perry: *The New England Mind: From Colony to Province* (Cambridge, Mass., 1953)
  ——: *The New England Mind: The Seventeenth Century* (Cambridge, Mass., 1954)
  ——: *Errand into the Wilderness* (Cambridge, Mass., 1956)
- Milis, Ludo J. R.: *Angelic Monks and Earthly Men* (Woodbridge, 1992)
- Moore, John C.: *Pope Innocent III (1160/61–1216): To Root Up and to Plant* (Leiden, 2003)
- Moore, R. I.: *The Birth of Popular Heresy* (London, 1975)
  ——: *The Origins of European Dissent* (London, 1977)
  ——: *The Formation of a Persecuting Society: Power and Deviance in Western Europe, 950–1250* (Oxford, 1990)
  ——: *The First European Revolution, c. 970–1215* (Oxford, 2000)
- Mormando, Franco: *Bernardino of Siena and the Social Underworld of Early Renaissance Italy* (Chicago, 1999)
- Morris, Colin: *The Papal Monarchy: The Western Church from 1050 to 1250* (Oxford, 1989)
- Newman, Barbara: *From Virile Woman to WomanChrist: Studies in Medieval Religion and Literature* (Philadelphia, 1995)
  ——: 'The Heretic Saint: Guglielma of Bohemia, Milan, and Brunate' (*Church History* 74, 2005)
- Oberman, Heiko: *The Impact of the Reformation* (Grand Rapids, 1994) Origo, Iris: *The World of San Bernardino* (London, 1963)
- Ozment, Steven: *The Age of Reform, 1250–1550: An Intellectual and Religious History*

of Late Medieval and Reformation Europe (New Haven, 1980)

- Patzold, Steffen and Carmine van Rhijn: *Men in the Middle: Local Priests in Early Medieval Europe* (Berlin, 2016)
- Pegg, Mark Gregory: *The Corruption of Angels: The Great Inquisition of 1245–1246* (Princeton, 2001)

  —— : *A Most Holy War: The Albigensian Crusade and the Battle for Christendom* (Oxford, 2008)
- Peters, Edward: *The Magician, the Witch, and the Law* (Philadelphia, 1978)

  —— : *Inquisition* (Berkeley & Los Angeles, 1989)
- Phelan, John Leddy: *The Millennial Kingdom of the Franciscans in the New World: A Study of the Writings of Gerónimo de Mendieta (1525–1604)* (Berkeley & Los Angeles, 1956)
- Polecritti, Cynthia L.: *Preaching Peace in Renaissance Italy: Bernardino of Siena & His Audience* (Washington D.C., 2000)
- Reuter, Timothy (ed.): *The Greatest Englishman: Essays on St Boniface and the Church at Crediton* (Exeter, 1980)
- Riley-Smith, Jonathan: *The First Crusade and the Idea of Crusading* (London, 1986)

  —— : *The First Crusaders, 1095–1131* (Cambridge, 1997)
- Rocke, Michael: *Forbidden Friendships: Homosexuality and Male Culture in Renaissance Florence* (Oxford, 1996)
- Roper, Lyndal: *Martin Luther: Renegade and Prophet* (London, 2016)
- Rosenstock-Huessy, Eugen: *Driving Power of Western Civilization: The Christian Revolution of the Middle Ages* (Boston, 1949)
- Ross, Andrew C.: *A Vision Betrayed: The Jesuits in Japan and China 1542–1742* (Edinburgh, 1994)
- Rubenstein, Jay: *Armies of Heaven: The First Crusade and the Quest for Apocalypse* (New York, 2011)
- Ryrie, Alec: *Protestants: The Faith That Made the Modern World* (London, 2017)

Schama, Simon: *The Embarrassment of Riches: An Interpretation of Dutch Culture in the Golden Age* (London, 1987)

- Scott, Tom: *Thomas Müntzer: Theology and Revolution in the German Reformation* (Basingstoke, 1989)
- Scott-Dixon, C.: *Contesting the Reformation* (Oxford, 2012)
- Scribner, R. W.: *Popular Culture and Popular Movements in Reformation Germany* (London, 1987)
- Southern, R. W.: *The Making of the Middle Ages* (London, 1953)

  ——: *Western Society and the Church in the Middle Ages* (London, 1970)

  ——: *Saint Anselm: A Portrait in a Landscape* (Cambridge, 1990) Smalley, Beryl: *The Study of the Bible in the Middle Ages* (Oxford, 1941)
- Steenberghen, Fernand van: *Aristotle in the West: the Origins of Latin Aristotelianism*, tr. Leonard Johnston (Louvain, 1955)
- Sullivan, Karen: *The Inner Lives of Medieval Inquisitors* (Chicago, 2011)
- Sweet, Leonard I.: 'Christopher Columbus and the Millennial Vision of the New World' (*The Catholic Historical Review* 72, 19860
- Talbot, C. H. (ed.): *The Anglo-Saxon Missionaries in Germany* (London, 1954) Tellenbach, Gerd: *Church, State and Christian Society at the Time of the Investiture Contest*, tr. R. F. Bennett (Oxford, 1940)

  ——: *The Church in Western Europe from the Tenth to the Early Twelfth Century*, tr. Timothy Reuter (Cambridge, 1993)
- Tylus, Jane: *Reclaiming Catherine of Siena: Literacy, Literature, and the Signs of Others* (Chicago, 2009)
- Ullman, Walter: *The Growth of Papal Government in the Middle Ages: A Study in the Ideological Relation of Clerical to Lay Power* (London, 1955)
- Walsham, Alexandra: *The Reformation of the Landscape: Religion, Identity, & Memory in Early Modern Britain & Ireland* (Oxford, 2011)
- Watts, Pauline Moffitt: 'Prophecy and Discovery: On the Spiritual Origins of Christopher Columbus's "Enterprise of the Indies"' (*American Historical Review* 90, 1985)

- Wessley, Stephen E.: 'The Thirteenth-Century Gugliemites: Salvation Through Women', in *Medieval Women*, ed. Derek Baker (Oxford, 1978)
- Williams, George Huntston: *The Radical Reformation* (Kirksville, 1992)
- Witte, John: *The Reformation of Rights: Law, Religion, and Human Rights in Early Modern Calvinism* (Cambridge, 2007)
- Wolf, Kenneth Baxter: *The Poverty of Riches: St. Francis of Assisi Reconsidered* (Oxford, 2003)

  ——: *The Life and Afterlife of St. Elizabeth of Hungary: Testimony from Her Canonization Hearings* (Oxford, 2011)

第三部　現代

- Ali, Kecia: *The Lives of Muhammad* (Cambridge, Mass., 2014)
- Anderson, Allan: *Zion and Pentecost: The Spirituality and Experience of Pentecostal and Zionist/Apostolic Churches in South Africa* (Pretoria, 2000)

  ——: *African Reformation: African Initiated Christianity in the 20th Century* (Trenton, 2001)
- Anstey, Roger: *The Atlantic Slave Trade and British Abolition 1760–1810* (London, 1975)
- Aston, Nigel: *Christianity and Revolutionary Europe, 1750–1830* (Cambridge, 2002)
- Balagangadhara, S. N.: '*The Heathen in his Blindness . . . ' Asia, the West and the Dynamic of Religion* (Manohar, 2005)
- Barclay, David E.: *Frederick William IV and the Prussian Monarchy 1840–1861* (Oxford, 1995)
- Batnitzky, Leora: *How Judaism Became a Religion: An Introduction to Modern Jewish Thought* (Princeton, 2011)
- Beachy, Robert: *Gay Berlin: Birthplace of a Modern Identity* (New York, 2014)

  Becker, Carl L.: *The Heavenly City of the Eighteenth-Century Philosophers* (New Haven, 1932)
- Bethge, Eberhard: *Dietrich Bonhoeffer: A Biography* (London, 1970)

- Bien, David D.: *The Calas Affair: Persecution, Tolerance, and Heresy in Eighteenth-Century Toulouse* (Princeton, 1960)
- Bloch, Esther, Marianne Keppens and Rajaram Hegde (eds): *Rethinking Religion in India: The Colonial Construction of Hinduism* (London, 2010)
- Bruckner, Pascal: *The Tyranny of Guilt: An Essay on Western Masochism*, tr. Steven Rendall (Princeton, 2010)
- Burleigh, Michael: *Earthly Powers: Religion and Politics in Europe from the Enlightenment to the Great War* (London, 2005)

  —— : *Sacred Causes: Religion and Politics from the European Dictators to Al Qaeda* (London, 2006)
- Callahan, Allen Dwight: *The Talking Book: African Americans and the Bible* (New Haven, 2006)
- Carson, Penelope: *The East India Company and Religion, 1698–1858* (Woodbridge, 2012)
- Chapoutot, Johann: *The Law of Blood: Thinking and Acting as a Nazi*, tr. Miranda Richmond Mouillot (Cambridge, Mass., 2018)
- Chartier, Lydia G.: *The Cultural Origins of the French Revolution*, tr. Lydia G. Cochrane (Durham, 1991)
- Coffey, John: *Exodus and Liberation: Deliverance Politics from John Calvin to Martin Luther King Jr.* (Oxford, 2014)
- Conway, John S.: *The Nazi Persecution of the Churches* (London, 1968)
- Cuddihy, John: *No Offense: Civil Religion and Protestant Taste* (New York, 1978)
- Curry, Thomas J.: *The First Freedoms: Church and State in America to the Passage of the First Amendment* (Oxford, 1986)
- Davidson, Jane Pierce: *The Life of Edward Drinker Cope* (Philadelphia, 1997) Davie, Grace: *Religion in Modern Europe: A Memory Mutates* (Oxford, 2000) Davie, Grace, Paul Heelas and Linda Woodhead (eds): *Preaching Religion: Christian, Secular and Alternative Futures* (Aldershot, 2003)
- Davies, Owen: *A Supernatural War: Magic, Divination, and Faith during the First*

World War (Oxford, 2018)

- Davis, David Brion: *The Problem of Slavery in Western Culture* (Ithaca, 1966)

  —— : *Slavery and Human Progress* (Oxford, 1984)
- Desmond, Adrian and James Moore: *Darwin* (London, 1991)
- Desmond, Adrian: *Huxley: From Devil's Disciple to Evolution's High Priest* (Reading, 1997)
- Drake, Thomas E.: *Quakers and Slavery in America* (New Haven, 1950) Drescher, Seymour: *Abolition: A History of Slavery and Antislavery* (Cambridge, 2009)
- Durston, Christopher and Judith Maltby: *Religion in Revolutionary England* (Manchester, 2006)
- Edelstein, Dan: *The Terror of Natural Right: Republicanism, the Cult of Nature, and the French Revolution* (Chicago, 2009)
- Elphick, Richard and Rodney Davenport (eds): *Christianity in South Africa: A Political, Social & Cultural History* (Cape Town, 1997)
- Fix, Andrew C.: *Prophecy and Reason: The Dutch Collegiants in the Early Enlightenment* (Princeton, 1991)
- Foxley, Rachel: *The Levellers: Radical Political Thought in the English Revolution* (Manchester, 2013)
- Fromm, Erich: *Marx's Concept of Man* (New York, 1961)
- Gay, Peter: *The Enlightenment: An Interpretation* (2 volumes) (New York, 1966–69) Ghazi, Abidullah Al-Ansari: *Raja Rammohun Roy: An Encounter with Islam and Christianity and the Articulation of Hindu Self-Consciousness* (Iqra, 2010)
- Glaser, Eliane: *Judaism without Jews: Philosemitism and Christian Polemic in Early Modern England* (Basingstoke, 2007)
- Glasson, Travis: *Mastering Christianity: Missionary Anglicanism and Slavery in the Atlantic World* (Oxford, 2012)
- Golomb, Jacob and Robert S. Wistrich (eds): *Nietzsche, Godfather of Fascism? On the Uses and Abuses of a Philosophy* (Princeton, 2002)
- Graetz, Michael: *The Jews in Nineteenth-Century France: From the French Revolution*

to the Alliance Israélite Universelle, tr. Jane Marie Todd (Stanford, 1996) Greenberg, David F.: *The Construction of Homosexuality* (Chicago, 1988) Gurney, John: *Gerrard Winstanley: The Digger's Life and Legacy* (London, 2013)

- Haar, Gerrie ter: *How God Became African: African Spirituality and Western Secular Thought* (Philadelphia, 2009)
- Handler, Steven: *Spinoza: A Life* (Cambridge, 1999) Hartley, Keith: *Otto Dix, 1891–1969* (London, 1992)
- Harvey, David: *The Song of Middle-Earth: J. R. R. Tolkien's Themes, Symbols and Myths* (London, 1985)
- Hawley, John Stratton: *Sati, the Blessing and the Curse: The Burning Of Wives in India* (Oxford, 1994)
- Hess, Jonathan M.: *Germans, Jews and the Claims of Modernity* (New Haven, 2002)
- Higonnet, Patrice: *Goodness Beyond Virtue: Jacobins During the French Revolution* (Cambridge, Mass., 1998)
- Hopper, Andrew: *'Black Tom': Sir Thomas Fairfax and the English Revolution* (Manchester, 2007)
- Hughes, Gordon and Philipp Blom: *Nothing but the Clouds Unchanged: Artists in World War I* (Los Angeles, 2014)
- Hunter, Graeme: *Radical Protestantism in Spinoza's Thought* (Aldershot, 2005)
- Jacob, Margaret C.: *The Radical Enlightenment: Pantheists, Freemasons and Republicans* (London, 1981)
- Jenkins, Philip: *The Next Christendom: The Coming of Global Christianity* (Oxford, 2002)

  ——: *The Great and Holy War: How World War I Changed Religion For Ever* (New York, 2014)
- Karcher, Eva: *Otto Dix (1891–1969): His Life and Works* (Cologne, 1988)
- Katz, D. S.: *Philosemitism and the Readmission of the Jews to England, 1603–1655* (Oxford, 1982)
- Keith, Miller: *The Language of Martin Luther King, Jr. and Its Sources* (New York, 1992)

Kennedy, Emmet: *A Cultural History of the French Revolution* (New Haven, 1989)

- Kerry, Paul E (ed.): *The Ring and the Cross: Christianity and The Lord of the Rings* (Lanham, 2011)
- Koltun-Fromm, Ken: *Abraham Geiger's Liberal Judaism: Personal Meaning and Religious Authority* (Bloomington & Indianapolis, 2006)
- Koonz, Claudia: *The Nazi Conscience* (Cambridge, Mass., 2003) Kors, Alan: *Atheism in France, 1650–1729* (Princeton, 1990)
- Koskenniemi, Martti: *The Gentle Civilizer of Nations: The Rise and Fall of International Law 1870–1960* (Cambridge, 2001)

  —— : 'Empire and International Law: The Real Spanish Contribution' (*University of Toronto Law Journal* 61, 2011)
- Koskenniemi, Martti; Mónica García-Salmones Rovira and Paolo Amorosa: *International Law and Religion: Historical and Contemporary Perspectives* (Oxford, 2017)
- Lewisohn, Mark: *The Beatles: All These Years, Volume One – Tune In* (London, 2013) Lynskey, Dorian: *33 Revolutions Per Minute: A History of Protest Songs* (London, 2010)
- Magnus, Shulamit S.: *Jewish Emancipation in a German City: Cologne, 1798–1871* (Stanford, 1997)
- Marshall, P. J.: *The British Discovery of Hinduism in the Eighteenth Century* (Cambridge, 1970)
- Martinez, Jenny S.: *The Slave Trade and the Origins of International Human Rights Law* (Oxford, 2012)
- Marwick, Arthur: *The Sixties: Cultural Revolution in Britain, France, Italy, and the United States, c.1958–c.1974* (Oxford, 1998)
- Mason, Richard: *The God of Spinoza: A Philosophical Study* (Cambridge, 1997)
- Masuzawa, Tomoko: *The Invention of World Religions: Or, How European Universalism was Preserved in the Language of Pluralism* (Chicago, 2005)
- May, Simon (ed.): Nietzsche's On the Genealogy of Morality: A Critical Guide

(Cambridge, 2011)

- McManners, John: *The French Revolution and the Church* (London, 1969)
- Meyer, Michael: *Response to Modernity: A History of the Reform Movement in Judaism* (Oxford, 1988)
- Middlebrook, Martin & Mary: *The Somme Battlefields* (London, 1991)
- Miller, Nicholas P.: *The Religious Roots of the First Amendment: Dissenting Protestants and the Separation of Church and State* (Oxford, 2012)
- Minois, Georges: *The Atheist's Bible: The Most Dangerous Book that Never Existed*, tr. Lys Ann Weiss (Chicago, 2012)
- Moore, Rosemary: *The Light in their Consciences: Early Quakers in Britain 1646–1666* (University Park, 2000)
- Morris, Henry: *The Life of Charles Grant: sometime Member of Parliament and director of the East India Company* (London, 1904)
- Muravyova, L. and I. Sivolap-Kaftanova: *Lenin in London*, tr. Jane Sayer (Moscow, 1981)
- Nadler, Steven: *Spinoza: A Life* (Cambridge, 1999)

  ——: *A Book Forged in Hell: Spinoza's Scandalous Treatise and the Birth of the Secular Age* (Princeton, 2011)
- Nasaw, David: *Andrew Carnegie* (New York, 2006) Nixon, Edna: *Voltaire and the Calas Case* (London, 1961)
- Noll, Mark A.: *America's God: From Jonathan Edwards to Abraham Lincoln* (Oxford, 2002)

  ——: *God and Race in American Politics* (Princeton, 2008) Norman, Philip: *John Lennon: The Life* (London, 2008)
- Numbers, Ronald L (ed.): *Galileo Goes to Jail and Other Myths about Science and Religion* (Cambridge, Mass., 2009)
- O'Connor, Ralph: *The Earth on Show: Fossils and the Poetics of Popular Science, 1802– 1856* (Chicago, 2007)
- Oddie, Geoffrey A.: *Imagined Hinduism: British Protestant Missionary Constructions*

of Hinduism, 1793–1900 (New Delhi, 2006)

- Oldfield, J. R.: *Popular Politics and British Anti-Slavery: The Mobilisation of Public Opinion against the Slave Trade, 1787–1807* (Manchester, 1995)
- Oosterhuis, Harry: *Stepchildren of Nature: Krafft-Ebing, Psychiatry, and the Making of Sexual Identity* (Chicago, 2000)
- Osborn, Henry Fairfield: *Cope: Master Naturalist* (Princeton, 1931)
- Parker, Geoffrey: *Global Crisis: War, Climate Change and Catastrophe in the Seventeenth Century* (New Haven, 2013)
- Pestana, Carla: *Protestant Empire: Religion and the Making of the British Atlantic World* (Philadelphia, 2010)
- Porterfield, Amanda: *The Transformation of American Religion: The Story of a Late-Twentieth Century Awakening* (Oxford, 2001)
- Rea, Tom: *Bone Wars: The Excavation and Celebrity of Andrew Carnegie's Dinosaur* (Pittsburgh, 2001)
- Rediker, Marcus: *The Fearless Benjamin Lay: The Quaker Dwarf Who Became the First Revolutionary Abolitionist* (Boston, 2017)
- Roberts, J. Deotis: *Bonhoeffer & King: Speaking Truth to Power* (Louisville, 2005)
  Rowntree, C. Brightwen: 'Benjamin Lay (1681–1759)' (*The Journal of the Friends' Historical Society* 33, 1936)
- Rudwick, Martin J. S.: *Earth's Deep History: How It Was Discovered and Why It Matters* (Chicago, 2014)
- Schaeffer, Neil: *The Marquis de Sade: A Life* (London, 1999)
- Schama, Simon: *Citizens: A Chronicle of the French Revolution* (London, 1989)
  Schmidt, Alfred: *The Concept of Nature in Marx*, tr. Ben Fowkes (London, 1971)
- Sheehan, Jonathan: *The Enlightenment Bible* (Princeton, 2005)
- Shippey, Tom: *J. R. R. Tolkien: Author of the Century* (London, 2000)
- Shulman, George M.: *Radicalism and Reverence: The Political Thought of Gerrard Winstanley* (Berkeley & Los Angeles, 1989)
- Siemens, Daniel: *The Making of a Nazi Hero: The Murder and Myth of Horst Wessel*,

tr. David Burnett (London, 2013)

- Soderlund, Jean R.: *Quakers & Slavery: A Divided Spirit* (Princeton, 1985) Stanley, Brian: *Christianity in the Twentieth Century: A World History* (Princeton, 2018)
- Steignmann-Gall, Richard: *The Holy Reich: Nazi Conceptions of Christianity* (Cambridge, 2003)
- Stephens, Randall J.: *The Devil's Music: How Christians Inspired, Condemned, and Embraced Rock 'n' Roll* (Cambridge, Mass., 2018)
- Stone, Dan: *Histories of the Holocaust* (Oxford, 2010)

  —— : *The Holocaust, Fascism and Memory: Essays in the History of Ideas* (London, 2013) Tierney, Brian: *The Idea of Natural Rights* (Grand Rapids, 2001)
- Toledano, Ehud R.: *The Ottoman Slave Trade and Its Suppression: 1840–1890* (Princeton, 1982)
- Turley, David: *The Culture of English Antislavery, 1780–1860* (London, 1991)
- Van Kley, Dale K.: *The Religious Origins of the French Revolution: From Calvin to the Civil Constitution, 1560–1791* (New Haven, 1996)
- Vattimo, Gianni: *After Christianity*, tr. Luca d'Isanto (New York, 2002)
- Vaux, Roberts: *Memoirs of the Lives of Benjamin Lay and Ralph Sandiford: Two of the Earliest Public Advocates for the Emancipation of the Enslaved Africans* (Philadelphia, 1815)
- Wallace, David Rains: *Beasts of Eden: Walking Whales, Dawn Horses, and Other Enigmas of Mammal Evolution* (Berkeley & Los Angeles, 2004)
- Weinberger-Thomas, Catherine: *Ashes of Immortality: Widow-Burning in India*, tr. Jeffrey Mehlman and David Gordon-White (Chicago, 1999)
- Weiss, Michael and Hassan Hassan: *ISIS: Inside the Army of Terror* (New York, 2015)
- Worden, Blair: *God's Instruments: Political Conduct in the England of Oliver Cromwell* (Oxford, 2012)

國家圖書館出版品預行編目資料

宗教統治：基督宗教如何塑造世界，一部橫跨兩千五百年的人類史 / 湯姆.霍蘭(Tom Holland)著；蔡怡佳, 陳正熙, 陳愷忻譯. -- 初版. -- 臺北市：啟示出版：英屬蓋曼群島商家庭傳媒股份有限公司城邦分公司發行, 2022.11
冊；　公分. -- (Knowledge系列；25-26)
譯自：Dominion : How The Christian Revolution Remade The World.
ISBN 978-626-96311-3-1(上冊：平裝). --
ISBN 978-626-96311-4-8(下冊：平裝)

1.CST: 基督教史

248.1　　111014124

啟示出版線上回函卡

Knowledge系列26

宗教統治(下)：基督宗教如何塑造世界，一部橫跨兩千五百年的人類史

作　　者／湯姆・霍蘭（Tom Holland）
譯　　者／蔡怡佳、陳正熙、陳愷忻
企畫選書人／周品淳
總 編 輯／彭之琬
責任編輯／周品淳

版　　權／吳亭儀、江欣瑜
行銷業務／周佑潔、黃崇華、周佳葳、賴正祐
總 經 理／彭之琬
事業群總經理／黃淑貞
發 行 人／何飛鵬
法律顧問／元禾法律事務所 王子文律法師
出　　版／啟示出版
115台北市南港區昆陽街16號4樓
電話：(02) 25007008　傳真：(02)25007759
E-mail:bwp.service@cite.com.tw
發　　行／英屬蓋曼群島商家庭傳媒股份有限公司城邦分公司
115台北市南港區昆陽街16號8樓
書虫客服服務專線：02-25007718；25007719
服務時間：週一至週五上午09:30-12:00；下午13:30-17:00
24小時傳真專線：02-25001990；25001991
劃撥帳號：19863813；戶名：書虫股份有限公司
讀者服務信箱：service@readingclub.com.tw
城邦讀書花園：www.cite.com.tw
香港發行所／城邦（香港）出版集團
香港九龍土瓜灣土瓜灣道86號順聯工業大廈6樓A室 E-mail: hkcite@biznetvigator.com
電話：(852) 25086231　傳真：(852) 25789337
馬新發行所／城邦（馬新）出版集團 Cite (M) Sdn Bhd
41, Jalan Radin Anum, Bandar Baru Sri Petaling, 57000 Kuala Lumpur, Malaysia.
Tel：(603)90563833 Fax：(603)90576622 Email：services@cite.my

封面設計／李東記
排　　版／邵麗如
印　　刷／韋懋實業有限公司

■ 2022 年 11 月 17 日初版
■ 2024 年 8 月 6 日初版 2 刷

Printed in Taiwan

定價 600 元

城邦讀書花園
www.cite.com.tw

ISBN 978-626-96311-4-8